KB215846

황무지가
장미꽃같이

3

낮은 데로 깊은 데로

미문커뮤니케이션

「황무지가 장미꽃같이」

김진홍 목사 자·전·에·세·이

3

낮은 데로 깊은 데로

황무지가 장미꽃같이

낮은 데로 깊은 데로 3

하늘님, 좀 내려오시라요

독자 여러분께 드리는 말

성서도 하나의 이야기책입니다.
이야기책이되 여느 책과 다르게
인간 구원의 이야기라고 생각합니다.
그래서 나도 살아온 세월을 이야기로 써 봅니다.

첫째, 정직하고 '솔직하게' 쓰고 싶습니다.
둘째, 쉽고 '재미있게' 쓰고 싶습니다.
셋째, 재미있되 '깊이 있게' 쓰고 싶습니다.
넷째, 읽는 이의 가슴에 울림을 주고 싶습니다.

세상살이에서 지지리 쌓인
아픔과 상처가 치유되는
그런 글을 쓰고 싶습니다.

서른두 살 때 쓴 『새벽을 깨우리로다』는
너무 짧은 기간의 이야기였습니다.
이제 아예 다시 씁니다.

제가 만난 사람들
천민들, 고아들, 꼴찌들 …
돈이든 권력이든, 뭔가에 미친 사람들 …
밑바닥 사람의 기도는 한결같았습니다.

"하늘님, 좀내려오시라요."

그런 갈급함 속에
하나님께서 어떻게 함께 하셨는지
어떻게 함께 뒹굴며 함께 우셨는지
그리고 함께 웃으셨는지
이제 쓰기를 시작합니다.

1999년에 남양만에서 펴냈습니다.
세월이 지나
통일이 되면 청계천이나 남양만처럼 될
북녘땅의 동포들을 생각하며 다시 펴냅니다.

2025년 2월 23일
쇠목골 두레수도원에서 김진홍

"야야, 니는 목회를 왜 이래 별나게 하노?
니가 사람 목사라, 돼지 목사라?
성전에서 성도들 기도 소리가 들려야지 돼지 소리만
요란하게 들리니 이게 될 말이가?"

1

사람 목사, 돼지 목사

사람목사, 돼지목사

남양만 간척지 960만 평의 땅에 입주한 1천 200세대 15개 마을에 세운 교회들은 해당 지역에서 주민 봉사와 지역사회 개발의 중심지가 되었다. 남양만 넓은 지역에서 이화리에 자리 잡은 활빈교회가 모(母) 교회가 되고 화성군 쪽으로 독정리, 장안 1리, 장안 2리에 각각 세 교회가 들어섰고 평택군 쪽으로 호암리, 원정리, 홍원리에 세 교회가 있었다. 이렇게 모두 일곱교회가 현장에서 뿌리를 내리며 자립교회로 발돋움했다.

처음에는 버스를 한 대 사서 이화리 활빈교회에 모두 모여 예배드렸다. 개척지에서 400명 이상이 한 자리에 모여 예배드리니 세력도 있고 서로 의지가 돼서 좋았다.

그러나 함께 모이는 것이 좋은 점도 있었으나 그렇지 않은 점도 있었다. 각 마을에서 하는 활동에 소홀해지고, 지역사회를 섬기는 교회가 되겠다는 활빈교회의 설립 정신에 소홀해졌다. 그래서 2년이 지난 후부터는 각 지역 교회가 흩어져 예배를 드렸다.

우리는 각 지역에 주민회란 이름으로 주민조직을 결성하고는 활빈교회와 주민회가 합하여 '남양만 지역사회 개발본부'를 조직했다. 활빈교회 대표인 내가 본부장이 되고 주민회 회장이 부본부장이 됐으며 사무총장을 두어 전체를 총괄하게 했다.

그리고 개발본부 산하에는 5개 분야의 분과위원회를 두어 분과별 활동을 이끌었다. 주민교육 분과, 지역사회 보건 분과, 협동조합 분과, 농업개발 분과, 문화활동 분과 등 5개 분과로 각 분과마다 사업을 세분하여 지역 문제를 발굴하고 기획하고 해결해 나가도록 했다.

예를 들어 주민교육 분과 사업에는 다섯 가지 단위 사업이 있었다. 첫째는 마을 학교, 둘째는 안방 교실, 셋째는 사랑방 교실, 넷째는 경로 학교, 다섯째는 지도자 교육 과정이었다.

그중 마을 학교는 다시 다섯 단계로 교육과정을 세분했다.

첫째 단계는 임신에서 출산 후 3세까지 산모와 육아들을 지도하는 과정이었다.

둘째 단계는 4세에서 취학 전까지의 아동들을 대상으로 하는 어린이 학교였다.

셋째 단계는 초등학교 어린이들을 대상으로 했다. 학교를 마친 후 마을회관이자 교실인 교회에 모아 여러 가지 지도를 했다. 농촌 어린이들이 도시에 비해 학력 수준이 뒤지고 문화적 혜택을 누리지 못하는 점을 보완해 주는 프로그램이었다.

넷째 단계는 중고등학교에 다니는 학생들을 위한 과정이었다.

다섯째 단계는 중학교나 고등학교를 졸업한 후 진학하지 못한 청소년들과 마을청년들을 대상으로 하는 과정이었다.

이 중에서 둘째 단계인 어린이학교 사업이 가장 활발했다. 남양만 지역 일곱 곳에 학교를 세워 오전 여덟 시에서 오후 다섯 시까지 아이들을 맡아 돌보았다. 27명의 교사가 600여 명의 아이들을 돌보았다.

한편, 600여 명 아이들의 아버지와 어머니들은 각각 따로 조직하여 사랑방 교실과 안방 교실을 열었다. 그리고 일 년에 한두 차례 이화리 본부에서 이 부모들을 위한 대회가 열렸다. 이 행사에 지방 군수와 경찰서장을 초청해 군 행정에 대한 질의 토론 시간을 마련했는데 큰 효과가 있었다. 우선 몇백 명이 모여 있다는데 모두 놀랐고, 지역사회 내의 문제들을 자치적으로 해결해 나가려는 안목과 열성에 또 한 번 놀라움을 표시했다.

이런 식으로 지역사회 주민중에서 모든 주민이 어떤 모습으로든 개발본부가 실시하는 프로그램과 관계를 맺을 수 있도록 했다.

그렇게 되니 지역에서 주민회의 힘이 돋보였다. 단위 지역 주민회 대표들이 모여 남양만 총 주민회 회합을 가질 때면 그 열기가 대단했다. 자연히 남양만 주민회를 대표하는 회장 자리는 좋은 보직이 됐다. 왜냐하면 주민회 활동이 왕성해지니까 군수나 경찰서장이 새로 부임하면 며칠 안으로 찾아와 인사를 하기도 하고, 명절 때가 되면 관에서 연하장이나 선물도 보내 오니 농민들로서는 대단한 자리로 인식되지 않을 수 없었다. 이런 이유로 남양만 주민회는 평생 씻지 못할 상처를 입었다.

제2대 회장단 때의 일인 듯하다. 윤 씨가 회장을 맡았고 박씨가 부회장을 맡았다. 둘 다 서울에서 함께 내려온 활빈교회 멤버로, 내가 세례를 주고 교회 집사까지 임명한 일꾼들이었다.

그런데 하루는 사무총장이 내게 와서 둘 사이가 좋지 않은 관계임을 일러주었다.

"목사님, 죄송스런 말씀입니다만, 윤 회장과 박 부회장 사이를 목사님이 좀 풀어주셔야겠습니다."

"왜 그래요? 요즘 두 분 사이에 무슨 문제가 있나요?"

"말씀드리기 곤란하긴 합니다만…."

"그렇게 머뭇거리지 말고 터놓고 말해보세요."

"예, 말씀드리지요. 어느 곳이든 사람 모인 곳에서는 다 있을 수 있는 일인데, 둘의 관계가 고양이와 쥐 사이입니다."

"왜 그럴까? 둘 다 서울서부터 고생을 같이해 온 평생 동지 같은 사인데. 그렇게 갈등이 생긴 이유에 대해 뭔가 짚이는 게 있나요? 사연을 알면 화해시키기가 쉬울 텐데."

"글쎄요. 뭐라고 말씀드려야 할지. 주민회 총회 날짜가 얼마 남지 않게 다가왔잖습니까?"

"그랬던가요? 벌써 총회 할 때가 됐나? 그런데 총회가 있는 것과 둘 사이의 갈등이 무슨 관계가 있기에…."

"박 부회장이 다음 회장 선거에 출마하려나 봐요."

"그래요? 그럴 수 있겠지요. 부회장으로 있었으니 차기에 회장으로 뽑힐 가능성도 있겠구먼. 그런데요?"

“그런데요, 문제는 윤 회장이 자리를 내놓고 싶지 않은가 봐요.”

“그래! 그 사람 열성도 있고 지도력도 괜찮은 거 같던데요. 그럼, 윤 회장과 박 부회장이 차기 선거에서 경쟁상대가 된단 말인가요?”

“그런 셈이지요.”

“그러면 투표에서 표가 많이 나오는 쪽이 차기 회장직을 맡으면 될 게 아닌가요? 별문제 될 것도 없을 거 같구먼요.”

“아이고, 그게 그렇게 간단치가 않단 말입니다.”

“간단하지 않으면 복잡하단 말인데, 내 생각에는 하나도 복잡할 게 없을 것 같습니다.”

“목사님은 매사를 너무 쉽게 생각해서 탈입니다. 그 일로 둘 사이가 틀어져서 지금 말도 안 하는 사이랍니다.”

“그러면 안 되지요. 그런 일로 사이가 틀어지면 둘 다 졸장부인 게지요. 내 생각에는 별로 문제가 될 거 같지 않은데, 언제 둘을 불러서 이야길 나눠보도록 하지요. 그건 그렇고, 각 지역 대표들은 어느 쪽으로 쏠리는 것 같습니까?”

“지역 여론이 다음 회장감으로는 박 부회장을 밀기 때문에 문제가 생긴 거지요.”

“그래요? 그 사람이 착실해서 인심을 얻은 게로구먼요.”

나와 사무총장 사이에 이런 대화가 오고 간 후 나는 바쁜 일과에 밀려 둘 사이의 문제에 관심을 기울이지 못했다. 이것이 나에게 평생 씻지 못할 한이 되고 말았다. 얼마 후 윤 회장이 주민회 모임에서 박 부회장에 대해 말했다.

"요즘 왜 박 부회장이 안 보인다지?"

"글쎄, 그저께도 있었는데 오늘은 결석했구먼. 모임에 잘 빠지지 않는 사람인데."

"혹시 소문이 사실인가?"

"뭔 소문인데."

"박 부회장이 요즘 여자 문제가 좀 있다던데."

"아니, 윤 회장, 무슨 소리를 그렇게 해. 아, 박 부회장같이 착실한 사람이 뭔 여자 문제가 있을라구."

"아이고, 이 사람 얌전한 고양이가 부뚜막에 먼저 올라간다는 말도 못 들었는가?"

"괜시리 멀쩡한 사람 그렇게 험담하는 게 아녀."

"험담이 아니라 소문이 그렇다는 거지. 혹시 사귀는 여자하고 야반도주라도 했는가 해서 하는 말이지."

주민회 대표들의 회합에서 이런 대화가 오고 간 후에도 며칠이 지나도록 박 부회장은 나타나지 않았다. 집에도 없고 친척 집으로 연락해도 흔적조차 알 수 없었다. 그러는 사이 윤 회장은 박 부회장 이 사람 어디로 갔을까 하며 묻고 다녔다.

그런데 얼마 후 마을 개가 뒷산에서 코를 땅에 대고 킁킁거리며 냄새를 맡고 있었다. 지나던 사람이 개가 하는 짓이 이상해 가까이 가보았더니 땅속에서 삐죽 나온 옷자락이 보였다. 이상히 여겨 파보았더니 시체였다. 바로 실종됐던 박 부회장이었다.

경찰이 와서 조사를 하니 윤 회장이 범인이었다. 윤 회장이 수갑을

차고 끌려가던 날은 참으로 슬픈 날이었다. 세상이 뿌옇게 보이는듯 했고, 아무 일도 손에 잡히지 않았다.

어떻게 이런 일이 일어날 수 있단 말인가? 둘 다 내가 전도하고 세례를 주었고, 교회에서 집사로 세우고 주민회의 기둥 되는 일꾼으로 세웠는데, 한 사람은 죽임을 당하여 땅에 묻히고 한 사람은 살인범이 되어 감옥으로 끌려갔으니…. 도무지 일어날 수 없는 일이 일어났으니, 도대체 어찌 된 노릇일까? 나는 도무지 상상도 할 수 없는 일이어서 어떻게 대처해야 할지 그저 막막하기만 했다.

또 윤 회장의 살인사건은 그 자신의 문제로만 머물지 않았다. 그의 가족 전체가 사지에 몰려 마치 덫에 걸린 짐승과 같은 처지에 이르렀다. 윤 회장이 구속되고 언론에 보도가 나간 지 며칠 후 결혼한 딸이 시댁에서 쫓겨나 친정으로 왔다. 결혼한 지 두 달 만에 일어난 비극이었다. 그녀는 친정집 마당에 들어서면서 울음부터 터뜨렸다.

“우리 아버지도 참으로 원망스럽소. 사람을 죽이더라도 시집간 내가 아들이라도 하나 낳은 뒤에 그럴 일이지, 시집가자마자 일을 저질러 이렇게 쫓겨났으니 이제 나는 어떻게 살라고. 아버지, 아버지, 참으로 원망스럽소….”

그렇게 울며 들어오는 딸을 윤 회장의 부인인 친정어머니가 붙들고 모녀가 서로 통곡하는 통에 주위에 사는 주민 모두가 눈물을 흘렸다. 시집살이 두 달 만에 살인자의 딸이라고 해서 친정으로 쫓겨왔으니 얼마나 한스러웠겠는가.

그러나 윤 회장의 집은 피해자인 박 부회장 집에 비하면 아무것도 아니었다. 먼저 박 부회장의 부인이 남편의 시체를 보고는 그 자리에서 돌아버렸다. 장례식 날에도 꽃을 따러 다니고, 윗옷을 벗어 던져 젖가슴을 드러낸 채 헤실헤실 웃으며 골목길을 다니고 있었다. 죽은 사람이나 돌아버린 사람보다 정작 더 불쌍한 것은 자녀들이었다. 장례식 날 어린 딸들이 흐느끼며 아버지 관을 붙들고 놓지 않았다.

"아버지. 우린 어찌 살까예? 엄마까지 저레 미쳐버렸으니 우린 어찌 살아가야 하나요."

자녀들의 그런 애처로운 모습을 보고 눈물짓지 않는 이가 없었다. 나는 장례 예배가 이어지는 동안 한켠에 앉아 걷잡을 수 없이 쏟아지는 눈물을 감당하지 못하고 있었다. 그런 중에도 마을 사람들의 소리가 들려왔다.

"뭐 한다고 예배는 드려쌌노? 집사가 집살 죽였는데 뭔 예배여. 그냥 묻어버리지."

"그려. 활빈교회가 너무 잘 나가드라니까. 동리 다 잡아먹을 듯이 설쳐대더만 이제 김빠진 기제."

나는 처음으로 목사된 것을 후회했다. 괜히 감당하지도 못할 사람이 목사가 되어 이 지경을 당하는구나. 내 목회에서 이런 비극이 일어났으니 이제 무슨 얼굴로 목회를 계속할 것인가? 장례가 끝나고 나면 목사직을 벗고 평민으로 돌아가야겠다. 그래서 화장품 장사를 하든, 소나 돼지를 치든 바닥에서 새로 출발해야겠다는 생각이 들었다.

이런 갈등에 빠진 나는 장례가 끝난 즉시 담요 한 장을 들고 산속으로 들어갔다. 사람의 자취가 끊어진 산속으로 들어가 소나무 아래 판

판한 바위에다 담요를 깔고는 생각하고 기도하고, 기도하고 생각하기를 거듭했다. 목마르면 골짜기에 내려가 물을 마시고 잠이 오면 앉은 채로 졸며 일주일을 지냈다.

생각의 초점은 목사직을 그만두고 평민으로 돌아가는 일에 대해서였다. 지금까지 벌여온 일들을 어떻게 마무리할 것인가? 무슨 일은 버리고 무슨 일은 살려야 할까? 그리고 남은 일들은 누구에게 맡겨야 감당할 수 있을까? 생각은 끝없이 이어졌다.

밤이 지나고 새벽녘이 다가올 때쯤이면 나쁜 기운이 나를 누르는 듯한 감정에 사로잡혀 소나무 등걸을 안고는 “예수님, 날 도와주세요, 예수님, 나를 도와주세요!” 하고 소리 지르기를 반복했다.

엿새째 되는 날, 다소 기력이 살아나는 듯하여 성경을 펼치고 신약성서 요한복음 1장 1절을 읽었다.

> 태초에 말씀이 계시니라. 이 말씀이 하나님과 함께 계셨으니 이 말씀은 곧 하나님이시니라.

이 말에서 ‘태초에’란 단어는 헬라어로 ‘아르케’다. ‘말씀’은 ‘로고스’다. 그래서 ‘태초에 말씀이 계시니라’는 헬라어 성경 원문에서 ‘아르케에 로고스가 있었느니라’이다.

그런데 원래 요한복음을 기록한 저자는 헬라 철학(고대 그리스)에 탁월한 조예가 있었던 사람인 듯싶다. 그는 헬라 철학에서 철학적 사유의 핵심이 되었던 용어를 성서의 언어로 바꿔 사용했다.

헬라 철학자들은 모든 존재하는 사물들과 모든 일어나는 사건들의 맨 중심이 되는 근본이 무엇일까를 사색했다 그런 근본을 일컬어 '아르케'라 했다. 어떤 이는 그것을 '물'이라 했다. 어떤 이는 그것을 '불'이라 했다. 또 어떤 철학자는 '이데아'라 했다. 그리고 헬라 철학에서는 진리를 '로고스'라 불렀다. 그래서 헬라 철학에서 아르케란 단어와 로고스란 단어는 철학함의 기본을 이루는 용어였다.

철학자들 또는 학파에 따라 아르케는 그 내용이 달랐고, 그래서 로고스도 달라질 수밖에 없었다. 그런데 요한복음의 저자는 헬라 철학자들이 그렇게 찾던 아르케가 바로 진리로서의 로고스, 즉 말씀이라고 했다.

헬라어에서 아르케란 말은 네 가지 뜻을 지닌다. 그래서 요한복음 1장 1절에 나오는 아르케를 제대로 번역하자면 그 네 가지 의미를 다 포함해야 정확하고도 깊이 있는 뜻을 표현 할 수 있다.

아르케란 말의 첫 번째 뜻은 모든 만물이 존재하게 하는 기초를 일컫는다. 영어로 foundation이다. 두 번째는 모든 사물과 사건의 핵심을 일컫는다. 영어로 core이다. 세 번째는 우리가 추구하는 바 최고의 가치를 일컫는다. 영어로 ultimate con-cern이다. 그리고 네 번째가 '맨 처음 시작에'를 뜻한다. 영어로 in the beginning이다.

그런데 우리나라 말로 번역한 성서에서는 네 번째 뜻인 '맨 처음 시작에'란 뜻만 살려내고 있다. 아르케란 말의 근본 뜻을 다 살려 본문을 해석하면 의미가 훨씬 깊어지고 달라진다. 네 가지 의미를 다 살려서 '아르케에 로고스가 계시니라'라는 문장을 풀이하자면 다음과 같다.

'모든 사물과 사건의 기초에 말씀이 있었고, 가장 속 중심에 말씀이 있었다. 추구하는 바의 최고 가치 즉 궁극의 관심에 말씀이 있었다. 그리고 맨 처음에 말씀이 있었다.'

나는 산속에서 소나무 등걸에 기댄 채 이 말씀을 곰곰이 생각했다. 문득 이 말씀에 비추어 내가 행했던 농민 목회의 문제점이 짚어졌다. 가슴 속 깊이 다가오는 문제는 내가 행한 농민 목회 활동에서 '아르케'가 무엇이었느냐는 질문이었다. 생각에 생각을 거듭한 결과 내가 범한 과오는 너무나 분명했다.

나는 농민 선교의 기초를 하나님 말씀에 두지 않고 농민들의 소득증대에 두었다. 농민 목회의 가장 '속 중심'에 진리가 아닌 주민조직을 두었다. 농민들의 소득 증대를 높이기 위해 주민조직을 만들고는 밤낮없이 일해왔다.

그러나 그렇게 일한 바의 최종 목표, 곧 궁극적 관심은 하나님 앞에 선 인간이 아니었고, 물질적으로 잘 사는 농촌의 건설이었다. 그리고 선교 활동이 시작에서 마지막까지가 생명과 진리와 사랑의 본체로서의 로고스가 아니었고, 인간의 수단과 방법에 의지해 왔다.

나는 결론에 이르렀다. 윤 회장 사건으로 남양만을 떠날 것이 아니라 제대로 본질적으로 다시 시작해야 한다는 결론이었다. 목사직을 벗고 평민으로 돌아갈 것이 아니라 목사다운 목사가 되어야겠다는 다짐이었다.

이화리 본부 교회로 돌아오니 남녀 교인들이 모여 있다가 나를 보고는 반색하며 맞았다.

“아이고, 우리 목사님, 어딜 갔었시요? 온 교인들이 밥도 못 먹고 잠도 못 자고 염려들 했습니다.”

“예, 기도하러 산엘 좀 다녀왔었지요.”

“기도하러 가시드라도 어딜 간다고 말씀하고 가셔야 우리가 걱정을 안 하지요. 그건 그렇고, 목사님 얼굴이 왜 이래 그릇됐어요?”

“괜찮습니다. 곧 회복될 겁니다.”

“우선 상부터 차려올까요?”

“아녜요. 미음이나 끓여주시고 따뜻한 자리에 이불 좀 깔아주세요.”

나는 미음 한 사발을 들이키고는 아랫목에서 정신없이 잤다. 이틀 동안 잠을 자고 나니 한결 원기가 솟는 듯해서 기동하려고 준비하고 있는데 손님들이 왔다기에 나가보았다. 남양만에서 이전부터 터 잡고 살아왔던 분들이었다. 남양만이 간척지로 개간되기 전에 그들은 어민들이자 농민들이었다. 갯벌에 정치망을 쳐서 고기잡이하며 갯벌에서 조개를 잡고 한편으로는 농사도 짓고 살았다.

그런데 남양만이 메워지고 갯벌이 농토로 바뀌자, 그들은 어장을 잃고 경제적으로 손실을 보았다. 그래서 우리 입주민들과 사이가 좋지 않은 채 지내왔다. 입주민들과 사이가 좋지 않으니까 자연히 활빈교회와도 좋은 사이가 될 수 없었던 터였다.

“이거 아주 반가운 분들이 오셨군요.”

“아니, 속 썩이고 골치 아픈 사람들이 왔는데 반갑다고 하시니 고맙습니다.”

"원 별말씀을…. 반갑잖구요. 젤 반가운 분들이지요. 그런데 오늘 웬일로 여기까지 걸음 하셨습니까?"

"이번 일로 목사님이 너무 낙심하실까 봐 힘내시라고 격려차 왔습니다."

"예에, 이번 일이라면 그 사건을 말하는군요. 다들 들으셨구먼요."

"듣다마다요. 온 나라에 알려졌는데 이웃에서 모를 턱이 있나요."

"예, 그렇겠지요. 좌우지간 부끄럽습니다."

"아닙니다. 목사님이 왜 부끄럽습니까?"

"교회 울타리 안에서 일어난 일이니, 목사 책임이 크지요."

"그렇지 않습니다. 우리도 그간에 내왕은 없었습니다만 목사님 하시는 일은 익히 알고 있습니다. 목사님께서 농민 살리고 마을 살리려고 애쓰고 계시는 것에 우리 모두 감동했습니다."

"그렇게 말씀해 주시니 고맙습니다."

"우리도 진작 목사님을 찾아뵙고 싶었는데 초판에 워낙 겁을 먹어 아직 길이 열리지 않았던 거지요."

"초판에 겁을 먹다니요?"

"예, 말씀드리기 새삼스럽습니다만 간첩 목사란 통에 우리가 겁을 먹었던 거지요."

"간첩 목사라구요?"

"아니, 목사님은 모르고 계셨습니까?"

"예, 금시초문인데요."

"아, 그러세요? 목사님은 아직 모르시는구나. 뭐냐면, 목사님이 서울에서 내려오기 전에 형사들이 마을에 와서 살다시피 하면서 말했더랬지요. 서울에서 간첩 목사가 내려오니 주의하라고요. 접촉하지 말고 혹시 집에 왔다 가면 대화 내용이 무엇인지 보고하라고 했었지요."

"그래요? 그런 일이 있었구먼요. 그 형사들 지금도 오나요?"

"아녜요, 반년가량 그러구 다니더니만 그 후로는 괜찮아졌습니다."

"제가 간첩이면 잡을 것이지 왜 주민들더러 접촉하지 말라고 했을까요?"

"그러게 말입니다."

"난 그런 줄도 모르고 당황할 때가 많았습니다. 마을에 갈 때마다 주민들이 차가운 표정으로 대하곤 해서 우리에게 바다를 빼앗겼다고 생각하는가 했지요."

"별말씀을요. 바다야 많진 않지만, 보상금을 받았으니 문제가 아니고, 또 바다를 막은 것도 정부가 한 것이지 입주민과 관계가 있나요? 간첩 목사, 간첩 목사라구 자꾸 그러니 우리가 겁을 먹은 거지요."

"그래, 지금은 저에 대한 인식이 어떤지요? 아직도 사상이 좋지 않다고 생각하는 분들이 있나요?"

"아네요, 다 지나간 이야기지요. 그런 생각을 하고 있다면야 우리가 이렇게 찾아올 수 있겠습니까?"

"다행입니다."

"그럼요. 목사님과 입주민들이 들어온 지 반년 가까이 지난 뒤부터는 생각이 바뀌기 시작했습니다. 말하자면 정부가 잘못하는 걸 잘못한다고 말 한 사람이지 간첩이란 말은 얼토당토않은 걸 알게 됐지요."

"그렇게 알아주시니 고맙습니다. 앞으로 내왕도 하고 일도 같이하며 잘 지냅시다."

"우리가 부탁드리고 싶은 말입니다. 하시는 일에 우리들도 좀 참여시켜 주십시오. 잘 부탁드립니다."

현지 주민 대표들과 이런 만남이 있고 난 뒤로 간척지 입주민들과 현지 주민들 사이에 유대가 깊어지고, 농업 개발사업이나 주민 봉사 활동에 그들도 함께 참여했다.

1978년, 호주에 주문해 두었던 종돈 92마리가 도착했다. 간척지에서 3년째 벼농사가 성공했지만, 벼농사만으로는 겨우 먹고 살 만한 정도였다. 농촌에서도 문화생활을 하려면 벼농사 이외의 수입이 있어야 했다. 그래서 축산으로 관심을 돌렸다.

나는 농민들에게 돼지단지를 만들어 잘 사는 농촌을 이루자고 설득하고는 좋은 종돈을 확보하기 위해 호주교회 브라운 선교사께 부탁해 최고 품질의 종돈 92마리를 도입했다. 국내에서 종돈 시세가 6만 원 정도일 때 마리당 42만 원이 먹혔으니 최고급 종돈이었던 셈이다.

종돈을 배정받은 주민들은 처음엔 좋아했다. 그리고 돼지 시세가 좋았을 때는 아무 말도 없었다. 그러나 종돈을 들여온 지 일 년여가 지났을 때 돼지고깃값 파동이 일어났다. 전국적으로 돼지가 과잉 생산되어 값이 폭락했다. 돼지고기 한 근이 1,700원은 돼야 생산비가 빠지는 데 200원에도 팔리지 않을 만큼 값이 폭락했다. 고기 값은 내리고 사료비는 오르는 데다 새끼가 태어나도 팔 곳이 없었다. 이쯤 되니 교회를 원망하기 시작했다.

"예배당 말 듣고 돼지 길렀다가 폭삭 망하게 됐구먼."

"김진홍 목사는 설교나 하지 무슨 돼지, 돼지 하고 다녀서 우릴 망하게 했잖아. 꼭 생긴 것도 돼지같이 생긴 양반이…."

마을을 방문한 나에게 등 뒤에서 노골적으로 그런 말들을 했다. 나는 듣기가 민망해서 뒤를 돌아보며 말했다.

"아줌마, 그건 너무하요. 내가 잘 생기지 못한 줄이야 알고 있지만 돼지보다야 낫지 않습니까?"

"목사님, 내 말에 너무 섭섭해하지 마시라요. 화가 나서 하는 말이지, 실제로야 목사님이 돼지보다는 쪼께 낫습니다."

주민들이 교회 말 듣고 돼지 사업을 시작했다가 망하게 됐다고 원망을 하자 나는 마을에 들어가기도 난처했다. 돼지가 새끼를 낳았는데 팔리지는 않고 사료비는 없으니까 마을 아주머니들이 새끼 돼지를 손수레에 싣고 갯벌에 버리기에 이르렀다.

그런데 갯벌에 버려진 새끼 돼지들이 어떻게 바닷속으로 들어가겠는가! 갯벌에서 꿀꿀거리며 있다가 밀물이 밀려 들어올 때 파도를 타고 몽땅 육지로 올라왔다. 신기하게도 단 한 마리도 물에 빠져 죽지 않고 살아서 마을로 들어왔다. 몸에 뻘칠을 한 새끼 돼지 200여 마리가 꿀꿀거리며 쏘아 다니니 온 마을이 수라장이 되었다.

짜증이 난 마을 부녀자들은 다시 손수레에 새끼 돼지들을 싣고 교회로 왔다.

"이 돼지 새끼들! 돼지 좋아하는 김진홍 목사께 가져다 주자."

서재에 앉아 성경을 읽고 있던 나는 마당에서 마을 부녀자들이 "목사님, 김진홍 목사님"하고 부르는 소리에 무슨 반가운 일인가 하여 얼른 나갔다. 나를 본 마을 부녀자들이 말했다.

"목사님, 돼지 좋아하시지예. 한 끼에 한 마리씩 드시라요."

그렇게 말하며 손수레에 실려 있는 새끼 돼지들을 마당에 쏟아 놓았다. 교회는 엉망이 됐다. 교회 안으로 새끼 돼지들이 뛰어 들어오는가 하면 부엌으로 들어와 세간살이를 엎고, 야단이었다. 어머니가 역정을 내시며 말했다.

"야야, 니는 목회를 왜 이래 별나게 하노? 니가 사람 목사라, 돼지 목사라? 성전에서 성도들 기도 소리가 들려야지 돼지 소리만 요란하게 들리니 이게 될 말이가?"

"아이고, 어머니, 내 속을 누가 알까요? 돼지 농사를 내가 강제로 시킨 것도 아니고 자기들이 좋아서 한 거인데, 잘될 때는 아무 말도 없더니 안 되니까 나만 원망하니 참 속이 시립니다."

나는 어쩔 수 없이 교회 청년들을 불러 큼지막한 구덩이를 파게 하고는 새끼 돼지들을 거기에 모두 몰아넣었다. 그러나 그다음이 문제였다. 처음 생각에는 땅속에 묻어버리려 했으나, 막상 구덩이 속에 몰아넣고 나니 도저히 그럴 수가 없었다. 아무리 짐승이지만 살아 있는 생명들 위에 흙을 덮어버린다는 것은 차마 못 할 짓이었다. 그렇다고 그냥 두면 굶주림으로 죽을 때까지 소리를 질러댈 것이니 그것도 어려운 일이었다.

이러지도 저러지도 못하고 있는 판인데 신문을 보니 정부가 인천 창고에 쌓아두었던 수입 돼지고기를 서울 소비자들에게 판매하고 있다는 기사가 나와 있었다. 그 기사를 읽은 나는 열을 받아 가만있을 일이 아니라는 생각이 들었다. 청년들을 다시 불러들였다.

“어이, 자네들. 가서 트럭 한 대 불러오게.”

“대장님, 트럭은 불러서 뭘 하려고요? 돼지 새끼 싣고 가서 버리려고요?”

“그런 게 아니고 이 신문 좀 읽어봐라. 농민들은 돼지 먹이다가 망해서 눈알이 튀어나올 지경인데, 정부가 대책은 세워주지 않고 수입 돼지고기를 서울에 팔고 있단다. 이깐 정부를 그냥 두고 볼 수 있겠냐. 구덩이에 들어가 있는 돼지 새끼를 몽땅 싣고 서울로 가자. 가서 중앙청 앞에다 확 풀어놔 버리자. 그리고 총리고 장관이고 이 돼지 새끼 가져다 한 끼에 한 마리씩 묵으라고 일러주자.”

이 말을 들은 청년들의 얼굴이 갑자기 확 펴졌다.

“좋습니다. 한 건 합시다. 대장, 맘 변하지 말기요.”

그들은 얼른 가서 2.5톤 트럭 한 대를 불러왔다. 우리는 트럭에다 돼지 새끼들을 싣고 서울로 향했다. 나는 독기가 오른 채 트럭 앞자리에 앉아 “서울로 갑시다”하고 소리쳤다. 그런데 군사정권 시대에 정보 정치하던 시절이라 무사히 서울까지 가게 두지를 않았다. 그 사이에 누군가가 군청으로, 관할 경찰서로 연락해서 수원까지도 못 나갔는데 이미 군수 어른이 길가에다 지프를 세워놓고 차마다 뒤지고 있었다.

군수는 나를 보더니 반가워하며 말했다.

“아이고, 목사님, 혹시 못 만날까 봐 속을 태웠습니다. 목사님, 이러

시면 안 됩니다. 목사님이 이러시면 나는 집에 가서 애나 봐야 합니다. 목사님, 제발 차를 돌려주십시오. 우리가 강제 집행하지 않도록 자발적으로 돌려주십시오."

내가 뿌리친다고 될 일이 아니었다. 산모퉁이 저켠에 경찰차가 보이고, 경찰관 몇이 대기하고 있는 듯했다. 나는 이 일도 제대로 안되는구나 생각하고 군수 어른에게 차에 실린 돼지 새끼를 통째로 넘겨주며 말했다.

"군수 어른, 이 돼지 새끼 차떼기로 넘겨드릴 테니 경찰서장 어른하고 한 끼에 한 마리씩 드시라요."

그때 돼지 때문에 얼마나 혼이 났던지 그 뒤에 나는 주위 사람들에게 말했다.

"내가 나중에 죽을 때 유언을 뭐로 할 끼냐? 손자들 앉혀놓고 '우리 집안은 절대 돼지 옆에 가지 말지니라'고 유언 할란다."

자연히 농민들은 책임자인 나에게로 몰려들었다.
나는 졸지에 채무자로 몰리는 처지가 됐다.
주일예배 시간이면 채권자들이 15, 16명씩
떼를 지어 뒷자리에 앉아 있곤 했다.
내가 설교를 시작하면 그들이 소리 높여 말했다.
"천당에 전보 치소~거 송금 좀 하라고 그러소."

2

천당에 전보 치소

천당에 전보 치소

남양만 주민회의 회장과 부회장 사이의 갈등이 살인으로까지 번진 사건이 있은 후부터 나는 선교 활동을 영적이고 정신적인 방향으로 이끌어가려고 애썼다. 그러나 한 번 몸에 밴 체질은 쉽사리 바뀌기 어려웠다. 남양만 지역사회 안에서 주민 봉사와 지역 사회 개발을 위한 모든 프로그램이 성경 말씀 중심으로 진행되기를 바랐으나, 실제로 진행해 가는 과정에서는 잘 반영되지 못했다. 나는 이런 상황에 대해 내적 갈등을 느끼면서도 선교 활동을 계속해 나갔다.

그간에 황인성 군과 서경석 군 등 당시 민주화운동 핵심 인물들이 남양만 선교팀에 합류하여 막강한 팀워크를 이루게 되었다. 그러나 이들 운동권 출신은 그 의욕과 정열에 비해 현장경험이 미숙해 간혹 문제를 일으키기도 했다. 간첩 신고 파동이 그러한 예다.

어느 날 새벽, 교회 마당에 까만색 지프 두 대가 들어서더니 수사관들이 우르르 달려들어 우리 팀의 일꾼 세 명을 연행해 갔다. 갑작스런 사태에 내가 물었다.

"아니, 무슨 일입니까?"

수사관은 딱딱하게 대답했다.

"이웃 마을에서 간첩 신고가 들어와 조사해야 하오."

물론 조사 결과는 터무니없는 일로 밝혀져 세 사람은 그날로 풀려났지만, 자초지종을 알고 보니 웃고 넘길 일만은 아니었다. 우리 팀 중 운동권 출신 두 명이 농민 교육을 한답시고 마을에 들어가 첫날 첫 시간부터 박정희는 독재자이며 이런 독재정권은 타도돼야 한다고 했다. 이른바 주민 의식화 교육을 한답시고 반정부 강의를, 열을 내어 했더니 강의가 끝나자마자 주민들이 간첩 용의자가 우리 마을에 와서 불온한 강의를 한다고 경찰서에 신고해 버렸다. 그 신고를 받고 대공 수사관들이 간첩을 잡으러 냅다 달려와 일이 터진 것이었다.

그 일이 있은 후 나는 일꾼들을 모아 자체 교육을 실시했다.

"낯선 마을에 낯선 일꾼들이 들어가 박정희 비판부터 하는 행동은 말하자면 심한 조루증이 있는 사나이와 다를 바 없다. 농민 운동을 제대로 해나가려면 상당한 기간에 걸친 투자가 있어야 한다. 농민운동의 과정은 마치 농사짓는 농부들과 같다. 즉 좋은 씨앗을 골라 밭에 뿌리고 거름을 주어 가꾸고 잡초를 제거하고 가을에 가서 수확하는 농사와 같은 것이다.

따라서 농민 의식화를 제대로 하려면 먼저 농민 교육을 통해 이루어지도록 해야 한다. 바람직한 농민 교육이 제대로 되려면 우선 농민들로부터 신뢰를 받아야 한다. 농민들의 신뢰를 얻기 위해서는 농민들

을 섬기는 봉사활동이 앞서야 한다. 또 농민 봉사 활동을 제대로 하려면 농민들과 격의 없이 만나 대화하고 그 속에서 농민들이 맞닥뜨린 문제점들을 찾아내고 풀어나가는 과정이 있어야 한다.

이런 과정을 거치지 않고 농민들을 만나자마자 의식화 교육을 한답시고 반정부 강의부터 하는 일은 자신의 의식이 철저하지 못한 탓이다. 이를테면 아마추어 수준이다. 농민운동을 제대로 전개하려면 프로페셔널해야지 아마추어로는 곤란하다."

이런 내용의 강의와 대화를 통해 선교팀이 농민들을 대하는 마음가짐과 자세를 올바르고 새롭게 갖도록 했다.

그 후로 우리는 주민들에게 민감한 문제인 정치나 체제에 대한 이야기는 일절 언급하지 않았다. 대신 주민들이 현실적으로 부딪히고 있는 문제들에 대해 함께 토론하고 해결책을 찾아나가는 데 열중했다.

그런 과정을 거쳐 착수한 사업이 지역사회 주민들의 소득 증대를 위해 새마을 공장을 세우는 일과 축산단지를 조성하는 일이었다.

새마을 공장은 일본 여성들 옷인 기모노의 허리띠를 만들었다. 공장 건물을 세우고 지역 부녀자 1백여 명이 이 공장에 취업하여 일하게 되었다. 그러나 대량생산 단계에 들어가자, 일본 바이어 쪽에서 값을 절반으로 떨어뜨리려 하는 통에 문을 닫고 말았다.

당연히 주민들로부터 욕을 먹었다. 무슨 일이든 좋은 뜻으로 시작했다가도 실패하면 욕은 교회가 먹게 되고, 책임도 교회가 지게 마련이었다.

한편, 공동 축산단지는 1977년 말부터 남양만 주민회 산하의 농업개발부에서 전담한 사업으로, 먼저 비육우 단지 조성 사업부터 시작했다. 송아지를 사서 기르되 구입, 사육, 판매 일체를 마을 단위로 공동 단지화하기로 계획을 세우고 먼저 송아지 구입에 나섰다.

그런데 한꺼번에 수백 마리의 송아지를 사는 일은 매우 어려운 사항이었다. 멀리 제주도까지 출장 가서 송아지를 사려 했으나 여의치 않았다. 여러모로 궁리한 끝에 외국에서 송아지를 수입하기로 했다. 각 농가에서 원하는 마릿 수를 신청하고 송아짓값을 먼저 내면 외국의 농장과 직접 계약하여 송아지를 들여올 계획이었다. 그렇게 하면 중간상에게 드는 비용이나 이익금을 줄이게 되므로 송아지를 값싸게 들여올 수 있었다.

그리하여 뉴질랜드 농가와 계약을 맺고 마리당 39만 7천 원에 무려 500두를 주민들에게 신청을 받았다. 전체 솟값이 2억 원에 이르렀기에, 생각에는 농민들로부터 전액이 입금되려면 석 달은 걸릴 것으로 예상했다. 그러나 불과 18일 만에 2억 원이 입금됐다.

우리는 주민들의 열렬한 호응에 놀라고 기뻤다. 이런 호응은 그간의 선교활동에 대한 중간평가 성격이 있는 것으로 매우 의미 있는 일이었다. 주민회 간부들과 활빈교회 선교팀 일꾼들은 주민들의 확고한 신뢰에 신바람이 났다.

영세농민들이 한푼 두푼 돈을 모아 각자 12두씩의 소를 한 배에 싣고 외국에서 직접 사들여 오는 일은 단군 역사 이래 처음 있는 일인지라 큰 보람을 느꼈다. 우리는 남양만을 한국 농민운동의 총본산으로 만들겠다는 결의를 다지곤 했다.

1978년 8월 말 뉴질랜드로부터 493두의 앵거스 비육 소가 인천항에 도착했다. 일본의 노무라 목사가 뉴질랜드까지 가서 검사하는 수고를 맡아주었다. 그는 아무런 대가도 바라지 않고 자기 돈을 들여가며 우리 일을 도와주었다. 기독교 사랑은 국경을 넘어서는 일임을 보여주는 대표적인 예였다.

각 농가까지 소를 데려오는 일에는 그간 닦아놓은 주민조직이 한껏 그 기능을 발휘했다. 소가 각 농가에 도착한 후 정산을 하니 두당 1만 7천 원씩 남아 각 농가에 되돌려주었다. 결국 두당 38만 원꼴이었다. 당시 국내 비육우 시세가 두당 90만 원이었으니 엄청 싼 값으로 소를 들여온 셈이었다.

그런데 정부의 한 기관에서도 같은 시기에 뉴질랜드로부터 비육우를 도입했다. 공교롭게도 우리와 같은 배에 실려 각 농가에 분양되었는데, 솟값은 60만 원에 달했다. 실로 이상한 일이었다. 농민들이 직접 사들여온 값은 39만 7천 원에서도 1만 7천 원이 남아 되돌려주는 판이었는데, 정부 기관에서 사온 소는 농민들에게서 60만 원을 받았다. 양쪽 솟값이 그렇게 차이가 나는 이유가 무엇일까? 정부가 수입한 솟값 차액은 누가 챙겼을까? 실로 궁금한 일이었다. 정부와 농민들 간에는 그 솟값 차이만큼의 거리가 있는 게 아닐까 하는 생각이 들었다.

그런데 소를 싼값에 들여와 각 농가에 분양하는 데까지는 성공했으나 그 뒤가 문제였다. 국내 솟값은 바닥을 모르고 떨어지는 데다 사룟값은 턱없이 치솟는 것이었다. 게다가 서울 빈민촌 출신들과 영세농민들은 축산 경험이 없는지라 외국 소 사육에 익숙지 못해 실패가 잇

따랐다. 또 뉴질랜드의 너른 풀밭에서 자란 소들을 한국 농촌의 좁은 외양간에 매두고 마른 짚을 먹이니 제대로 자라지 못했다.

당시에는 소 한 마리가 죽으면 농가 재산의 몇분의 일이 그냥 날아가 버리는 셈이었다. 한 마을에서 소 몇 마리 죽으면 나머지 집들은 지레 겁을 먹고 소를 헐값에라도 팔려 했다. 게다가 비육우는 송아지를 일 년에 한 마리씩 낳는데, 그 송아지를 팔아 투자한 자금을 건지기에는 다급하지 않을 수 없었다. 자금 회전이 좀 더 빠른 가축을 선택할 필요가 있었다. 우리는 의논을 거듭한 결과 젖소를 도입하기로 결정했다. 젖소는 매일 우유를 짜니 자금 회전이 빠를 것이란 생각에서였다.

나는 장로회 신학대학 시절 은사였던 호주 선교사 브라운 목사를 찾아가 우량종 젖소를 공급해 줄 호주 회사를 소개해 달라고 부탁했다. 브라운 교수는 달게티 회사(Dalgety Australia Limited)를 추천해 주었다. 남양만 주민회는 달게티사와 젖소 600두에 대한 수입 계약을 체결했다. 두당 64만 원이라는 가격은 국내 시세와 비교해 볼 때 절반 남짓한 금액이었다. 매우 조건이 좋았다. 이런 가격으로 젖소를 들여오면 분양받는 농민들에게 그만큼 이익이 돌아가리라는 예상은 두말할 나위가 없었다.

이번에는 젖소를 신청한 주민들로 하여금 회의를 열어 호주 농장으로 가서 소를 검사할 대표 두 명을 뽑게 했다. 시골 농민이 해외여행을 할 수 있는 절호의 기회인지라 선거는 치열한 운동을 거쳐 민주적으로 치러졌다. 당선된 두 사람은 호주로 파견됐다.

1979년 6월 24일, 소를 실은 배가 인천항에 도착했다. 그런데 도착한 소는 356두에 불과했다. 공급회사 측에서 준비한 소들이 선적 시 검사 과정에서 자격 미달로 대량 탈락하였다. 달게티 회사 측에서는 미안하다며 다시 한 배를 더 주문하든지, 아니면 얼마 후 일본으로 가는 배에 150두를 실을 빈자리가 있으니 그 배로 나머지를 보내겠다는 소식을 전해왔다. 우리는 도착한 소를 농가에 인도한 후 나머지 소에 대한 대책을 세우기로 했다.

그러나 예상치 못한 사고가 일어났다. 인천항에 도착해 동물 검역소에 들어간 소들은 15일간의 검역기간이 지난 후 통관절차를 밟아 각 농가로 수송되는데, 통관절차에서 사단이 생겼다. 통관 업무에 필요한 서류 가운데 '원산지 증명' (The Certificate of Origin)이란 서류가 없었다. 공급하는 회사가 호주산 소임을 밝히는 간단한 서류지만, 이 서류가 없으면 통관이 되지 않고 소는 검역소에서 나올 수 없게 된다.

원산지 증명 서류는 호주에서 소를 선적하는 즉시 항공우편으로 보내기 때문에 배로 오는 소가 도착하기 전에 서울에 와있어야 함이 마땅했다. 그러나 소가 이미 도착하여 검역기간이 끝나갈 때까지 원산지 증명서는 오지 않았다.

법정 검역기간인 15일이 끝난 뒤에도 소가 계속 검역소에 머물게 되면 그 비용은 우리가 별도로 부담해야 했다. 초조해진 우리는 전보, 텔렉스, 전화 등 모든 방법을 동원하여 호주의 달게티사에 원산지 증명서 발송을 독촉했다. 그런데 호주 회사는 이미 서류를 보냈다고 대답했다.

검역 기간이 끝난지라 검역소에서 356두의 소에 대해 사육비와 관리비, 치료비 명목으로 하루에 80만 원씩 물고 있는 상황이었다. 우리는 여기저기서 돈을 끌어와 그 비용을 충당해야 했다.

뒤늦게 호주 측에서 잘못된 주소로 서류를 발송한 것이 밝혀졌다. 호주 BNSW 은행에서 서류를 발송할 때 주소를 잘못 타이핑한 것이었다. 'Yongsan P.O. Box 117 Seoul, Korea'로 보내야 하는 주소를 'P.0. Box 117 Seoul Korea'로 보낸 것이다. 용산(Yongsan)을 빼먹어 버린 것이다. 그래서 용산우체국으로 가야 할 서류가 중앙우체국 사서함 117호로 들어갔던 것이다. 게다가 호주 은행 측은 등기 우편으로 보내지 않고 일반 우편으로 보냈다.

결국 우리 서류는 서울 중앙우체국 117호로 들어가 있다가 우편함 주인이 자기와 관계없는 서류인지라 그냥 쓰레기통에 넣어 버려 실종되고 말았다. 여기까지 확인한 우리는 호주 측에 서류를 재발급하여 긴급히 발송하라고 연락했다.

그런데 엎친 데 덮친 격으로, 달게티 사에서 서류를 재작성해 보내려는 판에 호주 우체국 직원들의 노조 파업이 발생했다. 파업으로 인해 우체국의 모든 업무가 중단되고 말았다. 우리는 안달이 나서 미칠 지경이었으나 우리 힘으로 호주의 노조 파업을 중단시킬 수는 없는 노릇이었다. 파업이 끝나 서류가 한국에 도착한 것은 10월 초순이었다. 인천항에 소가 도착한 지 3개월여가 지난 때였다

이런 소동을 겪는 동안 활빈 선교팀과 남양만 주민회의 조직 내부에 혼란이 일어났다. 일이 너무나 복잡하게 얽히니 관리 능력이 뒤따르

지 못하게 되고 서로가 책임을 회피하려고만 했다.

게다가 소들의 검역소 체류비용을 대느라 여기저기서 돈을 끌어다 쓰는 통에 재정 관리 체계도 흐트러졌다. 필요 없는 분야에 돈을 지출했고 더러는 사적인 일에 돈을 쓰는 경우도 일어났다. 자연히 분쟁이 일고 인화가 깨졌다.

어떻게 혼란을 수습해야 할지 막연하기만 했다. 천신만고 끝에 검역소의 소들을 각 농가에 인도하고 달게티 사에 손해배상금으로 7만 달러를 요청했다. 그러나 달게티 사는 은행 측에서 잘못한 일이니, 은행이 변상할 책임이 있다고 주장했다. 그래서 달게티사와 은행 간에 소송이 제기되고 재판이 시작되었다.

재판은 시간만 질질 끌 뿐 결말이 나지 않았다. 소를 분양받지 못한 주민들은 활빈교회로 와서 항의하기 시작했다.

1979년 10월 3일 활빈교회 창립 8주년 기념일에 결산을 해보니 부채액이 무려 1억 4천만 원에 달했다. 가장 심각한 문제는 추가로 들여와 농가에 분양해 줘야 할 젖소 150여 두 값을 검역소 비용에 써버려 대책이 없다는 것이었다. 농민들에게 소를 주든지 아니면 솟값을 돌려주어야 하는데, 우리는 이것도 저것도 할 수 없는 처지였다.

자연히 농민들은 책임자인 나에게로 몰려들었다. 나는 졸지에 채무자로 몰리는 처지가 됐다. 주일예배 시간이면 채권자들이 15, 16명씩 떼를 지어 뒷자리에 앉아 있곤 했다.

내가 설교를 시작하면 그들이 소리 높여 말했다.

“어~이, 김 목사. 말은 좋은데 빚을 갚아야제. 우리 솟값 사기해 먹고서 설교는 잘 허네."

그리고 내가 기도드리려면 빚쟁이들이 말했다.

"천당에 전보 치소~거 송금 좀 하라고 그러소."

예배 끝날 때 하는 축도를 하려고 손을 올리면 그들은 또 소리치듯 말했다.

"어? 목사가 손을 번쩍 올리며 뭔 바람을 잡는기여. 저렇게 바람 잡아놓고 뒷문으로 도망가 버리려는 거 아녀? 뒷문 지키자고."

더러는 예배가 끝나면 헌금함을 집적거리며 말했다.

"오늘 수금 얼마 들어온 거야? 우리가 계산하여 가져가도 되제?"

나는 그들을 나무랐다.

"여보세요, 사정이 딱한 건 알지만 하필이면 왜 주일에 교회에 와서 이럽니까? 주일이 아닌 다른 날 와서 순리대로 이야기합시다."

"순리? 순리 좋아하네. 김 목사, 생각해보시라요. 다른 날에 오면 당최 김 목사를 만날 수 있어야제. 그래도 주일 날이 예배당에선 장날이니까 김 목사가 장 보느라 꼭 있을게 아뇨. 그래서 주일 날 오는 거제. 아무튼 돈만 주시라요. 이깐데 오라 해도 안 올 테니깐."

주일마다 빚쟁이들이 몰려와 이렇게 북새통을 벌이니 교인들이 가을날 나뭇잎 떨어지듯 떨어져 나갔다. 200명이 넘던 교인들이 겨우 13명만 남아 한숨을 쉬며 예배를 드리곤 했다. 할머니 교인들은 울며 이렇게 기도드렸다.

"하나님, 우리 목사님이 어쩌든지 이 시험에서 넘어지지 말고 승리케 해주시옵소서."

그들은 아무리 떼를 써도 별반 효과가 없자 고소하는 방법을 취했다.

1979년에서 1980년 사이에 나는 사기죄로 일곱 번 고소를 당했고 수원검찰청에 무려 21회나 출두했다. 번번이 무혐의로 처리되곤 했으나, 피해 입은 농민들이 번갈아 가며 고소하는 통에 나로서는 견뎌내기가 어려웠다.

수원검찰청에서 조사를 마치고 집으로 돌아올 때면 이 차가 교통사고라도 나서 나도 함께 죽을 수 있었으면 좋겠다는 생각을 종종 했다. 그런 생각을 하다가도 죽으면 혼자 죽지, 왜 죄 없는 운전사와 승객들까지 다치게 하느냐, 그들을 다치게 할 수는 없지 않은가 하고 마음을 고쳐먹곤 했다.

그러다가 수원검찰청 출두 문제는 어느 검사의 도움으로 막을 내리게 되었다.

어느 날 예전처럼 수원검찰청 00호실로 출두하라는 통보를 받고 정한 시간에 검사실에 갔더니, 채권자인 농민들이 거의 다 모여 있었다. 내가 들어서니 담당 검사가 채권자들을 돌아보며 말했다.

"여러분이 자꾸 고발하는 김진홍 목사가 여기 왔수다. 나는 밖에 나가 있을 테니 여러분들이 김 목사하고 실컷 이야기들 나누시오. 그래서 오늘로 고발하는 일은 끝냈으면 좋겠수다."

이렇게 말하고 검사는 앞문으로 나가버렸다. 검사가 그렇게 나가자, 채권자 한 사람이 말했다.

"김 목사님, 우리가 너무 괴롭혀서 미안합니다. 우리도 김 목사님이 만져보지도 못한 돈인 줄 알고 있습니다. 그러나 이렇게라도 해야 돈이 나올 거 같아서 그러는 일이니 그 점 이해를 하시라요."

"예, 말씀은 이해하겠습니다만 여러분들이 나를 살려놓으셔야 손해 보신 걸 해결할 길이 열리지, 지금처럼 내가 들볶여서는 아무것도 되지 않습니다. 물론 내가 그럴 사람은 아닙니다만, 감당하지 못하고 어디로 가버리거나 쓰러지기라도 하면 여러분들이 당한 손해를 누가 살펴주겠습니까? 그러니 내 입장을 생각해서 나를 좀 가만 내버려둬 주십시오."

"목사님이 억울한 거 우리가 알고, 목사님이 훌륭하신 분인 줄도 모두 잘 알고 있습니다. 그러나 이렇게 할 수밖에 없는 저희 입장도 이해해 주셔야지요. 이잣돈 빌려서 솟값을 내놓았는데 소도 못 받고 빚에 쪼들리고 있는 터에, 아무것도 하지 않고 그냥 방구석에 가만있을 수는 없는 겁니다. 그래서 김 목사라도 쪼아야 어디서 무슨 수가 터질 것 같아 이러는 거지요."

이런 이야기들을 나누고 있는데 앞문으로 나갔던 검사가 뒤편 칸막이 뒤에서 나타났다. 그는 채권자들을 향해 꾸지람했다.

"에이, 여보시오, 내가 칸막이 뒤에서 다 들었수다. 여러분이 김 목사를 번갈아 가며 하도 고발해서 내가 실상을 알아보려고 연극을 좀 했수다. 오늘 여러분들이 김 목사께 한 이야기를 녹음 다 해놓았으니, 이후로 김 목사를 고발하는 사람은 무고죄로 다스리겠소. 그리 아시오. 여러분 입으로 김 목사가 죄 없는 줄 안다고들 하면서 그렇게 연방 고발할 수는 없는 겁니다. 이제 그만들 돌아가시오."

사정이 이쯤 되자 채권자들은 어안이 벙벙해져 할 말을 잊고 서로

얼굴만 쳐다볼 따름이었다. 이렇게 그 검사 덕택으로 수원검찰청을 드나들던 일은 끝이 났다. 지금 생각하면 참 고마운 검사님인데, 경황 중에 이름도 알아두지 못해 못내 아쉽다. 지금은 다소 살 만한 처지가 된 터이니 알기만 하면 찾아뵙고 감사의 뜻이나마 전하련만….

여하튼 1979년 가을, 여느 때처럼 수원검찰청에서 곤욕을 겪은 그 다음 주일예배 후 교회당에서 제직회가 열렸다. 회의 도중에 한 집사가 나를 비난하며 공격조로 말했다.

"교회를 이 지경으로 해놓았으니, 목회자로서 최소한의 양심이라도 있으면 그 자리를 사임하고 떠나야지 무슨 염치로 계속 눌러앉아 있는 게요? 여러분, 그렇지 않습니까? 나는 김진홍 목사가 이 모든 일에 책임을 지고 목사직을 사임하고 이 교회를 떠나야만 지금의 혼란이 수습된다고 생각합니다."

나는 그 말에 오히려 마음이 차분해져서 좌중을 돌아보며 물었다.

"방금 집사님께서 사태의 책임을 지고 제가 교회를 떠나야 한다고 하셨는데 여러분의 생각은 어떠신지요? 여러분도 그렇게 생각하신다면 저는 언제든 사임하겠습니다. 다만 제가 이 자리를 계속 지키고 있었던 건 문제를 해결하고 교회를 회복시키는 일에 도움이 될까 싶어서였습니다. 여러분 생각에 그마저 필요 없다고 생각하시면 저는 기꺼이 떠나겠습니다."

이렇게 물으며 좌중을 돌아보았으나 어느 누구도 입을 열지 않았다. 모두 꿀 먹은 벙어리처럼 묵묵부답이었다. 내가 다시 말했다.

"이럴 때 대답이 없는 것은 사임하라는 집사님의 말에 동조하신다는 뜻으로 여겨집니다. 여러분이 그렇게 생각하고 있다면 저는 이곳을 이번 주 안에 떠나겠습니다. 그러나 떠나서도 채무를 해결하는 일에 제가 할 수 있는 역할은 감당하겠습니다. 여러분께 마지막으로 부탁드리고 싶은 건 아무리 어렵더라도 활빈교회 간판은 내리지 마시고 꼭 교회를 지켜달라는 겁니다. 활빈교회는 언젠가는 크게 일어설 교회입니다."

하직 인사를 하고 나니 눈시울이 시큰해지고 감회가 넘쳤다. 1971년 청계천 빈민촌에서 활빈교회를 시작한 지 10여 년 만의 일이었다.

다음 날 회계 담당이 내게 10만 원을 주며 넉넉히 드리지 못해 죄송스럽다고 말했다. 원래는 예산이 7, 80만 원이 있는데, 후임으로 올 목회자를 위해 비축해 두어야 한다고 했다.

그리하여 나는 서른 살에 빈민촌에서 활빈교회를 시작한 지 10년 만에 10만 원을 받고 활빈교회를 떠났다.

별다른 대책이 없는지라 어머니는 누나 집으로 모셔드리고 짐은 제주도로 보냈다. 제주도 한라산 기슭 조천이란 곳에 있는 백형수 집사란 분이 그곳에서 개척교회를 하자는 말이 있던 터였다. 제주도로 짐을 부치고 비행기표를 사고 나니 겨우 5천 원이 남았다. 그 길로, 제주도로 가서 한라산 기슭의 한 마을에서 개척교회를 시작했다.

그러나 2개월이 못 돼 남양만 활빈교회에서 나를 데리러 왔다. 김진홍 목사를 그렇게 보낼 수는 없으니 다시 모셔 오자는 교인 여론이 강하게 일어 모시러 왔노라고 했다.

나는 떨떠름한 태도로 물었다.

"여러분들이 가라고 하기에 갈 데가 없어서 여기까지 왔습니다. 이제 이곳에서 마음잡고 다시 시작하려는데 왜 데리러 왔습니까?"

나를 데려가겠다고 제주도까지 찾아온 집사가 말했다.

"목사님, 그 말씀은 틀린 말입니다. 누가 목사님더러 가시라고 했습니까? 사태를 수습하기 위해 이 집사가 책임 지시라고 강하게 말하긴 했지만, 이 집사 말이 떨어지자마자 목사님 혼자서 하실 말씀 다 하시곤 떠나신 거지, 우리가 목사님에게 떠나라고 한 건 아니잖습니까?"

"집사님들이 나에게 떠나란 말은 안 했어도, 그런 자리에서 침묵을 지키고 있는 건 떠나라는데 동조하는 것과 다를 바 없어서 떠난 거지요. 그런 자리에 구차스럽게 버티고 있으면 목회자 꼴이 뭐가 되겠으며, 잘못하면 교회가 분열되는 경우도 생기는 겁니다."

"목사님, 우리도 미처 생각도 하기 전에 엉겁결에 당한 일이니, 목사님께서 이해하시고 돌아가십시다. 가셔서 일 수습하시고 교회 부흥도 시킵시다."

나도 남양만에서 저질러 놓은 일에 책임감도 있고 해서 제주도를 떠나 남양만으로 되돌아왔다. 그렇게 돌아오긴 했으나 뾰족한 수가 있을 턱이 없었다. 여전히 빚쟁이들에게 몰렸고 식사도 교인 집을 돌며 끼니를 때우는 식으로 지냈다.

"하나님, 억울합니다.
내가 이 지경에 이르도록 그냥 보고만 계십니까?
오늘 이 자리에 좀 나타나 주십시오.
나타나 주시지 않으면 난 이 자리에서 죽을랍니다."
이렇게 기도를 시작했는데 얼마 지나지 않아 눈물이 흐르기 시작하였다.
눈물이 흐르면서 가슴속 깊은 곳에서부터 슬픔이 솟아올라 감당할 수가 없었다.
나는 두 손바닥으로 앞의 벽을 밀며 큰 소리로 울었다.
한참을 그렇게 울고 나니 마음이 차분해지기 시작했다.

3

벽 앞에서

벽 앞에서

1979년 12월 30일, 한 해를 마감하는 날 빚쟁이들도 피하고 기도도 할 겸 기도원에 갔다. 강원도 철원에 있는 대한수도원이란 곳이었다. 나는 연말 · 연초에는 금식하면서 하나님께 지금 처지를 극복해 나갈 길을 열어주시기를 기도드리기로 작정했다.

그런데 기도원 측에서 내게 '안찰기도'를 받으라고 권했다. 안찰기도는 안수기도와 다른 점이 있다. 안수기도는 그냥 머리나 병든 부위 등에 손을 얹고 기도드리는 것이고 안찰기도는 손바닥으로 몸을 때리거나 비비며 기도드리는 방법이었다. 나는 본래 안수기도나 안찰기도를 좋아하지 않는 터인지라 기도원 측의 제의를 사양했다.

"모처럼 조용한 곳에 왔으니 혼자 조용히 기도드리다 가겠습니다. 생각해 주시는 마음만큼은 고맙습니다."

"목사님, 저희가 그냥 기도 받으라고 권하는 게 아닙니다. 목사님을 본 순간 뭔가 영적인 느낌이 있어서 안찰기도를 받으라고 권하는 것이지요. 평소에 이런 일은 거의 없습니다."

"글쎄요. 그래서 감사하다는 말씀을 드리는 겁니다. 하지만 제가 알아서 기도드리다 가겠습니다. 전 조용히 혼자 기도드리는 걸 좋아해서요."

"아닙니다. 목사님, 너무 그러시면 교만입니다. 저희가 진심으로 권하는 일인데 자존심 죽이시고 한 번 받으세요."

거듭 사양하는데도 기도원 측에서는 강권하다시피 말했다. 너무 사양하는 처신을 교만이라고까지 말하는지라, 나는 그럴 수도 있겠다 싶어서 그러면 받겠노라고 응했다.

얼마 후 자매 두 분과 형제 한 분이 불려 오더니 나더러 누우라고 했다. 그러고는 셋이 손목에 힘을 빼고는 손바닥으로 온몸을 자근자근 때리며 기도하는데 아프기가 이를 데 없었다. 뼛골이 시리듯 아팠지만, 나는 아프다는 소리도 못 하고 이를 지그시 물고 참고 있었다. 속으로는 이 사람들이 중앙정보부 출신들인가, 왜 이렇게 사람을 아프게 할까 생각하며 꾹 참고 있었다.

얼마가 지난 후 그들이 방언하며 예언했다. 한 분이 말했다.

"앞으로 물권(物權)이 있겠습니다."

물권이란 많은 재물 혹은 재산을 움직이는 능력을 말한다. 나는 그 말을 들으며 물권이 아니라 빚권이겠지 하고 생각했다.

농민을 살린다고 일을 벌였다가 1억 4천만 원의 빚을 지고는 한 해의 마지막 날에 제 자리를 지키지 못하고 산에까지 와서 금식기도하고 있는 사람에게 물권이 있겠다고 하는 것은 도무지 앞뒤가 맞지 않

는 말이었다.

그리고 얼마 후 다른 자매 한 분이 이르기를 "미국에 가겠습니다" 하고 예언했다. 그 말에도 나는 속으로 웃기만 했다. 왜냐하면 나는 정치범으로 아직 신분이 풀리지 않은 때였던지라 해외여행은 생각할 수도 없는 처지였기 때문이다. 나는 흔히들 예언이라고 하는 말들이 대충대충 그런 식으로 하는 것이겠거니 생각하고 있었다.

안찰기도가 끝난 후 기도원 원장이 말했다.

"목사님, 참 잘 참으십니다. 웬만한 장정들도 견뎌내지 못하는 데 목사님은 얼굴도 안 찌푸리시는구먼요."

"예, 제가 매 맞는 일에는 좀 은사가 있는 셈입니다."

"목사님, 말씀도 재미있게 하시네요. 그게 은사라니요. 그건 그렇고요, 목사님께 나온 예언에 대해 어떻게 생각하시나요?"

"글쎄요."

"글쎄 라니요? 좀 탐탁지 않게 여기신다는 말씀이군요."

"글쎄요."

"아니, 글쎄요 라고만 하지 마시고 목사님 의견을 말씀해 보세요."

"허허, 말씀드리기 미안해서요."

"아닙니다. 미안할 게 뭐 있겠습니까? 느끼시는 대로 말씀하시면 되는 것이지요."

그래서 나는 속으로 느낀 점을 솔직히 말했다.

"예, 그러지요. 물권이 있다고 하셨는데요. 그것이 그렇지 못한 게 지금 빚지고 빚쟁이들을 피해 산에 와 있는 처지와는 안 맞는 셈 아닙니까?"

"그야 지금 빚지고 있는 처지시겠지만, 평생 빚만 지고 있으란 법이 있겠습니까? 앞으로 물권이 모여들 수도 있겠지요. 저희도 모릅니다. 그냥 성령님이 주시는 말씀을 그대로 전했을 뿐이지요."

"그건 그렇다치구요. 두 번째는 미국엘 간다고 하셨습니다만, 지금 제 신분이 정치적으로 묶여 있어 외국 여행 허가가 안 나오게 되어 있습니다. 그리고 미국엘 간다 쳐도 모두 쉽게 다니는 미국인데, 그기 예언으로 나올 필요까지야 있을까 하는 생각이 드는군요."

"아이고, 목사님, 까다롭기도 하셔라. 지금 미국 가는 여행 허가가 안 나오는 건 하나님이 허락하시면 얼마든지 나올 수 있는 거구요. 또 흔히 미국을 쉽사리 다니고 있다지만 목사님이 미국 가시는 건 다른 사람이 미국 가는 것과 뭔가 다른 거겠지요. 목사님, 죄송합니다만 기도 중에 나오는 예언은 따질 거 없이 그냥 마음으로 받으십시오."

나는 더 이상 말하지 않고 미소로 응대하고 끝을 맺었다. 그렇게 안찰기도를 받은 부위에 퍼런 멍 자국이 생겼으나 며칠 지나자, 멍도 사라졌다. 그와 함께 예언도 기억에서 사라졌다.

그로부터 2년 후 미국 백악관에서 초청장이 날아왔다. 레이건 대통령의 조찬 기도회에서 연설해 달라는 취지의 초청장이었다. 정부에 초청장을 덧붙여 여행 허가신청서를 제출했더니 의외로 쉽게 허가가 나왔다.

미국 대통령의 연초 조찬 기도회는 마치 부흥회 같았다. 2박 3일 간 열리는 이 행사에는 국내외 1천 600여 명의 각 분야 지도자가 모여 강

연을 듣고 기도하고 세미나를 열었다. 나는 평생에 그런 자리는 처음 인지라 촌닭 관청에 간 듯 쭈뼛거리고 행동거지가 어색하기만 했다.

도착한 다음 날 점심시간에 우리 식탁에 여섯 명이 둘러앉았다. 음식이 나오기 전에 서로들 인사를 나누기에 나도 옆자리에 앉은 백인 신사에게 인사를 건넸다. 영어도 제대로 하지 못하는 터에 외국인에게 처음 건네는 인사인지라 어색하고 서투르고 우스웠을 것이다. 나는 이렇게 말했다.

"I am Mr. Jin-Hong, Kim. I came from Korea. I am pastor in presbyterian church(나는 김진홍이라고 합니다. 한국에서 왔습니다. 장로교회 목사입니다)."

내 딴에는 정성스럽게 인사를 하고 악수하자고 손을 내밀었는데, 인사를 받는 백인의 태도가 너무나 예상 밖이었다. 나를 힐끗 보더니 못 본척하며 다른 편으로 고개를 돌리는 것이었다. 무례하기 이를 데 없는 태도였다. 나는 잠시 당황해 얼굴이 붉어졌다.

그러나 가만히 숨길을 가누며 생각해 보니 괘씸한 마음이 들었다. 내가 아무리 서툴다 하더라도 격식을 갖추고 인사를 하는데 못 본 척 하는 것은 사람의 도리가 아니란 생각이 들었다. 그것도 다른 모임이 아니라 크리스천들이 모이는 기도회에서 그럴 수는 없는 터였다. 차츰 마음이 가라앉으며 이 친구를 그냥 둘 일이 아니란 생각이 들었다. 한번 '걸고 들기'로 마음을 굳히고는 그의 손목을 잡아당기며 말했다.

"Why don't you like yellow colour? Me too. 1 don't like white colour. So we can be friend (너는 왜 노란색을 안 좋아 하느냐? 나도

마찬가지다. 나는 흰색을 좋아하지 않는다. 그러니 너와 나는 친구가 될 수 있다).”

그가 나를 홀대하는 것이 내가 볼품없는 동양인이라는 일종의 인종차별적 태도에서 나온 듯해 비틀어 말한 것이었다.

그런데 이런 모습을 보고 있던 우리 식탁 멤버들이 웃음을 터뜨리며 내게 박수를 보냈다. 나에게 억지로 손을 잡힌 상대는 얼굴 색깔까지 바뀌며 당황스러워했다. 그러고는 몹시 불쾌했던지 나를 좋지 않은 눈길로 내려다보았다.

나는 그런 눈길에 개의치 않고 웃으며 그를 마주 보았다. 네가 그런 눈으로 날 보면 어쩔 거냐? 까짓거 한판 붙으려면 붙자. 언제든지 맞상대해 주겠다는 마음이었다.

그다음 시간에 내가 회중 앞에 나가 20분간 강연을 했다. 강연 내용이 청중의 가슴에 닿았던지 박수를 받았다. 내가 박수를 받으며 강당에서 내려오자 나와 해프닝을 벌였던 그 백인이 다가와 사과했다. 진심이 담긴 정중한 몸짓으로 “아까 일은 미안하다. 크리스천답지 못하게 처신하여 부끄럽다. 용서하기 바란다”는 뜻의 말을 건넸다. 나도 그에게 무안을 준 것이 미안스럽기도 하여 부담을 갖고 있던 터인지라 서로 악수를 나누고 격의 없는 사이가 되었다.

이런 사정을 곁에서 지켜보던 조찬 기도회의 책임자가 퍽 인상 깊었던지 나를 상원의원들이 모이는 기도회에 초청했다. 그 모임에서 좋은 시간을 가지고 의원 몇 분과 친교를 맺었다.

이렇게 해서 사귄 조찬기도회 책임자는 몇 년이 지난 후 한국에 왔

을 때 남양만까지 찾아왔다. 그때 마침 농민 선교 훈련원을 짓기 위해 기초공사를 하던 중이었다.

공사 현장을 둘러보는 자리에서 그가 물었다.

"무슨 건물을 짓는 겁니까?"

"예, 농민들을 훈련하는 교육장을 짓는 중입니다."

그가 되물었다.

"이 공사는 예산이 얼마나 듭니까?"

"40만 달러쯤 들것 같습니다."

그러자 그가 이런 제의를 해왔다.

"절반인 20만 달러를 워싱턴 지역에서 모금해 보내주고 싶은데 어떻습니까?"

나는 갑작스러운 그의 제안에 잠시 생각하다가 "No, thank you"하고 말했다. 그리고 내가 그의 고마운 제안을 거절한 이유를 설명해 주었다.

"이 건물은 농민들을 교육하는 건물입니다. 농민들에게 자립정신, 노동 정신, 공동체 정신 등을 가르칠 예정입니다. 농민들에게 자립정신을 가르치기 위해서라도 국내에서 우리가 땀 흘려 일해 모은 예산으로 이 건물을 짓는 노력이 필요합니다.

당신의 제안은 정말 고맙지만, 미국에서 들어오는 원조로 지으면 농민들을 교육하는 일에 명분을 잃기 쉽습니다. 그래서 당신의 제안을 사양하는 것이니 이해해 주십시오. 이 집은 우리 손으로 짓습니다. 당신이 제안하는 예산은 나중에 우리와 합쳐 아프리카나 아시아, 아메

리카 등지의 다른 가난한 나라의 백성과 교회를 돕는 일에 함께 씁시다."

그는 아무 말 없이 한참이나 나를 보고 있더니 악수를 청하며 좋은 생각이라고 말했다.

"당신 말이 이번 한국 방문에서 얻은 큰 선물입니다. 한국교회 지도자 중에 당신처럼 생각하는 사람이 많이 있습니까? 그런 생각이 앞으로 한국 교회의 가능성을 말해주는 것이라는 느낌이 듭니다."

다시 미국에 갔을 때 이야기로 되돌아가자. 그렇게 레이건 대통령의 조찬 기도회에 참석한 후 나는 주일을 맞아 한인 교회를 찾아가 예배에 참석했다. 그런데 낮 예배가 시작되는 열한 시에서 20여 분이 지나도 예배가 시작되지 않고 회중은 계속 찬송가만 부르고 있었다. 그러더니 장로인 듯한 분이 앞으로 나와 회중을 향해 물었다.

"여러분 중에 혹시 설교할 수 있는 분이 안 계신지요? 목사님이나 선교사님이 계시면 오늘 예배에서 설교를 인도해 주셨으면 고맙겠습니다. 우리 목사님이 오시다가 교통사고를 당하셔서 병원으로 가셨다는 연락이 왔습니다. 다행히 많이 다치지는 않은 것 같습니다만 오늘 예배 인도는 못 하시게 됐습니다. 설교 하실 만한 분이 계시면 나와 주시면 고맙겠습니다."

나는 좌우를 살펴보았으나 아무도 나서는 기미가 없는 듯했다. 나는 본래 어느 자리에서나 '나서는 은사'가 있는 기질인지라 성경과 찬송을 들고 앞으로 나가며 말했다.

"다른 분이 안 계시면 제가 해보지요."

장로는 내 모습을 아래위로 살피더니 미심쩍은 듯이 물었다.

"목사님이신지요?"

"한국에서 온 김진홍 목삽니다."

"실례지만 목회하시는 교회가 어느 교회신지요?"

"예, 활빈교회라고 시골에 있는 교회여서 잘 모르실 겁니다."

"예? 시골 교회 시라고요? 그러면 어느 신학교를 다니셨고 교단은 어느 교단이신지요?"

한국 교회에는 워낙 사이비도 많고 사쿠라도 많아, 혹시나 이단 종파나 족보도 없는 엉터리 목사인가 싶어 여러 가지를 묻는 그가 이해가 갔다. 그래서 안심하라고 자세히 일러주었다.

"신학교는 워커힐 옆에 있는 장로회신학대학을 나왔습니다. 교단은 대한예수교장로회 통합측 교단 소속입니다. 신분이나 출신에는 하자가 없으니까 염려 놓으시기 바랍니다."

장로는 긴가민가하던 표정이 밝아지더니 "그럼, 부탁드립니다" 하면서 강대 위로 안내했다.

나는 갑자기 맡은 설교인지라 제대로 준비할 겨를이 없어 농촌교회에서 시무하면서 겪고 있는 경험을 성경에 비추어 이야기식으로 설교했다. 말하자면 '이바구식 설교'였다.

그렇게 설교하고 예배가 끝난 뒤 도넛과 커피 등을 나누는 친교 시간에 그 장로가 내게 와서 물었다.

"목사님, 설교에 은혜받았습니다. 교인들이 설교를 한 번 더 듣게 해 달라고들 하는데, 괜찮으시다면 오후에 특별집회를 한 시간 인도해 주실 수 있을는지요?"

"글쎄요. 집회를 인도해 본 경험도 없고, 또 준비도 되지 않아서요."

"준비가 따로 필요 없으실 것 같은데요. 아까처럼 그렇게 이야기 스타일로 해주시면 되겠습니다."

"그런 식으로 하는 거라면 좋습니다."

이렇게 해서 오후 특별집회를 열게 됐다. 오후 예배는 시간이 느긋한지라 나는 두 시간 정도 여유를 가지고 웃기기도 하고 진지하게도 하면서 자유로운 분위기에서 설교를 마쳤다. 집회가 끝난 후에 교인 몇이 모여서 의논하더니 내게 와서 물었다.

"목사님, 저… 괜찮으시다면 삼일 간 특별 성회를 인도해 주실 수 있으신지요?"

"저는 시골에 있는 조그마한 교회 목사여서 아직 부흥회나 특별집회를 인도해 본 경험이 없어 곤란합니다."

"부흥회가 따로 있나요. 오늘 낮에 하신 것처럼 그렇게 하시면 됩니다. 듣는 교인들이 은혜 받으면 좋은 거지요. 사양 마시고 맡아 주십시오. 저희의 신앙생활에 큰 도움이 되겠습니다."

그들이 진지하게 부탁하고 나도 그런 식으로라면 못 할 것도 없겠다는 생각이 들어서 허락했다.

이렇게 해서 3일간 저녁 시간에 집회를 이끌었다. 그런데 이 집회가 조금 극적인 표현으로 말하자면 '공전의 히트'를 쳤다. 사방으로 녹음 테이프가 돌고, 그 테이프가 한국으로 역수입되기도 했다. 한국에서 그 테이프를 들은 사람들이 "한국에도 이런 목사님이 계셨나? 우리도

한 번 모시고 은혜받자" 하며 내게 집회 요청이 들어오기 시작했다.

그 길로 나는 부흥사 아닌 부흥사가 되었다. 그때로부터 15년 남짓 지난 지금은 내가 한국 교회에서 청중 동원으로는 최고의 강사라고 하니, 사람 일이란 참으로 묘한 데가 있다.

돌이켜 보건대 대한 수도원에서 안찰기도를 받을 때 들었던 "미국 가겠습니다"라는 예언이 뭔가 일리가 있었던 셈이다. 그리고 "물권이 있겠습니다"라고 말했던 예언도 지금 생각하면 일리가 있다고 여겨진다. 내 앞으로 된 부동산이나 현찰은 없지만 예수님의 이름으로 백성들을 돕는 일에 쓸 수 있는 예산이 해마다 늘어나고 있으니, 이런 것이 바로 물권이라면 물권이 아닐까 하는 생각이 든다. 남양만 갯벌에서 시작하여 여기저기에 세우고 있는 두레마을은 물론, 미국과 중국에 세운 두레마을 공동체 농장, 그리고 북한 땅 나진 · 선봉에까지 진출한 두레마을을 생각하면 바로 이런 것이 물권을 받은 증거라 할 수 있지 않을까 한다.

각설하고, 남양만에서 호주 산 젖소 도입 사업이 잘못돼 농민 채권자들로부터 곤란을 겪던 때의 이야기로 되돌아가 보자.

강원도 철원의 대한수도원에서 1979년 말과 1980년 초에 걸친 기도를 마치고 남양만으로 돌아오니 아니나 다를까 채권자들이 기다리고 있었다. 그분들은 연말이 지났어도 아무런 보상을 받지 못한 데다 당사자인 김진홍 목사마저 어디론가 피해버린 걸 알고 화가 머리끝까지 치밀어 있었다.

기도원에서 내려온 다음 날 빚쟁이 7, 8명이 들이닥치더니 무조건

나를 끌다시피 하고는 마을 한복판으로 데려갔다. 나는 분기가 등등한 그들의 서슬에 눌려 “왜들 이러세요?” 하면서도 끌어가는 대로 따라갈 도리밖에 없었다.

그들은 “야, 이 사기꾼 목사야! 오늘은 된통 한번 당해봐라”며 큰일이라도 낼 것처럼 설쳐대고 있었다. 그들은 나를 마을 한복판에 세우더니 주민들에게 말했다.

“마을 사람들요! 이리들 모이세요. 사기꾼 목사 버릇 좀 들입시다. 다들 이리 모여주세요!”

그들이 몇 번인가 그렇게 소리를 질러대니까 부녀자들과 아이들이 주위에 모여들었다. 관객이 모여들자 한 명이 장마당 약장수처럼 소리를 높여 말했다.

“여러분, 이 김진홍 목사란 자는 목사가 아니라 사기꾼입니다요! 목사 직업을 앞세우고 선량한 농민들을 울리는 사기꾼입니다. 우리가 오늘 이 사기꾼 목사를 버릇 들이려 합니다요.”

장정 둘이 앙편에서 팔짱을 끼어 나를 움직이지 못하게 하고는 옷을 하나씩 벗기기 시작했다. 먼저 상의를 벗겨 높이 쳐들며 말했다.

“여러분, 이건 사기꾼 김진홍 목사의 윗도리입니다. 이 옷을 얼마에 파느냐, 단돈 만 원, 만 원을 다 받느냐? 꺾어 오천 원에 떨이합니다. 여러분, 이거 공짭니다. 공짜.”

그렇게 말하면서 옷을 쳐들고는 좌중을 한 바퀴 돌며 흔들어 댔다. 다음에는 러닝셔츠를 벗겨서 같은 식으로 소리 질렀다.

“이번에는 김진홍의 런닝구. 이 런닝구를 얼마에 파느냐? 단돈 천

원. 천 원을 다 받느냐? 꺾어 오백 원”

다음에는 바지, 바지 다음에 양말 순서로 진행해 나갔다. 마지막 팬티 순서에 가까워지자, 조바심이 나서 어쩔 줄 몰랐다. 다급해진 나는 눈을 감고 마음속으로 기도를 드렸다.

‘아이고 하나님, 제발 여기서 멈추게 해주세요. 이 사람들이 지금 제 정신이 아닙니다. 제발 제발 여기서 멈추게 해주시고 마지막 팬티까지 가지 않도록 나를 지켜주세요.’

다급하여 그렇게 기도를 드리고 있는데 주동자가 마지막 팬티까지 손을 대려 했다. 그러자 그들 가운데 한 명이 나서서 제지하며 말했다.

“형, 이쯤 끝냅시다. 이거까지는 너무하요.”

“먼 소리여. 이 사기꾼 땜에 우리가 당한 걸 생각혀 봐.”

“아니에요. 이 정도로 하고 맙시다. 여기서 더 지나치면 안 좋을 거 같수다.”

“아녀, 난 해야겠어. 난 이새끼 붕알을 한번 만져봐야겠어. 목사는 붕알에 금테를 둘렀는지 한번 봐야겠어.”

“허, 그만두자니까요.”

그들이 그렇게 실랑이하는 동안 나는 눈을 감은 채 기도만 하고 있었다. 드디어 주동자가 말했다.

“그래, 이만하자구. 오늘 김진홍이 깝데기를 홀랑 벗겨야 하는 긴데 그만 찌뿌린다.”

그들은 벗긴 옷들을 여기저기 뿌려둔 채 가버렸다. 나는 모인 사람들에게 눈길도 보내지 못한 채 흩어진 옷들을 주워 모아 순서대로 차근차근 입고는 그 자리를 떠났다. 그 길로 바다를 막은 둑 위로 올라갔다. 한켠은 바다를 막아 만든 논이고 다른 한켠은 바다였다. 나는 바다 가까이로 가서 신발을 벗었다 신기를 대여섯 차례 되풀이했다. 신을 벗을 때는 바다로 뛰어 내려버리려는 마음에서였다. 그러나 막상 바다로 뛰어들려니 그럴 수는 없다는 생각이 들었다. 내가 농민들을 돕겠다고 일하다가 실패했기로서니 자살한 몸으로 예수님 앞에 설 수는 없지 않은가?

이런 생각이 드니 바다 쪽으로 가던 발걸음이 멈춰질 수밖에 없었다. 그러나 되돌아서 신발을 신고 둑을 내려오려니 그것도 용납되지 않았다. 날만 새면 또 빚쟁이들이 들이닥쳐 실랑이를 계속할 것을 생각하니 다시 아득해졌다

'이런 상태를 계속할 수는 없는 거다. 끝장내는 거다'라는 생각으로 다시 신발을 벗고 바다 쪽으로 가까이 다가갔다. 그렇게 또 대여섯 차례를 되풀이하다가는 끝내 신발을 신고 둑을 내려와 교회당 한쪽에 있는 기도실로 들어갔다. 이제 세상 길은 다 막혔으니, 하늘길을 찾아야겠다는 생각에서였다.

'기도실에서 예수님을 만나 결판을 내는 거다. 예수님을 못 만나면 그 자리에서 죽는 거다. 바닷물에 뛰어들어 죽느니 기도실에서 기도하다가 그 자리에서 죽자! 어차피 이런 상태로 계속 나갈 순 없는 거다.'

이런 생각으로 기도실로 들어간 나는 방문을 안으로 닫아걸고는 방석으로 창문을 막고 담요로 방문을 막아 밤인지 낮인지 모를 만큼 캄캄하게 만든 다음 벽 앞에 꿇어앉았다.

기도를 시작하려다가 나는 다시 일어나 밖으로 나가 활빈교회 집사 한 명을 불러서 일렀다.

"내가 이 방에서 예수님을 만나야겠으니, 아무도 방해하지 마세요. 내 발로 방에서 나오기 전에는 나를 건드리지 마세요. 교회당에 불이 나더라도 내가 나오기 전에는 날 건드리지 마세요. 이 방에서 예수님을 만나는 일에 목숨을 걸었으니 그리 아세요. 예수님을 만나게 되면 이 방에서 나올거이고 아니면 이 방에서 죽을 작정입니다. 그러니 물도 음식도 들여보낼 생각 마시고 가만두세요."

집사는 숙연한 표정을 지으며 말했다.

"예, 목사님, 잘 알겠습니다. 우리도 밖에서 금식기도에 동참하겠습니다. 예수님이 목사님의 진심을 아시니 응답하실 줄로 믿습니다."

나는 다시 방으로 들어가 벽 앞에 꿇어앉았다. 그리고 혼을 기울여 기도하기 시작했다.

"하나님, 억울합니다. 제가 그간에 잘하지는 못했지만, 최선을 다하지 않았습니까? 저가 돈 한 푼을 챙겼습니까? 땅 한 평을 샀습니까? 나 자신을 위해서는 신발 한 켤레 챙기지 않고 열심히 한 것을 하나님도 아시잖습니까? 그런데 내가 이 지경에 이르도록 그냥 보고만 계십니까? 그래도 명색이 하나님의 일꾼인데 세상 사람들에게 이런 곤욕을 당하도록 그냥 보고만 계십니까? 오늘 이 자리에 좀 나타나 주십시오. 나타나 주시지 않으면 난 이 자리에서 죽을랍니다."

이렇게 기도를 시작했는데 얼마 지나지 않아 눈물이 흐르기 시작하였다. 눈물이 흐르면서 가슴속 깊은 곳에서부터 슬픔이 솟아올라 감당할 수가 없었다. 나는 두 손바닥으로 앞의 벽을 밀며 큰 소리로 울었다. 한참을 그렇게 울고 나니 마음이 차분해지기 시작했다. 나는 구약성서 열왕기하 20장에 나오는 히스기야 왕의 이야기를 생각했다. 히스기야 왕이 병들어 죽게 되자 그는 벽을 향하고 앉아 죽기를 작정하고 기도했다. 여호와께서 그의 기도를 들으시고 또 그의 눈물을 보시고 응답하시어 그의 수명을 15년 더 연장해 주셨다.

> 그때에 히스기야가 병들어 죽게 되매 아모스의 아들 선지자 이사야가 저에게 나아와서 이르되 여호와의 말씀이 너는 집을 처치(處置)하라. 네가 죽고 살지 못하리라…. 히스기야가 낯을 벽으로 향하고 여호와께 기도하여 가로되 여호와여 구하오니 내가 진실과 전심으로… 행한 것을 기억하옵소서 하고 심히 통독하더라…. 여호와의 말씀이 내가 네 기도를 들었고 네 눈물을 보았노라 내가 너를 낫게 하리니… 내가 네 날을 십오 년을 더할 것이며….

나는 이 성경 구절을 생각하고는 지금 내가 마주 대하고 있는 이 벽이 바로 히스기야가 앉았던 벽이거니 여기고 기도드렸다.

"여호와 아버지, 제가 십오 년 목숨을 더 살게 해달라고 기도하지 않습니다. 제가 바라는 유일한 소원은 농민들에게 피해를 끼치지 않

는 것과 지난 십 년 세월 내 청춘을 바쳐 일으켰던 이 교회가 간판을 내리지 않게 하는 기도입니다. 하나님, 이 교회가 내 교회가 아니잖습니까? 아버지의 교회이지 않습니까? 이 교회가 무너지지 않게 붙들어 주시옵소서. 저의 생명을 하늘나라로 데려가셔도 좋습니다만 이 교회 만큼은 붙들어 주시옵소서. 그리고 피해를 입은 농민들에게 보상할 수 있는 길을 열어주시옵소서."

나는 눈물을 흘리며 기도했다. 연방 흘러내리는 눈물 콧물을 손등으로 문질러 닦으며 기도했다. 기도하다가 지치면 앉은 채로 졸았다. 졸음에서 벗어나면 또 소곤소곤 기도하기를 거듭했다.

물도 마시지 않은 채, 시간이 얼마가 지났는지, 낮인지 밤인지 분간도 못 하고 마냥 기도만 계속했다.

그런데 어느 날 밖에서 문을 두드리는 소리가 들렸다. 나는 그 소리를 무시하고 그냥 앉아 있었다. 방안에서 반응이 없자 밖에서 부르는 소리가 났다.

"목사님, 목사님, 누가 찾아오셨는데요."

"나를 그냥 두라고 했잖습니까?"

"그건 아는데요. 어떤 자매님이 와서 목사님을 꼭 뵙자고 하십니다."

이 판에 어떤 여자가 찾아왔다고 해서 내가 관심이 생길 리 없었다.

"집사님, 그냥 돌려보내세요. 나를 방해하지 마세요. 지금 내가 누구를 만날 처지가 아닙니다."

그러나 밖에서 웅얼웅얼하는 소리가 나더니 다시 문을 두드리며 말했다.

“목사님, 잠시 몇 마디만 드리면 된답니다. 잠깐만 나왔다 들어가시지요.”

“지금 내가 나갈 형편이 아닙니다. 오신 분에게는 미안하지만, 그냥 가라고 하세요.”

그러나 밖에서도 물러서지 않았다.

“목사님, 자매님이 몇 마디만 말씀드리면 된답니다. 서울에서 일부러 오셨는데 잠깐만 대화를 나누시지요.”

나는 슬그머니 짜증이 나서 밖을 향해 말했다.

“정 그렇게 할 말이 있다면 밖에서 말하라 하세요. 내가 여기서 들을 테니 하라고 하세요.”

다시 대화하는 소리가 나더니 여자 목소리가 들렸다.

“목사님, 그럼 밖에서 몇 말씀 드리겠습니다. 목사님, 지금 어려움에 빠져 계시지요? 그 일 때문에 제가 일부러 왔습니다. 로마서 8장 12절과 13절 말씀을 읽으십시오.”

뜨악했다. 이 판에 웬 여자가 와서 말을 걸지 않나, 거기에다 무슨 여자가 목사에게 성경을 보라 하지 않나, 귀신 앞에서 머리 푼다더니, 어떤 여자이기에 목사를 찾아와 성경을 보라 할까 하는 생각이 들어 기분이 별로 좋지 않았다. 그러나 막상 성경 몇 장 몇 절을 읽으라고 말하는데 안 보겠다고 말하는 것도 도리가 아니었다.

슬며시 일어나 전등을 켜고는 성경을 찾아들었다. 신약성서 로마서 8장 12절과 13절을 찾으려니 그간 캄캄한 곳에 있었던지라 글자가 잘

보이지 않았다. 나는 연거푸 눈을 부벼서 시력을 되찾은 후 그 말씀을 찾아 읽어내려갔다.

> **그러므로 형제들아, 우리가 빚진 자로되 육신(肉身)에게 져서 육신대로 살 것이 아니니라. 너희가 육신대로 살면 반드시 죽을 것이로되 영으로써 몸의 행실을 죽이면 살리니.**

이 말씀을 읽으며 맨 먼저 '빚진 자'란 단어가 눈에 들어왔다.

나는 기독교 가정에서 태어나 목사가 되기까지 로마서를 수십 번은 읽었을 것이다. 그러나 지난날에는 이 부분을 읽을 때 '빚진 자'란 단어에는 관심이 기울여지지 않았다. 그러나 1억 4천만 원의 빚을 지고 채권자들에게 고초를 당하는 지경에 이르니 '빚진 자' 란 말이 눈에 선명히 들어왔다. 그래서 '야, 성경에도 빚쟁이에 대한 말이 있구나!'하는 생각이 들어 그 구절을 다시 읽었다.

"그러므로 형제들아, 우리가 빚진 자로되…."

이 말씀이 나 자신에게 비추어 '그러므로 김진홍 목사야, 네가 1억 4천만 원 빚진 목사로되…"로 읽혔다. 그런데 그다음 말씀을 읽을 때 내 마음속에 한 깨달음이 왔다.

" … 육신에게 져서 육신대로 살 것이 아니니라."

이 말씀을 읽으며 '그래, 내가 목사로서 지금까지 합당치 못하게 살았구나. 영으로 살아야 할 목사가 육신적으로 살았었구나. 내가 영적인 삶을 살아 육신적인 삶을 이겨야 하는데, 영적인 것이 육신적인 데에 죽고 육신적인 삶을 살았었구나. 그래서 이 점을 깨우치게 하시려고 하나님께서 이런 시련을 주셨구나' 하는 생각이 짧은 순간에 떠올랐다.

실제로 나는 농민들을 돕는답시고 성직자로서의 고유 업무에는 너무나 등한했다. 소 도입 일, 돼지 단지 만드는 일, 각 지역 주민조직을 강화하며 주민을 교육하는 일 등으로 너무나 바쁜 세월을 살았다. 그렇게 되니 기도할 시간은 물론이고 설교 준비할 시간 조차 제대로 있을 턱이 없었다.

새벽 기도회에 교인들에게 자습하라고 이르는 것은 물론이고 수요예배 같은 때도 바쁘다는 핑계로 교인끼리 모여 기도하고 성경 읽다가 흩어지게 하는 적도 있었다. 어떤 때는 설교 준비가 되어 있지 않아 강대상에 올라가 교인들이 찬송을 부르는 동안에 그날 설교할 본문 말씀을 찾는 경우도 있었다. 이런 식으로 목회를 하니 교인들이 영적으로 갈등에 빠질 것은 당연한 일이었다.

어느 날 권사님 한 분이 내게 꾸중하듯 말했다.

"목사님, 정신차리시라요."

"왜요?"

"도대체 교인이 목사님 만나기가 왜 이리 힘드요. 청와대에 있는 대통령 만나기보다 더 힘드네요. 대통령은 테레비에서 보기라도 하지만 우리 목사님은 와 그리 못보겠능기요."

"권사님, 조금만 더 참으시라요. 이번 소 일만 끝나면 제자리로 돌아갈 겁니다."

“아니, 목사님, 그 소 돼지 닭 소리 좀 그만하시라요. 목사가 말씀 전하고 기도하셔야지, 만날 소 돼지 타령만 하고 계시니 이게 될 일이에요. 목사님, 거 소 같은 소리 자꾸 하고 다니시면 하나님이 목사님을 가만 안 두실끼요.”

“아니, 권사가 목사에게 공갈치는 것 같구만요.”

“공갈이 아니라 정말 하나님이 목사님을 가만 안 두실 낍니다. 나중에 후회하시지 말고 지금이라도 툭툭 털고 목사가 해야 할 일로 돌아오세요.”

이런 대화를 나눈 것이 얼마 전이었다. 나는 로마서의 육신에게 져서 육신대로 살았다는 말씀이 바로 그간의 나 자신에게 이르는 성령의 음성으로 받아들여졌다.

그래서 이런 시련이 다가온 것이구나. 이번의 소 파동은 다른 이유 때문이 아니라 바로 나를 깨닫게 하시기 위한 하나님의 채찍이로구나. 그리고 이번에 이런 문제가 일어난 것은 그 이유가 경제적인 데 있지 않고 영적인 데 있는 것이다. 문제의 원인이 영적인 데 있으니까 그 해결책도 경제적으로나 인간적으로 풀어나갈 것이 아니라 영적으로 해결해 가야겠구나. 이런 마음을 품으며 다음 절을 읽었을 때 문제의 해결을 위한 실마리가 잡혔다.

너희가 육신대로 살면 반드시 죽을 것이로되 영으로써 몸의 행실을 죽이면 살리니.

이 말씀에서 해결의 실마리가 떠올랐다. 이번 문제가 일어나게 된 원인이 경제적 · 육신적인 원인이 아니라 영적인 것이니만큼 그 해결책도 영적인 데에서 찾아야 한다. 그 영적인 해결책은 다름 아니라 육신적으로 살고 일하던 지금까지의 삶을 버리고 영적으로 돌아가 영적인 삶으로 육신적인 삶을 다스리는 데 있다는 확신이 떠올랐다.

하나님이 나에게 이것을 가르쳐 주시려고 이런 곤경에 빠지게 하셨구나 하는 생각이 들며 심령 속에서 시원한 기운을 느끼고, 어깨를 짓누르고 있던 천근만근이나 되던 짐이 굴러떨어지면서 홀가분한 몸이 되는 것을 느꼈다.

그래! 이제 알았으니, 육신에 속했던 삶과 세상적인 해결책을 떠나 영적인 삶과 성경적인 방법으로 되돌아가는 거다. 이렇게 다짐하고는 무릎을 꿇고 기도드리기 시작했다. 이제는 차원이 달라져 감사기도로 바뀌었다.

"여호와 아버지, 감사합니다. 저를 이 속박에서 풀어주시니 감사합니다. 저를 깨우쳐주시려고 이번의 시련을 주심을 깨달았습니다. 등록금이 비싸긴 합니다만 고맙습니다. 제가 워낙 육적인 사람인지라 깨닫고 부서지게 하시려면 이런 강한 방법이어야 하겠기에 이런 채찍을 사용하신 줄로 압니다. 하나님, 이제부터 영적인 삶으로 돌아가겠습니다. 성령님을 의지하고 성경적으로 일하고 목사답게 영적인 바탕에서 살고 일하는 자리로 돌아가겠습니다. 나를 붙들어 주시고 이끌어주시옵소서."

이렇게 기도 드리고는 홀가분한 마음으로 밖으로 나왔다.

아무튼 사생결단할 각오로 시작했던 금식기도에서 그렇게 은혜를 받은 다음 주일 활빈교회 예배는 글자 그대로 한 편의 드라마였다.

나는 설교하며 교인들에게 말했다.

"활빈 가족 여러분, 그동안 목사인 저의 허물 탓으로 여러분들까지 고생이 많았습니다. 이번에 당한 고통은 전적으로 제가 잘못하여 일어나게 된 일임을 깨닫고 여러분 앞에서 회개합니다. 지난 주간 기도하는 중에 로마서 8장 12절과 13절 말씀을 읽고 그 말씀을 통해 제 자신의 모습을 보게 되었습니다. 목사답지 못한 목사였기에 하나님께서 나를 깨우치시도록 우리 제단에 이번의 시련을 주신 하나님 손길임을 깨달았습니다."

내가 눈물을 훔치며 이렇게 말하니 교인들도 함께 눈물을 흘리며 응답했다.

"목사님, 목사님이 뭔 죄가 있습니까? 목사님이 다 우릴 살리려고 동서남북 뛰어다니다가 그 고생을 한 거지요. 다 우리 탓입니다."

눈물짓는 교인들에게 말했다.

"여러분, 우리 모두 이제 새출발 합시다. 그간에 육으로 살려다 육도 영도 함께 곤비케 되었던 지금까지의 삶을 돌이켜 이제 영으로 살아가기로 다짐합시다. 우리 다른 생각 하지 말고 예수님 모시고 영적으로 삽시다. 그래서 교회를 다시 일으키고 하나님 백성답게 삽시다. 하나님이 보내신 이 소금땅에서 죽을 각오를 합시다. 우리들이 이 소금땅에서 개척자로 일하다가 죽으면 우리 몸이 거름이 되지 않겠습니까? 그래서 훗날 아들 손자 대에 이르러 그들이 말하기를 우리 할아버지 할머니들이 이 땅에서 흘린 땀과 희생이 오늘의 부유한 농촌, 은혜로운 교회를 이루었다고 말할 수 있는 때가 오게 합시다."

가슴 가득히 치밀어 오르는 감동을 품고 그렇게 말했더니 교인들이 함께 감격에 벅차 "아멘, 아멘" 하고 화답했다. 교인들이 울며 그렇게 응답하니 강대상 위에 있던 나는 말을 잇지 못하고 흐느끼며 교인들과 찬송을 불렀다.

천부여 의지 없어서 손들고 옵니다
주 나를 박대하시면 나 어디 가리까
내 죄를 씻기 위하여 피 흘려 주시니
곧 회개하는 맘으로 주 앞에 옵니다

전부터 계신 주께서 영 죽을 영혼을
보혈로 구해주시니 그 사랑 한 없네
내 죄를 씻기 위하여 피 흘려 주시니
곧 회개하는 맘으로 주 앞에 옵니다

나 예수 의지함으로 큰 권능 받아서
주 앞에 구한 모든 것 늘 얻겠습니다
내 죄를 씻기 위하여 피 흘려 주시니
곧 회개하는 맘으로 주 앞에 옵니다

찬송을 부르고 부르기를 거듭하다가 끝내 울음판이 벌어져 축도 순서도 없이 예배가 끝나고 말았다.

이런 역사가 있은 후 기적이 일어났다. 나 자신은 물론 교인들까지 마음도 뜻도 믿음도 새로워졌다. 활빈교회는 몰라보게 변했다. 나와 교인들은 마음을 합해 기도하고 은혜를 사모하며 영적인 교회를 이루어나가는 데 힘썼다. 그리고 그렇듯 엄청나게 느껴지던 빚더미가 눈더미 녹듯 느껴지면서 해결의 길이 열리기 시작했다.

먼저 빚쟁이들의 등쌀에 짓눌려 있던 마음들이 기를 펴고 활기를 되찾기 시작한 것이다. 사방이 막히고 하늘엔 먹구름만 가득했었는데 마침내 하늘이 뚫리고 빛이 비쳐들면서 막혔던 사방의 벽들도 허물어져 갔다.

그러면서 빚쟁이들의 태도도 달라지기 시작했다. 여느 때처럼 빚을 독촉하러 왔던 이들이 유쾌하고 밝은 얼굴로 앉아 있는 나를 보더니 혼자서 주고받으며 말하고는 가버렸다.

"안녕하슈. 김 목사…. 어~ 얼굴이 좋으시네. 좋은 소식이 있으신 모양이지요? 김 목사께 존 일이면 우리에게도 존 일이지요. 우리는 김 목사의 인격만큼은 믿습니다. 존 일이 생겨 김 목사가 일이 풀리면 우리에게 의리를 지켜줄 줄 믿겠시다. 우리가 그간 너무 닦달해서 미안하외다. 이제는 여기 자꾸 올 것도 없고 집에서 기다릴 테니 잘 선처해주시라요."

그렇게 혼자서 이야기하고는 선뜻 사라졌다. 그리고 그가 자기 마을에 다다르자 역시 솟값을 냈다가 소도 돈도 못 받게 됐던 이웃이 그에게 물었다.

"너 활빈교회 김 목사 만나러 갔었다며? 뭔 존 소식 있더냐?"

"그래. 김 목사 얼굴이 훤해졌더라. 그간에 우리 그 어른께 너무했었어. 존 일 있으면 우릴 모른 척할 사람은 아니잖아. 난 이제 그 문제로는 활빈교회 그만 가기로 했어. 우리 사정 다 알고 있으니 가만 있어도 알아서 해줄 거야."

"그래? 그럼, 나도 가만 있어 볼까?"

이래저래 빚쟁이들의 발길이 뜸해지자 나는 교인들과 힘을 합해 교회를 다시 일으키고 무너진 터전을 다시 세우는 일에 착수했다.

그때 나를 찾아와 "목사님, 어려운 일이 있으시지요? 로마서 말씀을 읽어보십시오"라고 일러주었던 그 여인은 지금 내 아내가 되었다. 나는 처음 그 말을 들었을 때에는 좀 별난 여자라고만 생각했다. 목사에게 와서 성경을 보라고 하니 좀 이상한 여자라고만 여겼다. 그러나 그 말씀을 읽고 은혜를 받은 후에는 고마운 여인이라는 생각이 들었다.

4

대문이 저기 걸어가네요

대문이 저기 걸어가네요

그간 소용돌이를 겪으면서 나에게 가장 약점으로 느껴진 것은 바로 가정이 없다는 점이었다. 아내가 아이들을 데리고 미국으로 떠나버린 지 7년여가 지나도록 일만 열심히 하겠다고 다짐하며 살아왔는데, 그 일이 실패하자 하늘 아래 내 한 몸 의지할 데 없는 적막한 처지가 된 것이다. 특히 병들었을 때가 가장 처량했다.

여인들도 마찬가지겠지만 나이 들어 남자에게 가정이 없다는 것은 마치 뿌리내릴 곳이 없는 나무와 같고, 깃들일 곳이 없는 새와 같다.

나는 현재의 좌절스러운 상황에서 벗어나기 위해 가정을 꾸려야겠다는 마음을 먹었다. 더욱이 그때는 빚쟁이들에게 밀려다니느라 아무 일도 벌일 수 없었던 상태였다 그래서 생각하기를 이렇게 할 일이 없을 때 결혼이라도 해두자는 생각으로 결혼 날짜를 먼저 잡았다.

1980년 1월 17일을 결혼일로 잡았다. 그날로 잡은 이유는 내가 1974년 1월 17일 체포돼 감옥으로 들어갔었기 때문이다. 그러고는 결혼해

줄 상대를 찾기 시작했다.

얼마 전부터 나와 결혼하기를 간절히 바라고 있던 간호사 출신의 여인이 있었다. 원래는 목사 부인이었는데 남편이 교통사고로 죽은 후 남매를 기르며 살고 있는 여인이었다. 그녀가 여러 번 나와 결혼할 뜻이 있음을 밝혀왔기에 나는 내가 원하면 언제든지 결혼 할 수 있으리라고 생각했다. 그래서 나는 서울로 올라와 그녀에게 오는 1월 17일로 결혼 날짜를 잡았으니 결혼하자고 말했다. 그러자 그녀의 대답은 딴판이었다.

"목사님은 혼자 사실 분이지 결혼해서 가정을 이루실 분은 아니예요. 저는 목사님과 결혼할 의사가 없습니다. 꼭 결혼하시려면 다른 여성을 찾아보세요."

그녀가 딱 부러지게 말하기에 나는 어안이 벙벙해 되물었다.

"아니, 그러면 그간 결혼해 달라고 조르던 말은 뭐요?"

"제가 여러번 목사님께 그런 뜻을 비쳤었지요. 그러나 그때는 목사님을 잘 모르던 때였어요. 목사님도 생각해 보세요. 제가 마지막으로 목사님께 결혼하자고 말한 게 언제예요? 벌써 몇 달 전이잖아요. 그간에 제 마음이 바뀌었습니다. 김진홍 목사님 같은 분은 매력은 있지만 결혼 상대로는 합당치 않다는 생각입니다."

나는 갑자기 몸에서 바람이 빠져나가는 듯한 느낌이 들어 힘없는 목소리로 말했다.

"그래요. 말이 되네요. 그간 몇 달 안 만나는 사이에 퍽 똑똑해졌구만요."

그러면서 돌아서는데 그녀가 뒤따라오며 말했다.

"그런데요, 목사님. 지난 번에 꿔드린 십오만 원은 갚아주시면 좋겠는데요."

"아, 그랬었지요. 십오만 원을 꾼 지가 벌써 반년이 넘은 것 같구먼요. 저는 이래저래 몸으로 때우려 했더니 그 길도 막히고, 그렇다고 돈도 없고 어쩌면 좋지요? 살아가면서 갚아드리면 안 될까요?"

"글쎄요. 이런 말씀 드리는 건 아닌데, 저도 애들 데리고 살려면 돈이 필요해서요."

열 번 옳은 말이었다. 그러나 내 주머니엔 동전 한 닢 없으니 어쩔 도리가 없었다. 그렇다고 넉살 좋게 돈이 없어 못 갚겠다고 할 수도 없는 일이어서 나는 어깨를 펴고 가슴을 내밀며 배짱 좋게 말했다.

"옳은 말씀입니다. 두 아이를 기르려면 돈이 있어야지요. 성경에도 과부와 고아들을 돌보라 했는데, 하물며 제가 빌린 돈을 갚는 일이야 여부가 있겠습니까? 지금은 없어 못 갚지만, 입은 옷을 팔아서라도 꼭 갚겠습니다."

그녀와 헤어져 돌아오는 길은 마음이 착잡하고 기분이 묘했다. 그녀와 결혼하겠다고 생각한 것은 미국으로 가버린 동혁이와 은송이를 대신하여 그녀의 아들딸 남매를 잘 기르고 싶은 마음을 품었기 때문이다. 그런데 뜻밖에도 딱지를 맞았으니 착잡할 수밖에 없었다.

다행히 며칠 뒤 14만 원이 생겼다. 나는 마음이 변하기 전에 얼른 갚아야겠다고 생각하고 새벽 버스로 서울로 가서 그녀에게 전해주며 말했다.

"지난번에 빌린 십오만 원 갚으러 왔습니다. 십사만 원인데 모자라는 만 원은 헌금했다 생각합시다. 이 돈을 딴 데다 써버릴까 봐 꼭두새벽에 갚으러 온 제 성의 만큼은 알아주시라요."

그녀는 고맙다고 인사하고는 이왕 헌금할 바에는 십일조로 하겠노라면서 5천 원을 떼어서 주었다.

나는 서울에서 남양만으로 내려오는 버스를 타러 정류장으로 가다가 1월 17일을 결혼 날짜로 잡은 것을 기억하고는 발걸음을 돌려 전남 광주로 내려갔다. 신붓감을 구하기 위해서였다.

광주 인근에 장로 권사 부부가 살고 있었고 그들에게 딸이 하나 있었다. 그녀는 결혼한 지 며칠 만에 자기가 보는 앞에서 남편이 교통사고로 죽었다. 그 현장을 목격한 뒤로 충격을 받아 정신 질환에 시달리고 있는 터였다.

나는 형님이 군에서 제대하고 돌아온 후 정신병이 생겨 10년 넘는 세월을 고생하다가 죽은 일을 체험했는지라 정신 질환자들을 대하면 느낌이 다르다. 뭔가 각별한 연민의 정을 느끼곤 한다. 그래서 어차피 결혼할 바에야 정신질환으로 불행을 겪고 있는 여인을 아내로 맞아 가정을 이루면 예수님께서도 기뻐하시겠거니 생각했다. 그런 '기특한' 생각으로 그 집을 찾아갔다. 권사님을 만나 따님과 결혼 할 의사가 있어 불원천리하고 찾아왔노라고 말했다.

권사님은 나를 표정 없는 얼굴로 한참이나 물끄러미 보더니 바깥어른과 의논해 보겠노라고 했다. 모처럼 오셨으니 식사나 하고 가시라며 잘 차린상으로 대접도 했다. 그러더니 집에 가 있으면 혼사를 의논

해서 연락드리겠노라고 했다.

이틀 뒤 연락이 왔다. 뜻은 고마우나 딸이 부족해서 어렵겠으니 지난번 나왔던 말은 없던 것으로 해달라는 소식이었다.

나는 당황했다. 1월 17일로 결혼 날짜는 정해두었는데 신붓감을 구하는 일에 번번이 차질이 빚어지니 난처한 생각이 들었다. 세 번째는 서울에서 빈민 선교하던 때에 알고 지냈던 미스 J가 적당한 배필로 떠올랐다.

그녀가 독실한 가톨릭 신자인 점이 마음에 걸렸다. 그러나 내심으로 나와 결혼해 목사 아내가 되면 개신교 신앙을 따르겠거니 생각하고 그녀를 만나 결혼하자고 했다. 그랬더니 그녀가 맹랑한 소리를 했다.

"목사님, 저도 목사님을 좋아하기는 합니다. 하지만…."

그러고는 말을 잇지 않기에 나는 조급증이 나서 물었다.

"그래서요? 좋아하면 되는 거 아닙니까? '하지만'은 왜 붙이시오?"

"하지만 목사님께서 제가 원하는 조건을 들어주실 수 있겠는지요?"

"조건을 들어줄 수 있겠느냐고요? 그래, 그 조건을 한번 들어나 봅시다. 맘에 드는 여자에게 장가들려면 들어줄 건 들어줘야겠지요."

"예, 다름 아니라 우리 가정은 전통적인 가톨릭 가정이니 목사님이 저와 결혼하시려면 가톨릭으로 개종하셔야 합니다."

그 말에 나는 그만 말문이 막혔다. 그녀를 물끄러미 보다가 말했다.

"지금 뭔 말을 하는 거요? 나더러 개종하라고요? 내가 장가 못 가서 환장한 사람인 줄 아오? 내가 가톨릭으로 개종하는 것보다는 김수환 추기경님이 장로교로 옮겨오는 거이 더 쉬울끼요."

열을 받은 내가 톤을 높여 말했더니 그녀는 눈물을 글썽이며 고개를 떨구고 말했다.

"진정한 사랑이 있다면 그렇게 해주실 수도 있잖아요."

나는 이런 대화를 나누고 있는 나 자신이 한심하다는 생각이 들었다. 그래서 자리를 털고 일어서며 말했다.

"여자들에게는 사랑이 첫째가는 것이겠지만 남자들에게는 사랑 보다 앞서는 것이 일과 명예예요. 그리고 인생 살아가는 일에 대한 자기 소신이에요. 자신의 소신을 바꾸어가며 결혼할 수는 없는 거예요."

착하고 유능한 여자였지만 어쩔 수 없는 일이었다. 지난번에 그녀와 이른바 데이트한답시고 마음에 들기에 손을 잡았더니 깜짝 놀라 몸이 굳어지면서 "아이고, 마리아 님!" 하며 떨었다. 나는 "이런 분위기에 웬 마리아 님을 찾는 거예요" 하며 손을 놓은 적이 있었다. 그 뒤로 생각해 보니 그렇게 순진한 여인을 아내로 맞아들이면 영혼의 맑음을 지키며 살아갈 수 있으려니 하는 마음이 들어 청혼을 했던 것이다. 그러나 천주교 개종 운운하니 어쩔 수 없는 일이었다.

결혼에 대한 내 마음가짐이 너무 감상적이란 생각이 들어 좀 더 현실적인 판단을 해야겠다고 다짐했다. 나는 남양만 활빈교회 기도실에 앉아 결혼에 대해 곰곰이 생각했다. 결혼 상대자를 고르는 일인데 너무 서둘러 사냥하듯 할 것이 아니라 기도의 응답으로 하나님께서 보내주시는 사람이어야겠다는 생각이 들었다.

그래서 2, 3일 기간을 정하고 차분한 마음으로 성경도 읽고 기도도 하며 생각하는 중에 마음에 떠 오르는 여인이 있었다. 지난번 솟값 파

동으로 기도실에 앉아 금식하며 기도하고 있을 때 나를 찾아와 성경 말씀을 읽으라고 일러주던 여인이었다.

내게 부족한 점이 깊은 영성과 안정된 가정인 만큼 그 여인이라면 이 두 가지를 보완해 줄 수 있을 것 같았다.

그래서 그녀가 다니는 일터를 찾아갔다. 교회 여성들의 연합 모임인 '여전도회 전국연합회'란 곳이었다. 그런데 가는 도중에 버스에서부터 치통이 일었다. 그녀를 만나 다방에서 이야기를 나누기 시작할 때는 견딜 수 없이 통증이 심해 왔다. 어쩔 수 없이 찡그린 내 얼굴을 보고 그녀가 물었다.

"목사님, 몸이 불편하세요?"

"아, 예. 갑자기 치통이 일어 그렇습니다. 미안합니다."

"치통이 있으시면 치과엘 가셔야지 그냥 참고 견딜 일이 아니잖습니까?"

"허, 치과에 갈 줄 몰라 안 가는 거이 아니고 집을 나선 후에 치통이 온 데다 주머니가 비어 있어서."

"그러세요. 그럼, 제가 치과 가실 돈을 꿔드릴게요. 나중에 갚으세요."

"아이고, 이거 지옥에서 부처님 만난 셈이군요. 빌린 돈은 꼭 갚겠습니다."

둘의 만남은 이렇게 돈 꾸는 데서부터 시작됐다. 그때 빌린 돈은 그 뒤에도 갚지 못했기에, 결혼한 지 20여 년이 되어가는 지금도 아내는 가끔 말한다.

"그때 치과 갈 때 꿔간 돈을 왜 아직 갚지 않는 거예요?"

그러면 난 "먼 소리여? 그간 몸으로 다 갚았잖아요"라고 말하곤 한다. 그 뒤로 세 번째 만났을 때 나는 청혼을 했다.

"미스 강, 내가 당신과 결혼하기로 결정하고 1월 17일로 날짜까지 잡아두었습니다. 물론 기꺼이 받아들이시겠지요?"

그녀는 선뜻 대답하지 않고 머뭇거렸다.

"글쎄요. 목사님 편에서는 결정하셨다지만 저는 아직 결심하지 못했습니다. 그런데 결혼 날짜까지 받으셨다니 당황스럽네요. 대답을 들으시려면 좀 기다려주셔야겠습니다."

"말이 되네요. 언제까지 기다리면 될까요?"

"저도 기도하여 응답이 오는 대로 연락드리겠습니다."

하나님께 기도드려 응답을 받아야겠다는 데에야 목사가 무슨 말을 하겠는가. 다른 말 할 계제가 아니었다. 그렇게 헤어지고 이틀 후 연락이 왔다. 강원도 철원에 있는 대한수도원에 기도드리러 함께 가자는 것이었다.

나는 속마음으로, 함께 기도원으로 가서 결혼할 것인지 말 것인지에 대한 응답을 받으려는 게로구나 생각했다. 그러자고 대답하고는 기도원으로 가는 날짜와 시간을 정했다.

그러나 기도원으로 가기로 약속한 날을 사흘 앞두고 나는 안성 경찰서에 수감이 되고 말았다. 사연인즉 젖소 도입 사업을 할 때 안성 쪽 농가 몇 가정이 젖소 도입 회원으로 가입하고 젖소값을 지불했는데, 그들도 젖소를 받지 못하자 나를 사기로 고소했기 때문이다.

종로5가 기독교회관에 들렀을 때 안성경찰서 형사 둘이 다가와 무조건 수갑부터 채웠다 나는 교회에 관계된 여러 사람이 보는 앞에서 수갑을 차고 안성까지 호송돼 경찰서 유치장에 수감되었다.

지금껏 잘 견뎌왔는데 막판에 벽에 부딪히는가 싶었다. 이런저런 상념에 잠겨 이내 마음을 비우고 유치장에 앉아 있자, 이틀 밤을 재우고는 석방해 주었다. 사기하려 했던 일이 아니니 범죄가 성립되지 않는다며 검사가 구속영장을 기각했다는 것이었다.

안성경찰서 유치장에서 풀려나자마자 나는 기도원에 가기 위해 미스 강과 만나기로 한 마장동 버스정류장으로 직행했다. 정류장에 도착하니 정확하게 출발 5분 전이었다.

아내인 강선우 씨의 말을 빌려보자.

그때 결혼을 해야 할지 말아야 할지 판단이 서지 않아 기도하던 차에 이런 생각이 떠올랐다 한다. 기도원에 함께 가서 금식기도를 하게 되면 결혼하기로 하고 일이 틀어져 그렇게 되지 않으면 결혼을 안 해야겠다고 마음먹었다는 것이다. 그런데 버스 출발 5분 전인데도 내가 나타나지 않아 김진홍이란 사람과 결혼하는 것은 하나님의 뜻이 아닌 게로구나 생각하고 있던 차에 내가 헐레벌떡 숨이 턱에 닿아 달려오기에 안심했다고 한다.

우리는 그 길로 기도원으로 가서 3일 금식기도를 드리고는 결혼하기로 합의하고 함께 손잡고 기도드렸다. 그리고 이왕지사 결혼하기로 했으니 내가 먼저 잡아놓은 1월 17일에 결혼식을 올리기로 했다.

그런데 막상 결혼식을 올리려니 혼수 등 비용이 문제였다. 완전히 빈털터리였던 나는 고작 2만 원을 비용으로 썼다. 그 2만 원은 신부 될 사람과 명동을 지나다가 어느 양화점에서 구두를 한 켤레 사준 금액이었다. 나 자신이 생각해 봐도 염치가 없다는 생각이 들었던지라 신부와 장모 되는 분에게 말했다.

"신랑 될 사람이 성품도 신체도 워낙 출중하니, 다른 것 할것없이 이 구두 한 켤레로 끝냅시다."

장모 되실 분은 농담이거니 생각했다가 결혼식이 끝날 때까지 실제로 아무것도 없으니까 많이 섭섭해하는 눈치였다. 그러나 어쩔 수 없는 노릇이었다. 그때는 천하에 백수건달인지라 어디를 가려 해도 버스 값이 없어 움직이지 못하고 있던 처지였다. 말마따나 아무것도 할 것조차 없어 결혼이라도 해두자는 마음에서 감행한 결혼이니 애초에 격식을 갖출 여유가 없었던 때였다.

1980년 1월 17일은 매섭게 추웠다. 결혼식장인 서소문 부근의 서소문 교회 2층에는 축하객이 가득 차 있었고 아래층에는 빚쟁이들이 가득 찼다. 빚쟁이들은 교회에서도 아랑곳하지 않고 연방 담배를 피워대 교회당 안에 연기가 자욱했다. 축하하러 온 손님들이 얼굴을 찌푸리고 있는데 난데없이 전화가 걸려 왔다.

"거기가 김진홍 목사란 자가 결혼식 올리는 곳이오?"

전화 받은 분이 그렇다고 했더니 험한 욕질을 해댔다.

"어떻게 사기꾼 목사가 그 거룩한 성전에서 식을 올리는 거요? 우리가 지금 깽판 놓으러 그곳으로 갈 테니 그리 알고 있으시오."

이 전화를 받은 사람은 다행히 장모였다. 장모는 놀란 가슴을 진정

시키고 얼굴이 사색이 되어 딸에게 말했다. 신부가 심각한 표정으로 소식을 전하기에 나는 태연한 얼굴로 말해주었다.

"어떤 사람들이 나타날지 궁금하구먼요. 아마 별일 없을게요. 결혼식장이 깽판 될 만큼 나쁜 일을 한 적은 없으니까 괜찮을 겁니다."

내가 아무렇지도 않게 대답하니까 신부는 일단 안심을 했다. 그러나 그 소식을 들은 사람들은 모두 염려가 되어 바늘방석에라도 앉은 듯 안절부절 못했다.

그러나 정작 문제는 전화가 아니라 아래층에 잔뜩 모여 연이어 줄담배를 피워대는 빚쟁이들이었다. 그들은 며칠 전부터 공개적으로 말하고 다녔다.

"김진홍 목사가 부잣집에 장가드는 모양인데, 결혼식 올리기 전에 돈을 좀 풀지 않으면 식장을 소란케 할끼다."

그런 말을 하고 다니던 사람이 끼어 있었기에 나는 마음이 편치 않았다. 그러나 마음을 든든히 먹고 태연히 결혼식에 임했다.

다행히 결혼식이 끝날 때까지 아무 일도 일어나지 않았다. 빚쟁이들은 소란은 피우지 않았으나 대신 결혼 축의금으로 들어온 돈을 몽땅 들고 가버렸다.

결혼식은 마쳤으나 신혼여행 갈 처지가 아니었던 우리 신혼부부는 광나루 한강변 한강호텔에서 넓은 방 한 칸을 잡고 첫날밤을 맞았다.

신부가 만장같이 넓은 방을 보고는 내게 "웬일로 이렇게 큰 방을 얻었습니까?" 하고 물었다. 나는 시치미를 떼고 "저녁에 손님들을 청했기에 넓은 방이 좋을 것 같아서 큼직한 방을 얻었습니다." 하고 대답했다. 곧이어 빚쟁이 15, 16명이 모여들어 그 방에 둥그렇게 앉아 신부에게 말을 시켰다. 그들 중 한 분이 신부에게 말했다.

"어쩌려고 백수건달 같은 김진홍 목사에게 시집을 오슈? 지금도 늦지 않으니 고무신 뒤로 신고 떠나슈."

그런 말을 듣고만 있을 성질의 신부가 아니었다. 말이 떨어지기가 무섭게 대답했다.

"고무신은 내 고무신인데, 앞으로 신든 뒤로 신든 내가 알아서 할 일이지 댁이 웬 참견이에요?"

"어-허, 보통 신부가 아니군. 그 남편에 그 아내라더니 짝을 잘 맞췄구먼."

이렇게 이야기판이 벌어지자 여기저기서 한마디씩 거들었다.

"신부 관상을 보니 사십만 지나면 탄탄대로가 열리겄다."

"그럼, 신부 관상으로 말하면 우리 돈 떼일 염려는 없겄구먼."

이런 허드렛소리를 나누다가 그들은 요리와 술을 시켜 먹고는 그 비용을 몽땅 우리 앞으로 달고 흩어졌다. 다음 날 아내는 친구에게 전화를 걸어 돈을 가져오게 해서 방값과 음식값을 치렀다.

얼마 후 신부가 2.5톤 트럭 한 대에 장롱이며 찬장이며 텔레비전을 싣고 남양만에 왔다. 그러나 신접살림을 차릴 방이 마땅치 않아 미처 짓다만 방 한 칸에 짐을 풀었다. 글자 그대로 문도 등도 화장실도 없는 방이었다. 짐을 풀어 방으로 나르던 아내가 내게 물었다.

"여보, 문이 없어 어쩐다지요?"

그때 마침 활빈교회 교인인 목수 한 분이 지나갔다. 나는 그를 가리

키며 "문은 저기 걸어가네요. 저분이 목수니까 문을 짜달라 부탁하면 될 겁니다" 하고 일러주었다.

신접살림을 차리는 집이 그 모양이니 아내는 제쳐놓고라도 따라온 장모가 더 심란해했다. 주위를 찬찬히 둘러보고는 아무 말 없이 가버리셨다.

대충 짐을 정리하는 동안 날이 저물었다. 담요를 문에 쳐서 가리고 양초를 켜고는 이부자리를 펴려는데 아내가 대답하기 난처한 질문을 했다.

"여보, 화장실은 어디에 있지요?"

참으로 난감한 물음이었다. 헛간 같은 집을 황급히 살림집으로 고치면서 미처 화장실을 짓지 못한 터였다. 그렇다고 신혼 살림하러 온 색시에게 화장실이 없다고 말할 수도 없는 터여서 손전등을 들고는 "나를 따라오세요. 내가 화장실로 안내하겠수다" 하며 앞장섰다.

아내는 사정도 모르고 고맙다는 표정을 지으며 따라나섰다. 나는 마당 가에 서 있는 큰 밤나무 아래에 서서는 아내에게 일렀다.

"내가 가려 줄 테니 볼일 보세요."

아내는 영문을 모른 채 "볼일을 보다니요?'" 하고 되물었다.

"아니, 화장실 가자 해서 나온 거니까 여기서 대변이든 소변이든 보라는 거이지요."

"예? 여기서요?"

"사정이 여의찮아 아직 화장실이 마련되지 못했습니다."

"어머나, 말도 안 돼. 여기 맨땅에서 대변을 보다니요?"

"어떻습니까? 사방이 확 트인 넓은 화장실이거니 생각하시면 됩니다."

아내는 쭈뼛거리더니 어쩔 수 없음을 깨닫고는 그대로 볼일을 보았다. 그러고는 아무 말을 하지 않고 앞서서 방으로 들어가더니 잠들 때까지 한마디도 하지 않고 그냥 잠자리에 들었다.

그렇게 결혼생활이 시작된 뒤로 아내의 고충이 이만저만이 아니었다. 워낙에 어려움이 겹쳐 있는 때였던지라 우선 두 식구 살아갈 생활비가 없었다. 젖소 파동 사건 이래로 교회는 뿌리째 흔들려 있어 교회에서 생활비 마련이 되지 않았다. 어쩌다가 다른 데에서라도 돈이 들어오면 빚 갚는 일에 통째로 들어가게 마련이었다.

어쩔 도리 없이 아내가 대학에 강의를 나가 거기서 들어오는 얼마 되지 않는 강사료로 살림을 꾸려나갔다. 그러니 아내의 어려움이 말이 아니었다. 그럼에도 말없이 잘 감당해 나가는 아내가 퍽 고맙고 미안스러웠다.

몇 달 후 아내는 임신했고, 다음 해에 출산 진통이 시작되자 나는 아내를 서울로 데려가 중앙청 뒷골목의 민 산부인과에 입원시켰다. 아내가 처녀 시절부터 잘 아는 의사가 있다고 해서 간 곳이었다.

태어난 아이는 아들이었다. 아이 이름은 이미 1974년 교도소에 있을 때 아들이면 민혁(民革)이, 딸이면 민애(民愛)라 지어두었던 터였다.

그런데 민혁이를 출산할 때 아내가 난산이어서 견디다 못해 제왕절개로 출산할 수밖에 없었다. 제왕절개 수술로 아이도 산모도 건강에는 이상이 없었으나 출산비가 문제였다.

우리는 신혼 초 출산에 대비해, 한 달에 1만 원씩 모았는데, 아이를 출산할 즈음에는 15만 원 가량이 됐다. 일 년 내내 모은 15만 원으로는 턱없이 부족했다. 그렇다고 그 문제를 입 밖으로 내지도 못하고 혼자 속앓이만 하고 있는데 드디어 병원 측에서 오늘 퇴원해도 좋다는 말이 나왔다. 병원비가 얼마냐고 물었더니 115만 원이라고 했다. 간이 철렁하고 떨어질 만큼 큰 액수였다.

나는 어쩔 수 없이 쪽지를 들고 원장님을 찾아갔다. 염치 불고하고 깎아 달라고 사정하는 도리밖에 없었다.

"원장님, 멋진 아들 건강히 낳도록 도와주셔서 감사합니다. 그런데 죄송스러워 입이 떨어지지 않습니다만, 도리가 없어 말씀드려야겠네요. 실은 제가 시골교회 목사입니다. 늦게 아들을 낳게 되었는데 병원비가 제대로 마련되지 않았구먼요. 제 딴에는 지난 열 달간 모은다고 모은 돈이 십오만 원밖에 안 됩니다. 그런데 제왕절개 수술을 하게 돼 병원비가 1백십오만 원이 나왔구먼요. 죄송스럽습니다만 병원 측에서 할 수 있는 만큼 저희 부담을 줄여 주시면 고맙겠습니다."

내가 주눅이 들어 더듬거리며 하는 말을 눈을 깜박거리며 듣고 있던 원장님은 잠시 생각하더니 40만 원을 감해줄 테니 75만 원만 내라고 했다. 병원 측으로는 크게 봐주는 처사였지만 어차피 내 처지로는 115만 원이나 75만 원이나 마찬가지여서 그렇게 깎아주는 것이 고맙다는 생각이 들만한 마음 여유가 없었다 그렇다고 더 깎아달라고 할 염치도 없었다. 원장실을 나오며 말했다.

"예, 그럼, 오늘 나가서 돈이 마련되는 대로 퇴원하도록 하겠습니다."

힘없는 말투였다. 나는 아내와 아들 민혁이가 있는 입원실로 가서 말했다.

"여보, 오늘 퇴원해도 된대. 내가 나가서 준비해 올 테니 퇴원 준비하고 기다리세요."

"예? 준비해 오시겠다구요?"

눈치 빠른 아내는 준비해 온다는 말이 무슨 말인지 짐작하고는 눈을 내리깔며 "일찍 들어올 수 있을까요?" 하고 물었다. 아무도 알 수 없는 터였지만 나는 남자의 호기를 보인답시고 "그럼요, 곧장 들어올 테니 짐보따리 싸고 기다리쇼" 하며 기세 좋게 말하고는 병원 밖으로 나왔다. 그러나 너른 서울 바닥에서 돈 꾸는 일로는 갈 만한 곳이 없었다. 중앙청 건물을 지나 세종로 길로 나서며 돈 꾸러 가볼 만한 곳을 더듬어 생각했다. 친척, 친구, 아는 교인들을 골고루 생각해 내 먼저 갈 곳과 나중에 갈 곳을 정하며 걸었다. 그렇게 궁리한 대로 한 사람 두 사람 찾아다니며 60만 원만 빌려 달라고 부탁했다. 그러나 허당이었다. 돈 꾸는 일은 나와는 철저하게 전혀 맞지 않는 일이었다. 기껏 다방에 불러내 만났으나 끝내 돈이야기는 꺼내지도 못하고 엉뚱한 이야기만 나누다가 헤어지는 경우가 허다했다. 더욱이 찻값까지 내가 물고 나올 때도 있었다.

천신만고 끝에 용기를 내어 60만 원을 빌려달라고 해도 한 마디로 거절당하기 일쑤였다. 그렇게 일곱 사람을 만나고 나니 자신이 처량하기 그지없었다.

예수님의 일꾼이 되기 위해 목사가 된 것은 좋은데, 나이 사십에 아들을 낳고는 돈이 없어 병원에서 퇴원시키질 못해 서울 바닥을 헤매고 다니는 내가 한심스러웠다.

서울 바닥에 찾아갈 만한 사람들이 제한돼 있는지라 학창 시절에는 같이 어울리지도 않던 동창을 찾아가 쭈뼛거리며 돈을 꿔달라는 부탁을 하는 자신의 모습이 처량하다는 생각이 들었다. 그리고 그런 친구들이 내 부탁을 듣고는 "왕년의 캠퍼스 스타 김진홍도 사회에 나오니 맥을 못 추는 구먼. 나에게 돈을 꾸러 오다니" 하며 묘한 표정을 지을 때는 입술이 타들어 가는 듯한 느낌이었다.

그러나 어쩔 것인가. 병원에서 짐 싸놓고 기다리고 있을 아내와 그 품에 안겨있을 민혁이를 생각하면 어쩔 수 없는 일이었다. 이런저런 생각을 하며 여덟 번째 사람을 만나러 가는데 내 가슴 깊은 곳에서 슬며시 오기가 솟아오르기 시작했다.

이것 봐라, 도대체 몇 곳이나 다녀야 60만 원이 구해지는겐가? 한번 연습이라 생각하고 끝까지 다녀봐야겠구나. 그리고 예수님이 내게 이런 경험을 하게 하시는 데에는 뭔가 의미가 있으실 게다. 괜스레 서울 바닥에서 돈 60만 원을 구하려고 이렇게 헤매게 하시는 것은 아닐 것이다.

대학 시절의 한 친구와 어느 다방에서 만나기로 약속하고 그리로 가는 중에 이런 생각을 하며 한 가지 유익한 결론에 이르게 되었다. 오늘 이런 경험을 하면서 그저 자존심이 상하고 자신의 모습을 처량하게 보는 마음에서 벗어나 유익하고도 생산적인 경험으로 삼자는 다짐을 했다.

그래도 나는 서울 바닥에 찾아다닐 곳이 있으니 얼마나 다행스러운 일인가! 이런 경우에 아무 데도 찾아갈 곳이 없을 벽촌이나 외딴섬에 있는 다른 동역 목사의 경우는 어떠할까? 그들이 지금 나와 같은 처지에 이르렀을 때 얼마나 슬프고 적막할 것인가? 그래도 나는 이렇게 찾아다닐 곳이나마 있으니 다행스런 사람이다. 그러니 이왕지사 나선 걸음, 도대체 몇 사람이나 만나야 60만 원을 구할 수 있을지 연습삼아 한번 다녀보자. 그래서 앞으로 내게 좋은 시절이 온다면 다른 일보다 이렇게 어려운 처지에 이르러 한숨만 쉬고 있을 동료 농촌 목회자들을 돕는 일에 적극 나서야겠다. 예수님께서 나로 하여금 이런 경험을 하게 하신 것은 훗날 어려움에 처한 농어촌 목회자들을 돕는 일을 하라고 시키시는 거다. 좋다! 그렇다면 기죽지 말고 열심히 다녀보자. 도대체 몇 사람, 몇 집을 다녀야 필요한 돈을 마련할 수 있는지 헤아리며 다녀보자.

이런 생각을 하니 기운이 솟고 자신을 처량하게 여기던 마음이 사라졌다. 그날 나는 열세 사람을 만난 후에야 65만 원을 마련할 수 있었다.

이미 오후 여섯 시가 지나 있었다. 병원에 이르니 짐 싸놓고 온종일 기다리던 아내가 반색하며 맞아주었다.

"저는 어디 교통사고라도 났는가 싶어 걱정했어요."

"별소리를…. 나선 걸음에 여기저기 다니다 보니 늦었소."

"말 안 해도 짐작이 갑니다."

병원에 75만 원을 치르고 남은 돈으로 택시를 불러 남양만 집으로 향했다. 민혁이가 태어난 날이 1981년 5월 28일이었고, 하루 종일 서울 거리를 헤매고 다닌 날이 6월 1일이었다.

그 뒤 세월이 흐른 후에도 나는 그날 겪었던 일을 잊지 않았고, 그때 결심했던 바를 실행에 옮겼다. 그로부터 9년이 지난 후 농어촌 교회의 목회자들을 돕는 일을 시작했다. 9년 동안에 활빈교회는 기틀이 잡히고 나 자신도 여유가 생기면서 이제 다른 목회자들을 도울 수 있게 되었다. 9년 전의 결심을 돌이키며 농촌 목회자들 돕기를 시작했다.

1989년 11월 어느 날 교계 신문을 보니 목회자들의 세미나가 열린다는 광고가 실려 있었다. 그런데 그 세미나에 참가할 수 있는 자격을 쓴 부분이 마음에 걸렸다. 교인 1천 명 이상인 교회의 당회장 목사만 신청 자격이 있다는 내용이었다. 세미나가 열리는 장소는 서울 강남의 어느 호텔이었고 강사는 널리 알려진 미국 목사였다. 그리고 참가자들은 세미나를 마친 후 단체로 성지순례를 간다는 것이었다. 그러니 참가비가 비쌀 수밖에 없었다. 참가비가 우리 같은 농촌 교회 목회자들에게는 일 년 치 월급을 전부 합친 액수에 버금갔다. 그런 내용을 찬찬히 읽은 나는 심사가 뒤틀렸다.

"이-거 도대체 교인 천 명 안되는 교회 목사는 끼어들지도 못하는 거 아냐. 언-눔 기죽이려는게야 뭐야."

나는 혼자 투덜거리며 생각했다. 그때 한 가지 멋진 아이디어가 떠올랐다. 그쪽은 서울 호텔에서 1천 명 이상만 모인다니까 우리는 50명이하로 모여보자. 그리고 그쪽은 세미나 후에 세계 일주하고 성지를 밟는다는데 우리는 두레마을 마당이나마 신명 나게 밟아 보자는 생각이 들었다. 그래서 전국의 농촌이나 섬에서 개척 선교하는 목회자 가운데 전 교인 수가 50명 이하인 교회의 목회자들만 초청하여 두레마을에서 세미나를 열자.

멋진 생각이라 여겨 스스로 무릎을 '탁' 치며 일어선 나는 당장 실행에 들어갔다. 그런데 행사 제목을 정하고 취지문을 쓰고 홍보자료를 만들고 하던 중에 또 다른 생각이 떠올랐다. 시골교회에서 목사보다 더 고생하는 사람들이 있지 않은가. 그들은 바로 목회자들의 아내인 사모(師母)다. 목회자들은 그래도 대접도 받고 존경이라도 받지만, 목회자들의 아내는 이중 · 삼중고에 시달리는 게 다반사다.

교인 숫자가 적을수록 목회자 가족은 두드러져 보이게 마련이고, 그렇게 가족들 삶의 모습 노출이 심할수록 교인들로부터 받는 스트레스가 크다.

한국 국민 전체의 수준이 그러하듯이 교인들 수준 역시 마찬가지다. 예수를 믿거나 안 믿거나 한국 사람들은 모이면 남의 이야기를 하고, 남의 이야기라면 칭찬이나 격려보다는 험담이나 깎아내리는 이야기가 중심을 이루기 마련이다.

그래서 목회자 가족들이 당한 피해는 가히 상상을 넘어설 정도다. 그런 스트레스의 결과가 바로 목회자 아내들의 수명에서 나타난다. 평균적으로 한국인들은 남성보다 여성이 더 오래 사는데, 목회자 가족의 경우는 반대다. 아내들이 목사들보다 일찍 죽는 비율이 훨씬 높

다. 평소에 교인들로부터 받는 스트레스 때문이다.

내가 섬기는 활빈교회도 마찬가지다. 물론 우리 교회는 한국 교회의 평균치보다는 덜 하지만, 그래도 아내나 아들들이 교인들로부터 스트레스받기는 마찬가지다.

아내는 활달하고 적극적인 성격이다. 이런 성격이 교인들에게는 시빗거리가 된다.

어느 날 여자 성도 몇이 나에게 말했다.

"목사님, 말씀드리기 죄송스럽습니다만 사모님이 좀 설쳐요. 그래서 사모답지 못하다는 말이 있습니다요. 목사님이 집안 단속을 좀 하시라구 일러 드립니다."

나는 여신도들의 말에 씁쓰레한 느낌이 들었으나 기분을 가라앉히고 아내에게 말했다.

"여보, 교인들 말이 당신이 설친대."

"뭐라고요? 내가 설친다구요. 누가 그런 말 합디까?"

"그걸 누가 그러더라고 말할 수야 있나요. 좌우지간 그런 말이 교인 중에 도는 건 당신에게나 교회에 이롭지 못하지요."

"그래도 내 천성이 그런 걸 어떡합니까."

"천성이 그렇더라도 사모가 된 이상 좀 참고 조용히 지내도록 힘을 써야지요. 성질대로 다 하면 목회가 되겠어요?"

아내는 시무룩해졌다. 그 후 교인들 모임에서 입을 꼭 다물고만 있었다. 그랬더니 금방 다른 흉이 생겼다.

"사모가 요즘 교만해졌더라. 지난번 만났더니 사람 무시하는지 입도 안 떼고 무게 잡고 있드만.”

아내는 성격이 활달한 만큼 화장도 눈에 띄게 하고 귀고리도 하는 등 자신을 꾸미는 걸 좋아했다. 나도 그런 습성을 인정해 귀고리도 사다 주고 해외에 나갔을 때는 화장품이나 액세서리들을 사다 주기도 한다.

그런데 교인들 간에 이것이 흉이 되어 말썽을 빚었다. 사모가 너무 사치하다는 흉이었다. 몇 번 그런 흉을 듣고 나는 아내에게 일렀다.

“여보, 교인들 말이 당신이 사치하대. 조금 수수하게 차리고 다니는 것이 좋을 거 같아. 사모가 돼서 그런 일로 교인들 입에 오르내리는 게 좋을 건 없잖아요?”

“그거참, 그건 내 옷태가 좋아 그렇지 하나도 사치한 것 없어요. 이 옷도 동대문 시장 난전에서 산 싸구려 옷인데 교인들은 비싼 메이커 옷으로 알고 사치한다고 그러던데요.”

아내는 억울하다는 표정을 지었다. 그러나 본인도 그런 말에 신경이 쓰였던지 다음 몇 주간은 허름한 옷차림으로 예배에 나갔다. 그랬더니 금세 다른 말이 나왔다. 사모가 식모 같아 보인다는 소리였다.

“글쎄, 요사이 우리 사모가 식모 차림으로 다니니까 보기 안 좋아예. 지난번 교회에 손님으로 오신 분이 사모가 옆에 앉았는데 날 보고 사모님 되시느냐고 묻잖아요.”

나는 그제야 교인들 말을 다 듣다가는 아내를 바보로 만들거나 환자로 만들겠다는 생각이 들었다. 그래서 내가 아내를 보호하고 아내의 입장을 세워 주어야겠다는 생각이 들어 아내에게 말했다.

"여보, 교인들이 당신에 대해 이러쿵저러쿵하는데, 당신 앞으로는 그런 말에 절대 신경 쓰지 말아요. 내가 이제 감 잡았어요. 도무지 교인들이 경우가 없습니다. 한 주일은 사치하다고 그랬다가 다음 주일에는 식모 같다고 그러고, 이 주일엔 설친다고 그러고 다음 주엔 교만하다 그러고, 도무지 어느 장단에 춤춰야 할지 대중이 없잖아요. 그러니 이제부턴 교인들 말에 신경 쓰지 말고 당신 생긴 대로 놀아버리시오."

"그래요. 아이고 속이 시원하구만요. 그런데 내가 그렇게 하려면 당신이 날 받쳐줘야 그럴 수 있지요. 나 혼자 힘으로야 그렇게 할 수 있나요."

"암, 도와주고 말고지요. 사나이 명예를 걸고 도와줄 테니 안심하라구요."

우리 부부간에 이런 대화가 오간 후 아내는 자기 모습을 되찾아 활발하게 처신했다. 아니나 다를까 교인 중에 내게 따지는 사람이 나타났다.

"목사님, 사모님 좀 절제시키시라요. 사모님 때문에 말이 좀 있습니다요."

나는 그 말을 기다렸다는 듯이 말했다.

"거 수준 낮게시리 집사람에 대해 이러쿵저러쿵 해쌌지들 마쇼. 여러 사람이 한 사람 빙신 만들겠시요. 내야 델꼬 살아보이 좋소. 내 좋으면 되지 교인들이 왜 그래 입을 대 쌌소."

평소와는 달리 완강한 내 말에 교인들이 눈이 휘둥그레지며 말했다.

"아이고, 우리 목사님이 치매 걸린 거 맹꼬로 와 이라시는교. 안 하던 버릇이 나오는 기 이상하네요."

"글쎄요. 치매가 걸렸어도 할 수 없는 기요. 교인들 말 듣고 우리 마누라 자꾸 기죽였다가 나중에 헤까닥해서 히죽히죽 웃고 다니기라도 하면 난 목사 일도 종치는 기라요. 그러니 마누라가 도둑질 안 하고 미친 짓만 안 하거든 가만 놔두쇼."

내가 아내를 그렇게 확실히 감싸주니 즉시 효과가 나타났다. 그 뒤로는 소문이 어떻게 돌았는지 누구도 아내에 대해 말하는 사람이 없었다

교인들로부터 스트레스받기로 말하자면 목사의 아내만 그런 것이 아니다. 목사의 아들딸도 마찬가지다. 둘째 아들인 애민이는 성품이 느긋하고 심성이 고와 누구와 다투는 일이 드문 아이다.

그런데 하루는 밖에서 울며 들어왔다. 그애가 초등학교 3학년 때였던 것 같다. 나는 울며 들어오는 녀석이 마땅찮아 나무랐다.

"야, 사내 녀석이 왜 징징 울고 다니냐. 쌈을 하면 죽기 살기로 하든지 아니면 참을 것이지, 매 맞고 울고 다녀."

"매 맞아 우는 기 아닙니더."

"매 맞은 것이 아니면 왜 우는 거냐?"

나는 앞뒤 사정을 듣고는 목사 아들로 태어난 아이가 안 됐다는 생각이 들었다. 사연인즉 이러했다. 학교에서 집으로 오던 길에 동급생 한 명과 치고받고 싸우고 있었다. 그때 지나가던 활빈교회 여신도 한 분이 아들을 알아보고 말했다.

"늬들 웬 쌈질이냐. 아니, 넌 목사님 아들 아니니? 목사 아들이 쌈꾼이 되면 쓰냐?"

아들은 목사 아들이 웬 쌈질이냐는 말에 갑자기 풀이 꺾여 무방비 상태가 됐다. 그 통에 늘씬하게 얻어맞은 모양이었다. 그래서 맞아서 우는 것이 아니라, 싸움도 하지 못하고 얻어맞기만 해야 하는 목사 아들 신세가 서러워서 울었던 것이다. 나는 아들이 안쓰러워 말했다.

"그 여자가 잘못해도 크게 잘못했구먼. 도대체 누구지? 너 이제부터는 그런 말에 신경 쓰지 마라. 앞으로 쌈 할 때 그런 말 하는 사람이 있걸랑 '아버지가 목사지 내가 목산기요. 내가 뭐 목사 아들 될라꼬 신청해서 나온 줄 아시요. 나와보니 아버지가 목사던데'라고 말해줘라. 그라고 너를 때린 녀석 어디로 갔냐? 뒤따라가서 후드러 패 줘라. 너 절대 기죽어 살지 마라. 알겠냐?"

그 말에 위로가 되었던지 아이는 울음을 그치고 말했다.

"이젠 됐어요. 그 친구 안 때려줘도 돼요. 나하고 친한 애예요"

이런 식으로 성직자 가족들은 스트레스를 받고 살기 마련이다. 목사 가족들의 그런 고충을 생각하고 나는 농어촌 교회 목회자 수양회를 열려던 마음을 바꾸어 목회자 사모 수양회를 열기로 했다. 두레마을에서 농촌과 어촌지역 교회 중에서 교인 수 50명 이하인 교회의 사모를 위한 수양회를 열겠다는 홍보를 했더니 150명 정원에 800여 명이 신청했다.

그들 중에서 가장 가난한 분 200명을 뽑아 제1회 농어촌교회 사모 수양회를 열었다. 1990년 1월 둘째 주간이었다. 개회 예배 설교에서 나는 말했다.

“사모님들, 두레마을에 오신 것을 환영합니다. 사모님들은 이 땅에서 가장 외진 벽촌에서 또 가장 외딴 섬에서 이름 없이 일하고 계시는 목사님들의 사모님들입니다. 제가 여러분들에게 결론을 먼저 말씀드리고 싶습니다. 사모님들 이번 두레마을에 오셔서 은혜받겠다, 성령충만하겠다, 생각지 마시고 그냥 푹 쉬십시오. 은혜받는 걸로 말한다면 사모님들이 그간에 받은 은혜만으로도 충분합니다. 체험과 고백 없이 누가 산골짜기나 외딴섬에서 여러분처럼 헌신하겠습니까? 여러분 모두 겪은 체험이 있고 받은 은혜가 있으신 분들일 테니까 이번 수양회에서는 그냥 잘 잡수시고 푹 자고 마음 놓고 쉬시기 바랍니다. 그래서 이번 행사 중에는 새벽기도회도 다 없앴습니다. 모처럼 마음 놓고 주무십시오. 그리고 방방이 모여서 남편들 흉도 보고 교인 중에 여전도회 회장이나 장로나 누구든지 속 썩이는 사람들이 있으면 이번 기회에 껌 씹듯이 씹으십시오. 그래서 여러분 가슴에 쌓인 응어리와 한을 확 풀어버리시기 바랍니다.”

이렇게 말했더니 여기저기에서 “아멘~아멘” 하는 소리가 터져 나왔다. 그리고 단번에 사모님들의 어깨가 펴지고 얼굴에 완연한 화색이 돌았다.

그렇게 시작된 사모 수양회는 효과 200퍼센트의 내용으로 진행되었다. 무엇보다 내 설교 시간만 되면 사모들이 울어서 설교하기가 민망스러울 정도였다. 특히 시간마다 맨 앞자리에 앉는 사모 한 분이 유난스레 많이 울기에 휴식 시간에 물었다.

“아니, 사모님은 우는기 은사예요? 와 그래 울어 쌌는 기요?”

“아이고, 목사님, 죄송스럽습니다요.”

“죄송타 할거까지는 없지만 울어도 너무 웁디다. 평소에도 그렇게 눈물이 많으신 편인가요?”

“그런 건 아닌데, 두레마을에 와서는 웬일인지 눈물이 자꾸 쏟아지는구먼요. 안 울라고 애를 써도 안 되는구먼요. 그냥 쏟아지는 눈물을 저도 감당키 어렵구먼요.”

“사모님 내외분은 어디서 어떤 일을 하시는데요?”

“예, 우리 남편이 공무원을 하다가 은혜받고 사명자로 나서겠다며 사표 내고 교역자길에 들어선 게 구년 전입니다. 어디든 일꾼 찾는 곳에 가서 섬기는 일생을 보내겠다고 서원하고는 찾아간 곳이 지금 일하고 있는 섬입니다. 목포에서 배 타고 두시 간을 가는 곳인데, 그 섬에 들어간 지 구년 만에 이번에 처음 육지를 밟았습니다. 구년 전 섬에 들어갈 때 신고 갔던 구두를 선반 위에 얹어두었다가 이번에 닦아 신고 나왔습니다. 그런데 목사님께서 지난날 고생하시던 이야기를 들으니 지금 우리가 겪고 있는 것과 어쩜 그렇게 똑같을까요. 그래서 눈물이 쏟아지는 게지요. 이제는 안 울어야지 하면서도 목사님 얼굴만 봐도 눈물이 나고, 얼굴 안 볼라고 눈을 감으면 목사님 음성만 들려도 눈물이 납니다.”

그렇게 말하면서도 사모는 눈물을 찔끔찔끔 흘렸다. 나도 가슴이 찡해지며 눈시울이 젖어왔다.

“사모님, 훌륭하십니다. 내외분이 그렇게 충성하시니까 예수님이 기뻐하실 것 아니겠습니까? 예수님께서 사모님 내외분이 하시는 일을 기뻐하실 것을 믿으시지요?"

"아무렴요. 우리가 그걸 믿고 충성하고 있는 게지요. 우리 부부는 그 섬에서 일하다가 거기에 묻힐 작정으로 일하고 있습니다. 벌써 우리 부부가 묻힐 묫자릴 봐두었습니다."

나는 이런 일꾼들이 한국 교회를 지켜나가는 그루터기거니 생각했다. 서울 중심부에 우뚝우뚝 선 큰 교회들이 한국 교회를 지켜나가는 것이 아니라 산골짜기에서, 외딴섬에서 이름 없이 섬기고 있는 이런 종들과 이런 교회들이 한국 교회의 뿌리라 여겨졌다. 그리고 그런 목회자의 아내들을 모시고 위로잔치를 베푸는 일을 할 수 있게 된 것이 두레마을에 베푸시는 하나님의 축복이라 생각했다.

행사가 시작되는 날 아침 일곱 시쯤 한 시골 교회 사모로부터 전화가 왔다.

"김 목사님, 두레마을에서 오늘부터 시작하는 사모 수양회에 가려고 짐을 싸놓고 있습니다."

"그러세요. 거기가 어디신데요?"

"여기는 전남 쪽 지리산 밑에 있는 농촌교회입니다."

"아이고, 거기 같으면 빨리 출발하셔야지요. 오후 네 시에 시작인데 지금 출발하셔도 늦겠는데요."

"예, 빨리 출발해야 하는 줄은 알지만 차비를 못 구해서 이러고 있습니다."

"그러세요? 사모님, 차비라면 염려하지 마세요. 두레마을에서 계란

팔고 배추 팔아서 왕복 차비를 준비해 두었습니다. 오늘 차비가 없으시면 어디서 빌려서라도 오십시오."

"이런 시골에서 돈 빌리기가 쉽습니까?"

"사모님도 정말 융통성이 없으시네. 어디 이장이나 조합장 집에라도 가서 며칠 뒤에 갚는다 하고 좀 꾸세요. 설마 한마을에서 차비 꿀 데도 없을까요?"

"목사님, 그렇게 쉽게 말씀하시면 안 됩니다. 다른 목사님은 그렇게 말씀하신다 쳐도 김진홍 목사님은 그렇게 말씀하시면 안 됩니다."

"뭔 뜻인지요? 제가 잘못 말한 것도 없는 것 같은데…."

"잘못하셨지요. 우리같이 밑바닥에서 일하는 일꾼들 사정을 누가 알아주겠습니까? 서울 큰 교회 목사님들이야 우리 사정을 어찌 짐작이나 하겠습니까? 그래도 김진홍 목사님 같은 분은 우리 사정을 알겠지 하고 위로받고 있는데, 목사님마저 그렇게 쉽게 말씀하시면 안 되지요. 목사님, 우리 부부가 섬기는 교회의 사정이 어떤지 아세요? 지난 주일 출석 여덟 명에 헌금이 백십 원입니다. 여덟 명 출석에 헌금 백십 원 나오는 교회 사모가 어디 가서 돈을 꾸겠습니까? 그러니 목사님 같은 분이 우리 현실을 모르고 그렇게 쉽게 말씀하시는 게 아니란 겁니다."

나는 그녀의 항의를 겸한 그 말에 할 말을 잃었다. 그래서 부드러운 목소리로 말했다.

"사모님 말씀 듣고 보니 내가 잘못했구먼요. 사모님, 그곳 주소가 어떻게 됩니까? 가까운 우체국이 어디지요? 그 우체국으로 송금할 테니 받으시는 대로 늦더라도 올라오세요. 사모님, 힘냅시다."

그러고는 사모가 일러준 주소로 긴급 송금을 했다. 그 사모는 수양회가 끝날 즈음에 두레마을에 도착했다. 그런 분위기에서 제1회 농어촌교회 사모 수양회가 진행됐고 마치는 시간에는 두레마을에서 푸짐한 잔칫상을 마련해 주었다.

이제 임지로 돌아가 힘차게 사시라고 위로하는 뜻에서 마련한 잔치자리가 다시 울음바다로 변하고 말았다. 처음에는 한두 사람이 간증으로 이야기하다가 눈물짓기 시작하더니 끝내는 울음판으로 바뀌고 말았다. 그렇게 울음판이 벌어진 것은 강원도 두메산골에서 온 한 사모 때문이었다.

그녀는 앞자리로 나오더니 내 아내의 목에 자신의 금목걸이를 걸어주며 말했다.

"제가 가진 마지막 결혼 패물인 이 목걸이를 김진홍 목사님 사모님께 드립니다. 제 남편 목사는 성질이 유별나 한 마을에서 개척하여 자리가 잡혀갈 때쯤이면 다른 목회자에게 맡기고는 다른 곳으로 가서 다시 개척하고, 그 교회가 천신만고 끝에 자리잡혀 갈 때쯤이면 또 교회 없는 골짜기로 옮기기를 거듭해 왔습니다. 그때마다 곤란을 겪는 것은 처자식들이었지요.

나는 그간 그런 남편을 원망도 하고 헤어질까 생각도 하며 지냈습니다. 그런데 이번에 두레마을에 와서 전국에서 모여 온 동료 사모님들을 만나보니 나 혼자만 겪고 있는 고난이 아니구나, 오히려 나보다 더 어려운 여건에서 충성하시는 사모님들도 많이 있구나 하는 것을 알게 되었습니다. 그리고 김진홍 목사님의 오늘이 있기까지 사모님의 공이 컸음을 알게 되었습니다.

이 금목걸이는 내가 시집올 때 마련해 왔던 패물들을 그간 급할 때마다 팔아 쓰고 마지막 남은 것입니다. 이번에 이곳에 와서 받은 은혜에 대한 보답으로 이 목걸이를 사모님께 드립니다. 이제 강원도 섬기는 교회로, 가정으로 가면 불평 없이 열심히 일할 것을 맹세합니다."

그 사모님이 눈물을 삼키며 아내의 목에 목걸이를 걸어주자, 장내는 울음판으로 바뀌고 말았다.

두레마을을 세울 땅을 달라고 하나님께 기도했다.

기도 하면서 남양만 지역 안에서 적합한 땅을 물색했다.

마침, 후보지가 나타났다. 봉화산(峰火山)이란 이름의 야산이었다.

"하나님, 이 산을 활빈교회에 주시옵소서.

이 산에서 한국 농촌에 봉홧불을 올리겠습니다.

이 땅, 이 서러운 백성들이 살아가는 조국 땅에 성령의 봉홧불,

희망의 봉홧불을 올리겠습니다. 이 산을 저희에게 맡겨주시옵소서."

1986년, 봉화산 두레마을

1986년, 봉화산 두레마을

이제 두레마을 이야기를 본격적으로 할 때가 된 것 같다. 두레마을은 한마디로 이스라엘의 농업공동체인 키부츠와 비슷한 형태의 '한국형 농업공동체'라고 할 수 있다.

'두레'란 말은 우리 조상님네들이 예로부터 꾸려오던 '두레 공동체'에서 따온 이름이다. 한반도에 터를 잡고 살아온 우리 조상들은 본래부터 공동체 정신이 두터웠다. 그래서 태생적으로 서로가 돕고 이끌어 주는 삶, 즉 공동체적인 삶을 살아왔다.

그러나 그 귀한 전통이 세월이 흐르면서 이런저런 이유로 약화되었다. '두레 공동체' 또는 '두레 정신'의 실질은 온데간데없이 사라지고 글자로만 남게 되었다. 예를 들어 '두레박'이란 말을 보자. 옛날에는 한 골짜기에 마을이 생길 경우 우물을 중심으로 집들이 옹기종기 들어섰다. 우물은 주인이 따로 있는 것이 아니라, 온 마을 사람이 같이 쓰는 공동 우물이었다. 그래서 우물물을 뜨는 바가지도 공동으로 쓰기 때문에 '두레박'이라고 불렀다.

또 '원둘레'란 말도 마찬가지다. 이는 두레 공동체의 경계선이란 개념에서 쓰인 말이다. 이밖에도 여럿이 함께 둘러앉아 사용하던 둥근 상을 '두레상'이라 불렀으며 농촌에서 일철(농번기)에 서로 돌아가며 품앗이하던 일손을 '두레 품앗이'라고 했다.

그런데 우리는 역사 공부를 할 때 '향약'(鄕約)이니 '대동계'(大同契)니 하는 말들은 배웠으나 두레라는 말은 제대로 배우지 못했다. 거기에다 이스라엘의 키부츠는 알아도 키부츠가 생겨나기 수천 년 전부터 존재했던 우리 고유의 두레는 알지 못했다. 우리나라 역사교육의 맹점이 바로 이런 데 있다고 본다. 우리 것은 모르고 남의 것은 잘 알고 있으니 얼마나 어리석은 일인가?

사실 대동계니, 향약이니 하는 것들은 양반들이 주도한 일종의 변형된 두레였다. 그런 것들이 생겨나기 훨씬 전부터 백성들은 스스로 두레란 이름으로 공동체를 이루어 살아오고 있었는데, 중국 문자와 외래문화에 젖은 양반들이 두레를 한자로 고쳐 향약이니 대동계니 하고 불렀다.

이러한 두레 전통은 구한말까지도 매우 활발했으나 본격적으로 일본 제국주의의 지배를 거치면서 사그라들게 되었다. 농촌 두레가 일제에 대한 저항운동의 온상임을 파악한 일본 헌병들이 두레 전통을 조직적으로 파괴했기 때문이다.

그렇다면 우리 고유의 두레 전통이 오늘의 기독교 신앙과는 어떤 관계가 있을까? 나는 두레 공동체의 전통이 바로 신약성서 사도행전 2

장과 4장에 나타나는 '성령공동체'와 연관 될 수 있다고 생각했다. 사도행전 2장 첫 부분에는 오순절에 '성령의 역사가 일어나면서 비로소 교회가 시작되었다고 쓰여 있다. 모였던 무리가 예언하고 비전을 보고 꿈을 꾸었다. 그런 역사의 결과가 바로 초기 교회의 교인 모임인 성령공동체다.

> 저희가 사도의 가르침을 받아 서로 교제하며 떡을 떼며 기도하기를 전혀 힘쓰니라. …믿는 사람이 다 함께 있어 모든 물건을 서로 통용하고 또 재산과 소유를 팔아 각 사람의 필요를 따라 나눠주고 날마다 마음을 같이하여 성전에 모이기를 힘쓰고 집에서 떡을 떼며 기쁨과 순전한 마음으로 음식을 먹고 하나님을 찬미하며 또 온 백성에게 칭송을 받으니 주께서 구원받는 사람을 날마다 더하게 하시니라.
>
> • 신약성서 사도행전 2장 42~47절

> 믿는 무리가 한 마음과 한 뜻이 되어 모든 물건을 서로 통용하고 제 재물을 조금이라도 제 것이라 하는 이가 하나도 없더라. 사도들이 큰 권능으로 주 예수의 부활을 증거하니 무리가 큰 은혜를 얻어 그중에 핍절한 사람이 없으니 이는 밭과 집 있는 자는 팔아 그 판 것의 값을 가져다가 사도들의 발 앞에 두매 저희가 각 사람의 필요를 따라 나눠줌이러라.
>
> • 사도행전 4장 32~35절

위에 인용한 두 성경 구절을 통하여 성령께서 역사하실 때 나타나는 결과가 바로 공동체의 출현이었다. 그런데 공동체 정신과 관련해 살펴볼 때 한국 교회는 문제점을 지니고 있다. 한국 교회는 교인들의 열성이 뜨겁고 성령 체험도 왕성하지만, 공동체 정신은 결여되어 있다. 이 점이 하루바삐 보완, 개선되어야 할 한국교회의 약점이다.

그래서 나는 조상 때부터 내려온 고유의 두레 전통과 사도행전의 성령공동체를 접합시키면 무엇이 나타날까, 어떤 공동체가 출현할 수 있을까 많은 생각을 했다. 결국 이러한 질문이 오늘의 두레마을 탄생의 기본 발상이었다.

나는 이런 아이디어를 가지고 오랫동안 심사숙고한 끝에 하나의 결론에 이르렀다. 민족적 전통과 성경적 내용을 합해 새로운 공동체를 이루어 나간다면 공산주의의 모순과 자본주의의 결함을 극복할 수 있는 '대안'이 될 수 있다는 결론이었다.

내가 공동체 설립을 처음 생각하게 된 것은 1974년 옥중에 있을 때였다. 서대문에 있는 서울구치소에서 1.4평의 좁은 방에 7명이 함께 살았다. 잠잘 때 일곱 명이 바로 누울 공간이 없으니 '칼잠'이라 해서 어깨를 칼날처럼 세운 채 잠들곤 했다. 그러다가 동료 죄수들 사이에서 공동체 의식이 움터 자라면서 서로 양보하게 되자 비좁던 공간이 넓게 느껴졌다. 서로가 자신을 희생하고 상대를 편하게 해주려는 공동체 마음을 지니게 되니 공간이 오히려 남을 지경이었다. 그때 나는 한국 땅이 비록 좁기는 하지만 온 국민이 공동체 정신을 갖고 살아간다면 좁은 땅도 넓게 살아갈 수 있겠구나 하는 생각을 가졌다. 비록

좁은 땅일지라도 그 땅에 살아가는 사람들의 마음이 넓어지면 그 땅도 넓어진다는 생각이었다.

나중에는 가진 것들을 공동 재산으로 삼아 함께 살아가게 되었다. 그러자 하루가 다르게 방 분위기가 달라져 밤낮으로 죄짓는 이야기만 나누던 동료 죄수들이 밖에 있는 가족을 염려하게 되고 자신들의 장래도 걱정하면서 이제나마 마음잡고 사람답게 살아야 할 텐데 하는 이야기들을 나누게 되었다. 그런 분위기는 더욱 발전해서 훗날에는 함께 예배드리고 성경 공부도 하는 방으로 까지 변했다. 그리고 서로 미워하던 사람들이 화기애애 한 정을 나누는 방으로 변해갔다. 말 그대로 공동체 정신이 생겼던 것이다.

나는 그런 일을 겪으며 언젠가 석방돼 교회로 돌아가면 공동체 정신을 드러내는 방향과 내용으로 목회해 보겠다고 마음먹었다. 그리고 그렇게 이루어 나갈 공동체 이름을 '두레 공동체'라고 미리 지어놓았다. 말하자면 두레란 이름은 1974년과 1975년에 내가 겪었던 감옥생활에서 나온 작품이라 하겠다.

그 후 1975년 옥살이에서 풀려나 청계천 빈민촌 선교 지역으로 되돌아왔다. 청계천으로 돌아온 지 불과 두서너 달 후 서울시로부터 판자촌을 전면 철거하겠다는 통보를 받았다. 우여곡절을 거쳐 청계천 빈민들과 함께 지금의 남양만 간척지로 집단 귀농하면서 옥중에서 다짐했던 공동체 마을을 이 갯벌 위에 세워야겠다고 생각했다.

그러나 당국에 그런 뜻을 비추었더니 극구 만류했다. 이유인즉 내 생각이 공산주의적 발상이란 것이었다. 내 계획이 북한의 집단농장과 비슷해 공산주의자로 오해받을 소지가 많다는 것이었다. 그래서 남양만으로 귀농하던 초기에 세우려 했던 공동체 마을 설립 계획은 보류할 수밖에 없었다. 그런데 남양만으로 귀농하여 갯벌을 논으로 개간해서 마을을 세우고 농장을 일으키는 일이 첫 3년에 본궤도에 오르자 1979년 나는 공동체 마을인 두레마을을 세우는 일에 본격적으로 착수했다.

1978년 10월 3일 활빈교회는 창립 7주년을 맞으면서 '두레마을 설립안'을 채택했다. 6만 평의 땅을 마련한 뒤 20세대를 단위로 하는 공동체 마을을 설립하기로 한 것이다. 그리하여 1979년 4월에 8세대가 첫 입주함으로써 제1차 두레마을이 시작되었다.

그때나 지금이나 농촌에서 살아가는 농민들의 형편이 어렵기는 마찬가지다. 그러나 그때는 지금보다 농민들의 삶이 훨씬 더 어려웠던 시절이었다. 우리는 두레마을 공동체가 농민들의 어려움을 극복하는 데 확실한 대안이 될 수 있다고 믿었다.

한국의 농업구조와 농민들의 삶의 조건에는 다섯 가지 특징이 있다. 이 다섯 가지 특징이 한국농촌을 정체시키고 농민들의 삶을 불행하게 만드는 주범이라 하겠다.

첫째, 농가가 소유한 토지가 너무 적다는 점이다.

한국 농가의 토지 소유 면적은 평균 3천1백 평에 불과하다. 이런 규모의 땅으로는 아무리 애써 일해도 잘 사는 농촌을 이룩하기가 심히 어렵다. 게다가 그 좁은 땅도 전부 비옥한 평지가 아니라 비탈진 농지와 척박한 땅들까지 포함한 것이다. 그러니 한국 농업과 농민들의 장

래는 영세한 땅의 한계를 어떻게 극복하느냐에 달려 있다.

둘째, 농가들이 고질적인 자금 부족에 허덕이고 있다. 한국 농가들의 누적된 부채는 세월이 흐르고 정권이 바뀌며 더욱 악화하였다. 정부가 농가 부채 탕감을 논의한 적도 있지만, 농민이 빚을 질 수밖에 없는 구조가 남아 있는 한 해결책이 될 수 없다.

셋째, 한국 농업은 아직도 벼농사 중심이어서 농한기의 노동력이 낭비되고 수입원이 너무 한정되어 있다.

벼농사를 짓는 농가들은 일 년 중 작업하는 기간이 불과 4, 5개월에 불과하고 나머지 기간에는 일거리가 없다. 그래서 남아도는 시간의 노동력을 낭비하고 또 그만큼 수입원이 한정돼 있으므로 가난에서 벗어날 길이 없다.

넷째, 정부가 공업우대 정책을 편 결과 농업과 농민들이 소외당하고 농업정책이 부재하다.

그중 가장 심각한 문제가 농산물 가격이 보장돼 있지 않아 농민들이 땀 흘려 지은 농산물을 제값에 팔지 못할 뿐 아니라 판로마저 찾지 못해 탄식하고 있는 형편이다.

다섯째, 농민 문화가 너무 빈곤하다는 문제다.

문화의 빈곤 문제는 농촌사회가 직면하고 있는 문제 중에서 가장 심각한 것이라 할 수 있다. 문화는 사람들의 삶을 윤택하고 보람 있게 하는 정신적인 요소다. 그런데 농촌 사회에 문화가 없다는 것은 바로 농민들의 삶을 의미 없고 삭막하게 만드는 요인이 된다. 그래서 농촌의 젊은이들은 도시로 떠나고 농촌은 텅텅 비게 된다.

활빈교회는 두레마을을 설립할 때 이 다섯 가지 문제에 대해 대안을 제시한다는 포부와 사명감으로 차 있었다. 그래서 첫 20세대가 한 공동체를 이루어 토지를 합치고 자본을 집중하며 노동력과 기술을 한 곳으로 모아 한국 농업의 모순을 고치고 농민들의 어려움을 극복하려 했다. 그리고 바람직한 농민 문화를 창출하여 농민들에게 희망을 주려 했다.

우리는 1978년 10월 3일 활빈 두레마을을 세우는 세부 계획을 발표하고 이 계획에 참여할 동지들을 모집했다. 이때 발표했던 취지문은 신약성서 베드로전서 3장 15절의 말씀을 바탕에 두고 있다.

> 너희 마음에 그리스도를 주(主)로 삼아 거룩하게 하고 너희 속에 있는 소망에 관한 이유를 묻는 자에게는 대답할 것을 항상 예비하되 온유와 두려움으로 하라.

이런 말씀을 기본으로 한 취지문을 발표한 후 두레마을을 운영하는 세 가지 원칙을 정했다.

> 첫째, 두레마을은 예수 그리스도가 이장(里長)이시다.
> 둘째, 두레마을에는 사랑의 법만 있다.
> 셋째, 두레마을에서는 능력에 따라 일하고 필요에 따라 쓴다.

이들 운영 원칙을 풀어본다면 첫째 '두레마을은 예수님이 이장이시

다'라는 원칙은 두레마을이 기독교 정신에 바탕을 둔 공동체임을 나타낸다.

기독교인은 예수님을 구원의 주인으로 믿고 고백함으로써 기독교인이 된다. 예수님을 자신의 주인으로 믿고 고백함이 없으면 그는 아직 기독교인이 아니다. 인간에게는 그의 주인이 누구냐가 중요하다. 누구를 주인으로 모시고 사느냐에 따라 그의 삶 전체가 결정된다.

두레마을은 예수를 주인으로 모시고 섬기는 사람들이 모인 공동체니까 당연히 공동체 전체의 주인도 예수님이다. 그래서 '예수 공동체'라 부른다. 그리고 예수님이 가르쳐 준 진리를 삶의 기준으로 삼으니, 진리공동체요, 예수님의 뜻을 세상에 펼쳐나가니 선교공동체다. 그래서 두레마을의 장래는 모든 가족이 마을의 이장이신 예수님을 얼마나 깊게 믿고, 바르게 실천하고, 넓게 전하느냐에 달려 있다.

마을 운영의 둘째 원칙인 '두레마을에는 사랑의 법만 있다'는 어느 사회든 지켜야 할 법이 많다는 것은 인심이 그만큼 사나워졌음을 뜻한다. 아담과 이브가 살던 에덴동산에는 한 가지 법만 있었고, 모세가 유대인들을 이끈 광야 생활에서는 열 가지 법인 '십계명'만 있었다. 그런데 지금 우리 사회에는 육법전서 속에 엄청나게 많은 법이 수록되어 있다. 법의 공해라고 할 정도다. 그러나 두레마을은 숱한 법들을 다 줄이고 예수님이 주신 '사랑의 법' 한 가지로만 살아가자는 뜻을 세웠다.

두레마을에서는 무소유의 정신으로 네 것, 내 것 구별이 없으니 재산 문제로 다툴 일이 없다. 예수님이 대표이시니, 우두머리가 되겠다고 다툴 일이 없다. 약한 자를 예수님 모시듯 모시자는 마음을 품고 시작한 마을이니 억울한 일이 있을 턱이 없다. 그리고 정직하게 살아기로 결심한 사람들의 마을이니 속임수가 없다. 가족 중에 어쩌다가 다른 형제 주머니의 돈을 자기 주머니에 넣었어도 "도둑이다" "훔쳤다"고 몰아세우지 말아야 한다. 그것은 단지 돈이 있는 자리를 옮겼을 따름이고, 돈을 두는 곳이 어디든 쓸 때는 같이 쓰자는 넓은 마음을 품으면 된다.

누구든 두레마을에 들어온 사람은 소유욕을 버려야 하고, 명예욕에서 벗어나야 하고 그리고 자기중심으로 살아가려는 이기심을 떨쳐버려야 한다.

오늘을 살아가는 사람들은 몸과 마음이 너무 지쳐 있다. 그런 사람들에게 예수님 삶의 방식을 가르쳐야 한다. 그래서 온유와 겸손함으로 삶이 쉼을 얻도록 해야 한다. 그런 보금자리를 이룩해 나가자는 것이 두레마을의 꿈이다.

신약성서 마태복음 11장 28절에서 30절에 다음과 같은 말씀이 있다.

> 수고하고 무거운 짐진 자들아, 다 내게로 오라. 내가 너희를 쉬게 하리라. 나는 마음이 온유하고 겸손하니 나의 멍에를 메고 내게 배우라. 그러면 너희 마음이 쉼을 얻으리니 이는 내 멍에는 쉽고 내 짐은 가벼움이라 하시니라.

두레마을 가족들은 이 말씀을 다음처럼 읽을 수 있어야 한다.

"수고하고 무거운 짐 진 분들이여, 두레마을로 오십시오. 두레마을의 주인이신 예수님께서 여러분들을 쉬게 하실 것입니다. 예수님은 마음이 온유하고 겸손하니 예수님의 멍에를 메고 예수님께 배웁시다. 그러면 여러분들의 마음이 쉼을 얻을 것입니다. 왜냐하면 예수님의 멍에는 쉽고 예수님의 짐은 가볍기 때문입니다."

이렇게 이해하며 살아가는 모습을 보여줄 수 있는 마을을 이루자는 것이다. 예수님의 법인 사랑의 법만으로 쉽게 즐겁게 살아가자는 마을이 두레마을이다.

두레마을 운영 셋째 원칙인 '능력에 따라 일하고 필요에 따라 쓴다'라는 재산과 노동, 성도의 교제와 형제 사랑에 대한 성경의 가르침을 바탕으로 만든 원칙이다.

신약성서 사도행전 2장에 오순절을 맞아 성령이 뜨겁게 임함으로 성령공동체로서 교회가 탄생했다. 교회가 시작되자 그 결과로 이루어진 것이 공동체의 출현이다. 사도행전 2장 42~47절에 기록된 성령공동체인 것이다. 이 공동체에는 몇 가지 특징이 있다.

첫째는 사도들의 가르침을 중심으로 서로 교제하는 사귐의 공동체였다. 바람직한 성도의 사귐인 코이노니아가 있는 공동체였다.

둘째는 함께 떡을 떼는, 성만찬을 나누며 함께 기도하기를 힘쓰는 신앙고백과 경건한 삶이 있는 공동체였다. 셋째는 재산을 공유하고 각자의 필요에 따라 유무상통(有無相通)하는 공동체였다. 넷째는 한마음으로 성전에 모이고 함께 먹고 함께 찬양하는 생활공동체였다.

다섯째는 백성들의 인정과 칭찬을 받고 구원받는 사람이 날마다 더하게 된 선교공동체였다. 물론 시대가 바뀌고 가치관이 달라진 오늘에 와서 당시 모습 그대로의 공동체를 이루어 나가는 일은 가능하지도 않으려니와 바람직하지도 않다. 단지 우리가 염두에 두어야 할 바는 그때 그 공동체의 정신과 삶의 원리다. 2천 년 전 그렇게 시작했던 성령 공동체로서의 교회는 2천 년의 세월을 지나오면서 공동체 정신이 약화하였고 삶으로서 증거하던 능력도 약화하였다. 그리고 백성들로부터 칭찬받았던 신선한 충격 또한 상실했다. 두레마을을 시작한 뜻은 이제 다시 한번 그러한 삶의 정신과 방식을 되살리고 신선함과 정열을 회복시켜 보자는 것이다.

두레마을에서는 재산도 노동도 능력도 재능도 공유돼야 하고, 그 모든 것은 주인이신 예수님께 바쳐야 한다. 그래서 두레마을 안에서는 잘난 사람과 못난 사람, 배운 사람과 못 배운 사람, 힘 있는 사람과 힘없는 사람, 건강한 사람과 건강하지 않은 사람 사이에 차이가 없어야 한다. 모두가 예수님의 사랑을 함께 나누며 거룩한 가족공동체로 살아야 한다. 그리고 누구든지 능력 있는 사람은 자신이 지닌 능력만큼 일하고, 필요한 사람은 자신이 필요한 만큼 마음 놓고 쓰는 마을이 되자는 생각이다. 그래서 능력에 따라 일하고 필요에 따라 쓴다는 원칙이 생겨난 것이다.

1979년 4월 1일 제1차 두레마을을 시작할 당시, 마을 운영의 세 가지 원칙을 정하면서 다음 네 가지를 마을 목표로 정했다.

두레마을은 행복하게 사는 마을이다.
두레마을은 믿음으로 사는 마을이다.
두레마을은 섬김으로 사는 마을이다.
두레마을은 협동으로 사는 마을이다.

앞에서 말했듯이 두레마을은 예수 그리스도의 제자들이 세우는 마을이다. 예수의 제자들이란 어떤 사람들인가? 다름 아니라 예수님이 걸어가셨던 그 길을 따라가는 자들이다. 그러면 예수님이 걸어가셨던 길은 어떤 길이었나? 그 길은 인간을 참된 행복으로 이끄는 길이라 정의하겠다.

예수님이 본을 보이셨던 그 삶의 길은 우리들이 가장 인간답게 사는 길이요, 진정으로 인간답게 사는 길이기에 참 행복을 누리는 길이란 생각이다. 그래서 나는 예수를 믿는 신앙생활이 바로 행복을 누리는 생활이라고 정의한다. 쉽게 말해 예수를 제대로 믿으면 행복을 누리는 삶을 사는 것이다. 그래서 예수 믿는 것은 쉽고 즐겁고 행복해야 한다. 만일 누군가 예수를 믿는데 힘들고 짜증스럽고 불행하다고 느낀다면 그는 예수를 잘못 믿고 있는 것이다. 우리가 참된 크리스천이냐 아니냐를 판정하는 기준은 다름 아닌 행복을 누리며 살고 있느냐 그렇지 못하느냐로 판정되어야 한다. 환경과 삶의 조건은 어려움에도 불구하고 예수님을 따르는 그것 하나만으로 행복을 누리며 살 수 있는 것이 성령 받은 사람들의 특징이다. 복음이 우리를 행복하게 하지 못한다면 아직 복음이 아니다.

어떤 이들은 신앙생활을 하면서 이 땅에서 슬프나 하늘에서는 행복할 것이라 한다. 그러나 땅에서 얻어지지 않은 행복은 하늘나라에서도 이루어지지 않을 것이다. 그래서 우리는 행복하게 사는 마을을 세워 불행에 빠져 있는 이들을 불러 모아 함께 행복을 나누고 누리는 공동체를 세워 나가자는 뜻에서 두레마을을 세운 것이다.

그렇다면 행복한 삶은 어디에서 비롯되는 것일까? 바로 믿음에서 비롯된다. 믿음이 행복하게 살아가도록 하는 원동력이다. 예수 그리스도에 대한 믿음, 그의 말씀에 대한 믿음, 그리고 그가 죽을 때까지 사랑한 인간에 대한 믿음이 사람을 행복하게 하는 바탕이다. 흔히 우리는 예수만 믿고 사람은 믿지 않아도 된다고 생각한다. 그러나 성경의 교훈은 전혀 그렇지 않다. 예수에 대한 우리들의 믿음은 사람에 대한 믿음으로까지 연결되어야 한다. 예수를 믿는 만큼 사람을 믿는 믿음이 행복으로 이끄는 근본인 것이다.

그렇다면 그 믿음이란 또 어떤 믿음인가? 바로 섬기는 믿음이다. 사람들은 이 섬김에 대해 그릇 생각하는 것이 있다. 섬김을 받는 자가 행복할 것이라는 생각이 그것이다. 하지만 예수님은 섬기는 자가 복된 사람이라고 가르쳤다. 그래서 우리가 행복을 누리는 믿음을 지켜나가려면 섬김을 받는 자가 아니라 섬기는 자로서 살아가야 한다.

믿음은 각자 자신의 내면에 있다. 이 내면에 있는 믿음이 밖으로 나타날 때는 섬김이 된다. 즉 자기 속에 있는 믿음이 인간관계를 통해 밖으로 나타날 때는 섬기는 삶으로 드러나는 것이다. 그래서 믿음의 사람들은 그 믿음으로 다른 사람들을 섬겨 자신은 물론 다른 사람까

지 행복하게 해주는 것이다.

그런데 우리가 예수님을 섬기고 사람을 섬기는 일은 혼자서는 어렵다. 반드시 더불어 할 일이다. 말하자면 협동 생활에 의해 봉사 생활이 이루어지는 것이다. 그래서 협동하여 함께 섬기며, 섬김으로 믿음이 자라, 그 믿음 안에서 행복을 누리는 삶을 살자는 것이다. 이것이 두레마을의 목표다.

이런 목표를 세우고 시작한 두레마을이었으나, 실천하는 과정에서 그 운영이 쉽지만은 않았다. 모인 가족 모두가 공동체 생활에 뜻을 품은 보통이 아닌 크리스천들이었지만, 신앙이 있고 뜻이 있다 하여 공동체가 저절로 되어가는 것은 아니었다. 사람과 사람이 만났을때 일어날 수 있는 온갖 갈등이 여전히 나타나게 마련이다.

예를 들어보자. 한번은 식사 시간에 갈치요리가 나왔다. 우리가 키운 무를 숭숭 썰어 넣고 지진 갈치가 상 위에 올랐다. 공동체 상인 '두레상'에 두레가족이 모여 식사를 시작했다. 그런데 호남에서 온 한 주부가 우리집 애는 갈치를 좋아한다며 갈치 접시를 끌어다 자기 아들 앞에 가져다 놓았다. 그러자 영남에서 온 아줌마가 팔을 걷어붙이며 "뭔 소리여. 누구집 애는 갈치 싫어하는 줄 아는 갑제" 하고 갈치 접시를 끌어다 자기 아이 앞에 갖다 놓았다. 호남 아줌마가 가만있을 턱이 없었다.

"왜 이런당가. 그집 애는 숱하게 먹어쌌던디, 오늘만큼은 우리 앨 멕여야겠당게."

"와이 카노. 야, 이 예편네야. 언 놈은 인삼 묵고 언 놈은 배추 뿌리

묵나."

이렇게 실랑이를 하며 갈치 접시를 서로 자기 아이 앞으로 끌어당기는 통에 국물이 쏟아지고 무 토막과 갈치 토막들이 온 상에 엎질러졌다. 그런 광경을 보며 공동체 안의 남자들이 한심하다는 듯이 말했다.

"참말로 공동체는 여자들이 망치는구먼. 공동체가 되려면 여자들은 빠져야 해. 하나님이 창조하실 때 여자를 창조한 것이 큰 실수야."

남자들이 이런 말을 하며 공동체의 장래를 염려했다.

그러나 몇 달 후에는 남자들 사이에 싸움이 일어났는데, 그전의 여자들 다툼은 그야말로 봄 날씨였다. 여자들의 다툼은 기껏해야 반찬 그릇 엎는 정도였으나, 남자들의 싸움은 아예 두레마을을 뿌리까지 흔들리게 하는 큰 다툼이었다.

그런 와중에도 두레마을 가족들은 뜻을 품고 모인 사람들답게 열심히 일했다. 터를 닦아 집을 짓고 우물을 파고 양계장을 지어 병아리를 길렀다. 힘을 모으고 땀을 모아 잘 사는 공동체를 이룩하겠다고 그야말로 밤낮 없이 일하고 또 일했다. 그렇게 하여 닭과 돼지를 기르고 채소를 가꾸었다.

그러나 함정은 곳곳에 있었다. 무엇보다 농산품 판매가 문제였다. 판로가 확보되지 않은 농산물은 글자 그대로 근심덩어리였다. 도리없이 전문 판매상들에게 맡겼다. 판매상들이 우리의 이익이 아니라 자신의 이익을 앞세우는 것은 당연했다.

당시만 해도 농축산물값이 미친년 널 뛰듯 오르락내리락하던 때라 두레마을로서는 농사를 지으면 지을수록, 닭이나 돼지를 기르면 기를

수록 적자를 보게 되었다. 반면에 우리 농장의 생산품을 가져다 파는 판매상들은 톡톡히 재미를 보고 있는 것이 눈에 훤했다. 닭을 기른 우리는 적자로 허덕이는데, 우리가 기른 닭을 판매하는 상인들은 그 수입으로 땅 사고 집 사는 것이었다. 그렇게 공동체 경제가 흔들리니 공동체 가족들도 흔들릴 수밖에 없었다. 서로가 원망하고 티격태격하다가 끝내는 깨지게 되었다. 두레마을을 해체하고 뿔뿔이 흩어지자는 제안이 마을 회의에서 발의됐다.

나는 강력히 반대했다.

"여러분, 그래서는 안 됩니다. 무릇 가치 있는 일일수록 어려운 시기를 거쳐 성공에 이르게 마련입니다. 한국 농업은 공동체 운동으로 활로를 열어나갈 수밖에 없는 줄 알고 있으면서도 아무도 실천하지 못하는 것은 이 일이 어렵기 때문입니다. 말하자면 고양이 목에 방울 달기여서, 처음 하는 사람이 희생과 실패를 각오하고 나서야 성공할 수 있는 것이 이 공동체 운동입니다. 남이 하지 못하는 이 일을 우리가 하겠다고 나선 것은 은혜이자 축복입니다. 그런데 일 년도 못 돼 잘 안된다고 그만두려는 건 언어도단입니다. 끝까지 밀고 나갑시다. 반드시 성공할 것입니다."

내가 열을 뿜으며 주장을 폈으나 그들은 이미 의욕을 잃고 있었다. 게다가 나를 원망하고 불신하는 마음이 가득 찬 상태였다. 그들 중 한 명이 화가 치밀어 말했다.

"보시라요, 김 목사, 박태선 장로같이 우리를 꼬드겨서 이 지경으로 만들어 놓고 끝까지 그렇게 무책임한 소리를 할끼요?"

"아니, 지금 나에게 박태선 같다고 말하는 건가요?"

"그럼, 누구에게 말했겠어요?"

"너무 심한 말 아닌교?"

"심하긴 뭐이 심하다는기요? 우리가 누구 땜에 이렇게 오도 가도 못할 지경에 빠지게 된 긴가요? 괜스레 잘 살고 있는 사람들을 온갖 감언이설로 꼬드겨 여기까지 오게 한 거이 아닌가요? 그랬으면 미안한 맴이라도 있어야지, 뭐 끝까지 해보자구요? 끝까지라면 어디까지가 끝이란 게요?"

"물론 제가 잘했다는 건 아니지만 여기까지 나를 믿고 따라왔으면 그 믿음을 버리지 말고 끝까지 견뎌보자는 것이지요. 이 고비를 넘기고 잘 돼가면 언젠가는 내게 고맙다고 말할 날이 올 겁니다."

그러나 독기가 올라 있는 그들을 설득하려던 내 노력은 소용없었다. 끝내는 그들 중 한 사람이 화를 삭이지 못해 내 뺨을 후려쳤다. 나는 맞은 뺨을 슬슬 만지며 말했다.

"내 뺨을 때려서 시원하다면 치십시오. 다만 좀 지나친기 아닌 기요?"

"뭐이? 지나치다고? 속대로 한다면 다릴 분질러 놓고 싶은데, 그래도 목사라서 참는 기요, 참아."

그는 씩씩거리며 말했다. 주위에 둘러앉은 사람들의 얼굴을 하나하나 살펴보니 모두가 적개심을 품고 나를 보고 있는 것 같았다. 나는 슬며시 그 자리를 떠나 간척지를 걸으며 생각했다.

어쩌다가 일이 이렇게 꼬였을까? 하늘을 우러러 한점 사심 없이 일

을 했건만, 내가 하는 일은 왜 늘상 이렇게 복잡하게 되어 갈까?

다음 날 우리는 다시 모여 두레마을을 해체하기로 하되, 끝까지 두레마을을 지킬 사람은 남고 떠날 가정은 각자가 갈 길을 가기로 했다. 이것이 1979년 12월 어느 날의 일이었다. 결국 1979년 4월 1일에 시작됐던 제1차 두레마을은 열매를 거둘만한 시간도 없이 12월에 해체되고 말았다.

두레마을이 해체되던 날, 나는 훗날 다시 일어설 때를 기약하며 제1차 두레마을이 실패하게 된 원인을 살펴 메모 형식으로 기록해 두었다. 그날의 메모를 보면 두레마을의 실패 원인은 다음 네 가지였다.

첫째는 처음 두레마을을 시작할 때 충분한 준비가 없었다는 점이다. 세상사가 다 그렇듯이 충분한 연구와 토론, 준비와 협의없이 졸속으로 시작했다가 급기야 실패하고 만 것이다.

둘째는 축산물 가격이 폭락했기 때문이다. 제1차 두레마을은 축산을 중심으로 계획했던 마을이었다. 그런데 때맞춰 육우, 양계, 양돈이 모두 가격이 폭락하는 바람에 경영 적자에 부딪혀 실패로 돌아갔다.

셋째는 두레마을을 지원해야 할 활빈교회가 소 도입 사업 실패로 인해 여유가 없어 이들을 지원하지 못했다는 점이다. 활빈교회 스스로도 시험에 들어 생존 문제로 허덕였으니, 두레마을이 정신적이고 실질적인 지원을 받지 못해 지탱할 힘을 잃고 만 것이다.

넷째는 인화 문제였다. 두레마을의 근본 이상(理想)은 사람과 사람간의 화목한 관계, 즉 인화를 기본으로 하는 공동체다. 그런데 제각기 두드러진 개성을 가진 사람들이 모여 화목을 이루지 못하니 결국 공동체가 깨질 수밖에 없었다.

나는 이런 점들을 살펴 언젠가 두레마을을 다시 시작할 경우를 대비해 몇 가지 사항을 기록해 두었다.

첫째는 교회 안에서 신앙이 좋다는 것과 공동체 정신을 가진다는 것은 다른 문제임을 인식해야 한다. 이른바 신앙이 좋다는 교인들이 더불어 사는 공동체 생활에는 적당치 않은 경우가 있다.

한국교회에서 흔히 '신앙이 좋은 교인' 이라 할 때 그 기준은 네 가지다. 첫째 목회자에게 잘 순종하고, 둘째 성수 주일을 잘하고 새벽기도회까지 꼭꼭 참석하고, 셋째 십일조 헌금을 잘하고, 넷째 술 · 담배를 하지 않는 경우다. 이런 사람을 두고 신앙이 좋은 교인이다, 모범 교인이다 일컫는다. 그러나 이런 기준으로 신앙이 좋다는 사람이 더불어 함께 사는 공동체에 참여할 경우 오히려 장애 요소가 되기도 한다. 그가 신앙이 좋다는 점은 혼자서 교회를 잘 섬기고 교회 질서를 따르고 목사의 말에 잘 순종하는 것이었지 더불어 살아가는 일에는 오히려 부적격인 경우가 허다했다.

한국 교회 교인들의 신앙 내용은 전반적으로 이 점에서 문제가 있다. 예를 들어 농촌에서 새마을운동을 하느라고 온 마을 사람들이 마을 길을 닦고 하수도를 치고 있는데, '신앙이 좋다'는 교회 장로님이나 집사님들은 넥타이를 매고 성경 찬송을 들고는 작업하고 있는 주민들 곁을 지나쳐가면서 한 손을 치켜올리며 "할렐루야!"하고 말한다. 그런 모습을 보고 마을 사람들은 화가 나서 말한다.

"뭔 짓이여. 온 마을 사람들이 땀 흘려 일하는데 예수쟁이라고 일도

않고 지나가며 할렐루야가 놀렐루야가 개구리 같은 소리를 내는 기여. 너 그 길로 천당으로 직행해 버려라. 좌우지간 예수쟁이들은 밥맛없다니까."

"그려. 나도 예수쟁이라면 기분이 잡쳐. 자식 낳아 예배당 보내면 사람 새끼 아니여."

교인들은 마을 사람들이 하는 말들을 귓전에 들으면서도 아랑곳하지 않고 교회로 향한다. 그래서 교회는 마을에서 고립되고 전도의 길은 좁아진다.

교인들의 그런 모습은 사회생활에서도 마찬가지다. 모처럼 회사 동료들의 회식에 참석할 경우 교인들이 술을 안 마시는 것까지는 좋은데, 술좌석에 앉아 얼굴을 파묻고 안주만 야금야금 먹어댄다. 그런데 실제로 비싼 것이 안주다. 술값에 비해 안줏값은 몇 배로 비싼 편이다. 교인들은 그렇게 비싼 안주만 먹다가 계산을 치를 때는 정신이 말짱하니까 얼른 앞서 나가버려 얌체족처럼 얄밉게 행동한다. 그래서 회사 생활에서 기독교인들이 인색하다는 말을 듣고 융통성 없이 고지식하다는 평을 듣는 것이다.

이런 점들이 한국 교회 교인들의 공통된 성격이다. '신앙이 좋다'는 것이 예배당 안에서만 통하지, 예배당 밖에서는 부적합한 것이 되어버린다. 나는 제1차 두레마을을 세우면서 이런 점에 대한 배려가 없이 그냥 신앙이 좋은 사람들을 모은 결과 불과 일 년도 채 못돼 두레마을을 해체하는 지경에 이른 것이다. 이런 점을 되새겨 다음에 공동체를 시작 할 경우에는 공동체적 삶에 적합한 신앙을 지닌 교인들을 기초

멤버로 해야겠다고 생각했다.

제1차 두레마을을 통해 배운 둘째 교훈은 인간은 본성적으로 재산, 가구, 생활권(privacy) 등에 대한 욕구와 집착이 매우 강하다는 사실이었다. 그래서 두레마을을 다시 시작할 경우에는 공동체 정신을 손상시키지 않는 범위 내에서 개인과 각 가정의 프라이버시를 지켜주고 생활 공간을 넓혀 줄 필요가 있다는 생각이 들었다. 그래서 공동체에 공공 부분과 개인 부분에 대한 지침을 확실히 세워둘 필요가 있었다.

셋째로는 아무리 좋은 사상과 뜻도 실천 단계에서 제대로 관리 되지 못하면 결과적으로 여러 사람들에게 피해를 준다는 점이었다. 레오나르도 다빈치가 "승화되지 않은 진실은 허위보다 더 해독을 끼친다'고 말한 것처럼 적합한 경영 능력이 뒷받침되지 않은 채 이상만을 실천하려 들 때 그 결과는 참여자 모두에게 피해를 주게 된다. 제1차 두레마을이 대표적인 예라 하겠다.

넷째로 외부 지원을 믿고 중대한 일을 시작해서는 안 된다는 사실이다. 어떤 일이든 기초단계부터 마무리될 때까지 자립, 자조, 자영의 원칙에서 기획되고 진행돼야 한다. 약속되었거나 기대되는 외부 지원을 믿고 일을 시작했다가 그 지원에 차질이 생길 경우 일 자체가 무너지게 된다. 따라서 애초부터 자립정신으로 시작하여 기도와 땀과 정성으로 쌓아 올려야 한다. 공동체 자체가 감당할 수 있는 능력의 한도 내에서 일을 시작해야 한다는 뜻이다.

다섯째, 두레마을을 다시 시작할 경우 일체감이 있는 소수정예가 작은 규모에서 시작하여 단계적으로 규모를 키워나가야 한다는 점이다.

제1차 두레마을은 이러한 교훈을 남긴 채 끝을 맺고, 그로부터 7년이 흐른 후에 다시 제2차로 시작하게 되었다.

1986년 4월 1일에 제2차 두레마을이 다시 시작되었다. 나는 그 7년 동안 두레마을을 다시 시작할 수 있게끔 여러 가지 준비를 진행해 나갔다. 두레마을을 시작하려면 가장 먼저 필요한 것이 땅이었다.

먼저 두레마을을 세울 땅을 달라고 하나님께 기도했다. 기도하면서 남양만 지역 안에서 적합한 땅을 물색했다. 마침, 후보지가 나타났다. 봉화산(峰火山)이란 이름의 야산이었다. 남양만 지역에서는 바다가 내다보이는 가장 좋은 위치에 있는 산이었다.

옛날 신라시대부터 이 산에 봉화대를 쌓고 바다 쪽을 지키다가 왜구나 중국의 해적이 침입하면 중앙으로 알리는 봉홧불을 올렸다고 해서 봉화산이라 불렀다. 봉홧불이 하나 오르면 적이 나타났다는 신호였고, 둘이 오르면 상륙했다는 신호였으며, 셋이 오르면 접근하고 있다는 신호였다. 또 낮에는 연기 기둥으로 신호를 올렸고 밤에는 불기둥으로 봉화를 올렸다. 남양만의 봉화산에서 그렇게 봉홧불이 오르면 수원을 거쳐서 서울 육사 부근 불암산에 있는 중앙 봉화대까지 신속히 전달되는 체계를 갖추고 있었다.

나는 그 산의 이름과 모양새가 마음에 들어 산 중턱에 터를 정하고 기도하기 시작했다. 아직 산 주인이 누구인지도 모르는 상태에서 이렇게 기도했다.

"하나님, 이 산을 활빈교회에 주시옵소서. 이 산에서 한국 농촌에 봉홧불을 올리겠습니다. 이 땅, 이 서러운 백성들이 살아가는 조국 땅에 성령의 봉홧불, 희망의 봉홧불을 올리겠습니다. 이 산을 저희에게 맡겨주시옵소서."

그렇게 기도하기를 7년을 계속했다. 그사이 산 주인도 여러 번 바뀌었다. 그러나 나는 산 주인이 누구로 바뀌든 아랑곳하지 않고 한결같이 하늘을 향해 기도했다. 그리고 틈나는 대로 산속으로 들어가 산세를 살피며 산이 우리 것이 된 후에 할 일들을 상상해 보았다. 이곳에는 교회당을 세워야지, 저곳에는 훈련원을 세우고, 두레마을 가족의 숙소는 여기쯤이 좋겠다는 식으로 계획을 세워나갔다.

그러길 7년을 거듭하자 한번은 내가 그렇게 산을 돌아다니는 행동이 못마땅한 듯 산 주인인 노인이 말했다.

"왜 간첩처럼 남의 산을 오락가락하는 거요?"

"아니, 할아버지, 그 산속에 뭐가 있다고 그런 말씀을 하세요? 내가 사정이 좀 있어 산을 밟고 다니기로서니 간첩이란 말은 지나치십니다."

"아무튼 내 산을 밟고 다니는 것이 못마땅하니 그리 아시오."

그 뒤로는 새벽기도가 끝난 새벽녘이나 오후 늦은 시간에 산을 밟으며 기도하곤 했다.

그러던 어느 날, 산 주인이 나를 찾아와 말했다.

"목사님, 목사님이 봉화산을 좀 맡아주시지요."

"할아버지, 갑자기 왜 그러세요. 봉화산을 맡으란 말이 무슨 뜻이지요?"

“이번에 집안에 일이 생겨 돈이 급해 봉화산을 팔기로 했습니다. 그런데 복덕방에 내놨더니 서울 투기꾼들만 찾아와싸서 목사님께로 온 겁니다.”

“저에게로 오신 건 고마운 일입니다만, 무슨 마음으로 제게 오셨는지요?”

“봉화산이 그래도 이 지방에선 명산인데, 돈이 아쉽다고 서울 투기꾼들에게 팔아넘기기에는 아까운 생각이 들어서 혹시 목사님이 맡으실 의향이 있나 해서 왔습니다. 목사님이 맡으시면 이 지역에 도움 되게 잘 쓰실 것 같아서요. 제가 조건도 잘해드릴 테니 생각해 보세요.”

“아, 그러세요. 참 고마운 말씀입니다. 그러잖아도 그 산이 마음에 들어 여러 해 동안 살펴오고 있던 참입니다. 그런데 우리에게 잘해주시겠다는 말은 어떤 내용인지요?”

“예, 말하자면 우선 급한 돈만 좀 마련해 주시면 나머지는 시간을 두고 주시거나, 값을 좋게 매겨 넘겨드리는 것을 말하는 거이지요.”

나는 그 할아버지의 말을 듣고 지난 7년간 드린 기도의 응답이란 생각이 들었다. 그래서 값을 흥정한 결과 4천만 원으로 합의가 되었다.

나는 교회 일꾼들을 모아 의논하고 우선 헌금을 했다. 그 결과 4천만 원의 10분의 1인 400만 원이 마련되었다. 그 돈으로 우선 계약금을 치르고 중도금, 잔금 할 것 없이 두 달 후 3천600만 원을 치르기로 약속했다.

그 후 온 교인들이 기도에 들어갔다. 주일예배 때는 물론 새벽 기도에서나 구역예배에서나 모이기만 하면 3천600만 원을 정한 기간에 지

불할 수 있게 해달라고 기도했다.

그런 한편 나는 곳곳으로 다니며 돈을 구하려고 애썼다. 교단 본부에 가서 돈을 차용할 수 있는지 알아보기도 하고, 친지와 친구들을 방문하여 융통할 수 있는지를 알아보느라 꾸준히 돌아다녔다.

그러나 어느 곳에서도 길은 열리지 않았다. 그런 중에 시간은 흘러 계약 만기일이 겨우 이틀 앞으로 다가왔다. 새벽기도가 끝난 후 집사 한 분이 내게 와서 물었다.

"목사님, 물 건너갔지요?"

"예? 물 건너가다니요. 무엇이 물 건너가요?"

"계약금 치른 산 말이에요. 잔금 지급 날짜가 다 됐는데 돈을 못 구했으니 그만 물 건너간 거 아닌가요? 계약금만 날리게스리 된 거이 아닐까요. 그 돈으로 차라리 고기라도 사 먹었으면 보신이라도 되었을 텐데요. 괜히 산 주인 주머니에 넣어준거지요."

"아, 그 말이에요. 아직 날짜가 남았잖습니까?"

"이틀 밖에 안 남았잖습니까? 그러니 다 끝난 거지요."

"집사님, 미리 땡겨서 낙심할 것 없습니다. 이틀은 시간이 아닌가요? 아직 이틀이나 남았으니 이틀 후에도 돈이 마련되지 않으면 그때 가서 낙심해도 늦지 않습니다."

"목사님이 이렇게 느긋하신 걸 보니 어디 믿는 구석이 있는가 본데요?"

"아뇨, 믿는 데가 있긴 어디 있어요. 첨부터 개인사업 하려는 것도 아니고 하나님 일 하려는 것이니까, 되든 안 되든 하나님 손 안에 달

려 있는 일이지요. 그러니 먼저 앞당겨서 낙심하거나 조바심 낼 필요가 없다는 게지요."

이런 대화를 나눈 그날 오후 한 손님이 나를 찾아왔다. 30대 후반에 생김새가 훤칠한 신사가 교회로 와서는 김진홍 목사를 찾는다기에 그를 서재로 맞아들였다. 방에 들어온 그는 자신이 미국 필라델피아에서 온 박 아무개 집사라고 소개했다. 나는 미국 땅에서 남양만까지 찾아온 그가 신통해서 물었다.

"미국이 이웃 동네도 아닌데 그 먼 곳에서 어쩐 일로 찾아오셨는지요?"

"예, 목사님이 쓰신 책 『새벽을 깨우리로다』를 읽고 감명을 받았기에 목사님 하시는 일에 도움이 될까 해서 헌금을 좀 하러 왔습니다."

헌금하러 왔다는 그의 말에 귀한 생각이 들어 고마운 일이라고 감사의 뜻을 표했더니 그가 봉투를 내밀었다. 봉투를 받아보니 봉해져 있었다. 나는 웃으며 말했다.

"이 봉투를 열어봐도 되겠습니까? 혹시 나중에 열어보고 빈 봉투면 곤란하잖습니까?"

내 말에 그도 웃으며 말했다.

"열어보셔도 됩니다. 빈 봉투는 아니니 안심하시고 열어보십시오."

봉투를 뜯어보니 수표 한 장이 나왔다. 나는 수표에 기록된 액수를 보고 어리둥절한 느낌이 들어 거듭 확인했다. 틀림없이 3천600만 원이라고 적혀 있었다. 우리가 지난 두 달간 그렇게 열심히 기도했던 액수가 적혀 있었다. 나는 머리가 멍해지는 것을 느끼며 그에게 물었다.

"아니, 삼천육백만 원 아닙니까? 우리가 삼천육백만 원을 위해 두 달간 기도해 온 걸 알고 계셨습니까?"

"아네요. 미국 땅에 있던 제가 어떻게 그걸 알겠습니까? 집안에 어떤 일이 있어서 꼭 그만큼 하나님께 드릴 수 있게 되어 목사님께로 곧장 찾아온 것입니다."

나는 이것이 보통 일이 아님을 느꼈다. 이는 신실하신 하나님께서 우리의 기도를 들어 응답하신 것이란 생각이 들었다. 감사하기가 이를 데 없었다. 그래서 박 집사에게 말했다.

"집사님, 참으로 신기한 일이구먼요. 우리가 지난 두 달 동안 한사코 하나님께 기도드린 제목이 이 돈 삼천 육백만 원입니다. 그 기도가 이렇게 집사님을 통해 응답된 것이군요. 참으로 황송스럽고 감사하고 또 신기한 일입니다."

필라델피아에서 온 박 집사도 놀라며 말했다.

"그러세요? 그런 일이 있었군요. 참으로 감사하네요. 저도 큰 보람을 느낍니다."

"저도 집사님도 함께 하나님께 감사드려야 할 일이네요. 집사님, 바쁘시겠지만, 이번 주일에 우리 활빈교회에서 예배드리고 미국으로 돌아가십시오."

"아닙니다. 이미 일정이 잡혀 있어서 내일 미국으로 가야 합니다."

"집사님, 아직 모르시는군요. 이 마을에서는 제가 왕초여서 이곳에 올 때는 마음대로 올 수 있지만 떠날 때는 왕초인 내 허락이 떨어져야만 갈 수 있습니다. 그러니 스케줄 잊어버리시고 내일모레 예배에 참

석하셔서 교인들과 함께 예배드리고 가십시오."

박 집사는 내 말을 따라주었다. 그날이 금요일이었던지라 이틀 후인 주일예배 때 교인들에게 알렸다. 박 집사를 자리에서 일어서게 하고는 말했다.

"여러분, 이 손님은 미국 필라델피아에서 온 박 집사란 분인데, 우리 교회에 헌금했습니다. 그런데 헌금을 얼마나 했느냐? 꼭 삼천육백만 원을 했습니다. 그래서 지난 두 달간 우리가 열심히 기도드린 것이 이루어져 이제 땅값을 무사히 치르게 되었습니다."

그러자 싱거운 소리를 잘하는 어떤 집사가 앉은 채로 소리 높여 말했다.

"핫따, 그거참, 아깝구먼. 기도 제목을 한 두 배쯤 해서 칠팔천만 원 밀어달라고 할걸. 산을 사고 나면 등기도 해야 하고 우물도 파야 하는디. 하나님도 짜다 짜. 어떻게 꼭 삼천육백만 원만 주시나. 좀 더 붙여 주시질 않고."

이 말에 온 교인들이 폭소를 터뜨렸다. 그런 과정을 거쳐 봉화산이 활빈교회 소유가 되고, 그곳에 제2차 두레마을을 세울 수 있었다. 1986년 4월의 일이었다.

나는 먼저 그 산에 들어서 있는 잔솔나무들과 아카시아나무 같은 잡목들을 베어내고는 두레마을 가족들이 머물 주택부터 지었다. 이어서 2천두 규모로 사육할 수 있는 양계장을 지었고, 연이어 공동체 생활에 필요한 시설들을 세워나갔다.

봉화산 중턱에는 평평한 공지가 있다. 내가 터를 잡고 7년간이나 '이 산을 저희에게 주시옵소서'하고 기도드렸던 자리였다. 산이 우리 소유가 된 후 나는 그 자리에 다시 꿇어앉아 바로 이 자리에 농민들을 훈련할 수 있는 훈련원을 짓게 해 달라고 기도하기 시작했다.

그렇게 기도드린 지 3년 만에 그곳에 '두레마을 농민선교훈련원'을 세울수 있었다. 7, 8억 원이나 소요된 좋은 건물이었다. 그 훈련원에서 농민들과 청소년들을 대상으로 하는 훈련을 해 왔고 지금은 두레자연고등학교 건물로 쓰고 있다.

제2차 두레마을을 세울 땅이 봉화산 기슭으로 정해지자 나는 즉각 마을을 시작할 준비 작업에 들어갔다. 제1차 두레마을의 실패를 거울 삼아 이번에는 신중하게 일을 한 가지씩 벌려 혼선과 차질이 없도록 꼼꼼히 살폈다.

제2차 두레마을은 제1차에서 세웠던 뜻과 목표에 한 가지를 더하여 어려움에 처한 형제들을 돕는 공동체임을 강조했다. 다시 말해 뜻이 같은 동지들이 모여 공동체를 이루되, 그 공동체가 자신들만 잘 살아갈 것이 아니라 소외되고 고통을 겪는 이웃들을 돕는 일을 하자는 것이었다. 몸도 마음도 상한 이웃들과 더불어 삶을 나누는 '복지공동체'라 하겠다. 그래서 제2차 두레마을이 시작된 1986년 4월 1일 다음과 같은 설립 취지문을 채택했다.

〈두레마을을 세우는 뜻〉

여기 내 형제 중에 지극히 작은 자 하나에게 한 것이 곧 내게 한 것이니라.

• 마태복음 25장 40절

그리스도의 복음이 이 땅에 전해진 지 이미 백 년이 지났습니다. 그간 절망에 처해 있던 나라와 백성들에게 그리스도를 통한 구원의 소식은 생명과 희망으로 역사해 왔습니다. 이제 한국 교회는 세계 교회의 기적이라 불릴 만큼 성장했습니다. 그러나 한국 교회가 예수님 앞에서 부끄러워해야 할 것이 한 가지 있습니다. 그것은 가난한 자, 병든 자, 상처받은 자들을 돌아보는 사랑과 실천이 적은 교회라는 점입니다.

한국 사회는 아직도 많은 영혼이 고통 속에서 보살핌을 받지 못하고 있습니다. 이들 중에는 감옥에서 살다가 나온 형제들, 험한 삶에서 벗어날 수 있기를 갈망하는 자매들, 불구로 태어났기에 버려지고 있는 신체장애인들, 의지할 곳이 없어 길가에서 시들어가고 있는 걸인들, 그리고 중독자, 정신 질환자… 많은 영혼이 누구의 도움도 받지 못한 채 고통 속에 있습니다.

십자가의 고통을 몸소 겪으심으로써 우리를 구원하신 예수님께서 그들을 우리에게 맡기셨습니다. 그들을 돌보는 것은 동족으로서의 의무이자 크리스천의 사명입니다. 그럼에도 우리는 이 일에 너무도 무관심했습니다.

금번 활빈교회에서는 창립 15주년을 맞아 이들을 돌보는 마을을 세울 뜻을 정했습니다. 그리고 이 마을을 '두레마을'이라 이름 지었습니다. 두레란 말은 우리 옛 조상들이 '함께' 살던 '공동체'라는 말입니다. 활빈교회는 신약성서 사도행전에 나타난 성령 받은 신앙공동체를 생각하고 조상들의 두레를 생각하면서 병든 이, 상처받은 이, 버림받은 이들과 함께 살아가는 마을을 이루기로 하였습니다. 이 일은 어느 한 개인만의 일이 될 수도, 한 교회만의 일이 될 수도 없습니다. 모든 크리스천 공동의 사명입니다. 주님께서 이 일을 살피시고 이 마을을 세울 뜻을 허락하셨습니다.

이제는 이 일에 몸 바쳐 일할 일꾼들이 나와야 하고 또 뒷받침할 경제적 힘도 있어야겠습니다. 많은 분이 이 뜻깊은 일에 힘을 모아 함께 선한 일을 이룰 수 있게 되기를 바랍니다.

1986년 4월 1일

김진홍

이런 취지문을 발표한 뒤 두레마을을 시작하며 맨 처음 관심을 둔 것이 농산물 유통 사업이었다. 제1차 두레마을이 실패한 원인 중 하나가 공동체에서 애써 생산한 농축산물에 대한 판로 문제를 해결하지 못했다는 점이다. 그래서 제2차 두레마을에서는 먼저 이 문제부터 풀어나갈 작정이었다. 그리고 우리 농장에서 기른 농산물을 팔기 위해 우리 부부가 앞장서기로 했다.

아내와 나는 작업복을 입고 1톤 트럭에 농산물들을 잔뜩 싣고는 서울로 올라갔다. 서울 강남의 압구정동 현대아파트나 대치동 은마아파트 지역을 돌며 열심히 팔러 다녔다. 그렇게 다니노라면 내 얼굴을 아는 교인들이 이상스럽다는 듯이 말했다.

"그 양반 김진홍 목사와 똑같이 생겼네."

"예? 닮은 사람도 있겠지요."

"응. 목소리도 연방 닮았네. 혹시 형제 중에 김진홍 목사라고 없어요?"

"아뇨. 삼대 독잔디 뭔 형이 있간디요."

이런 대화를 나누면서 아파트 지역이나 주택가 골목골목을 누비며 팔러 다녔다. 이러한 농산물을 판매하는 일 중에 가장 힘든 것이 쌀 배달이었다. 엘리베이터도 없는 아파트에서 주민들에게 주문받은 햅쌀을 한 가마씩 배달하는 일은 여간 힘들지 않았다. 한번은 80킬로그램들이 쌀 한 가마를 등에 지고 5층 아파트를 오르다가 3층쯤에 이르러 오도 가도 못 하게 되었다. 다리는 후들거리고 등에 얹힌 쌀가마는 짓눌러대니 눈앞이 어찔어찔했다. 하는 수 없이 아파트 계단에 쌀가마를 내려놓고 작은 자루에 퍼담아 배달했다.

그때만 해도 두레마을이 알려지지 않았던 때인지라, 쌀이며 채소를 정성 들여 가꾸어 각 가정에 배달해도 소비자들이 믿으려 들지 않았다. 농약이나 화학비료를 사용하지 않고 퇴비로만 정성스럽게 길렀다고 말하면 주부들은 반신반의하며 되물었다.

"아자씨, 그 말 믿어도 돼요?"

"믿어도 되고 말고요. 저희 인격을 믿고 안심하시고 드세요."

"어머, 아저씨가 인격 얘기를 다 하시네. 별로 인격이 있을 거 같지도 않구먼."

나를 아래위로 훑어보고는 인격이 있을 것 같지도 않은 체통인데 인격을 거론한다고 빈정거리는 투로 말하는 것이었다.

6

이 송아지에게 은총을

이 송아지에게 은총을

나는 농촌에서 사는 것을 좋아하거니와 농민들 속에서 목회하는 일도 좋아한다. 내가 농민 목회를 즐기는 이유 중 하나는 농민들의 순진함 때문이다.

한번은 새벽 한 시가 지났는데 어느 농가 부부가 나를 찾아왔다. 한밤중에 찾아왔으니 그 가정에 무슨 큰 변고라도 생겼나 싶어 다급히 물었다.

"웬일이세요? 집안에 무슨 문제가 있으세요? 아이 중에 누가 아프기라도 한가요?"

"아이고 목사님, 여간 죄송스러운 기 아니구만요. 애들은 다 괜찮은데요, 송아지가 아픕니다."

"예? 송아지가 아프다고요? 송아지가 아프면 수의사한테 가셔야지 왜 저에게 왔지요?"

"예~ 수의사보다는 목사님이 더 미더워서요. 수의사를 부르러 나섰다가 발길을 이리로 옮겼습니다요."

"그래요? 날 수의사보다 더 믿는 건 좋은데, 제가 할 수 있는 게 뭘까요?"

"목사님이 우리 집으로 가셔서 안수 기도 좀 해주십사 하고 왔습니다."

"안수 기도를요? 아니, 사람 안숩니까? 송아지 안숩니까?"

"아픈 사람은 없다니까요. 송아지 안수를 해주십사는 거지요."

나는 기가 차서 말이 나오지 않았다. 세상에 살다가 사람도 아닌 송아지 안수를 해달라니, 참 별일이었다.

"보세요, 내외분. 지가 사람 안수도 못 하는 사람인데 송아지 안수를 어떻게 하겠습니까?"

"목사님, 그래도 어쩝니까? 그 송아지가 보통 송아지가 아니잖아요? 송아지가 잘못돼서 죽기라도 하면 큰일이지요. 하나님 영광을 가리는 일이 되잖습니까? 그래서 염치 불고하고 이렇게 왔습니다."

그 부부의 말대로 그 송아지는 보통 송아지가 아니었다. 부부의 10년간 기도와 정성이 깃든 송아지였다. 만약 잘못돼 죽기라도 하는 날이면 정말 큰일이 날 송아지였다.

그 송아지에 얽힌 사연은 이러했다.

남편은 총각 시절에 젖소 목장의 목부(牧夫)였다. 착하고 야무진 지금의 아내를 만나 결혼식을 올리자마자 굳게 다짐했다. 알뜰히 저축하여 젖소 송아지를 사모아 자립 농장을 세워 보자는 결심이었다. 당시는 젖소 한 마리를 키우면 한 달에 10만 원의 수입을 올릴 수 있던

때였다. 즉 암송아지 한 마리를 사서 2년을 먹이면 어미 소가 되고, 그 때부터 젖을 짜면 한 달에 10만 원의 수익을 손에 쥘 수 있는 것이다.

그런데 어미 소가 수송아지를 낳으면 농부들은 크게 실망한다. 사람과는 달리 젖소 수놈은 쓸모가 없다. 사료만 축내고 우유는 짜내지 못하니 환영받을 리 없다. 반면에 암송아지를 낳으면 크게 기뻐한다. 암송아지를 잘 번식시켜 젖소 열 마리만 확보하면 웬만한 월급쟁이보다 수입이 낫다.

그래서 그들 부부는 신혼 첫날 밤부터 꿈을 꾸었다. 알뜰살뜰 돈을 모아 암송아지 한 마리를 사서 정성껏 길러 열 마리까지 늘려나가 장차 자립 농장을 세우려는 계획이었다. 그런데 본인들 말에 따르면 10년 세월에 원하던 송아지는 못 사고 원치 않던 애새끼들만 넷이나 낳았다는 푸념이었다.

그들이 결혼하던 당시에 송아짓 값이 45만 원이었는데, 부부가 밭일, 논일을 열심히 하여 45만 원을 저축하고 나면 송아짓 값은 70만 원으로 올라 있었다. 다시 70만 원을 모으는 일에 도전했지만, 아이들이 연이어 태어나니 저축이 쉽지 않았다. 게다가 어렵게 돈을 모아 70만 원에 이르면 엎친 데 덮친 격으로 암송아지 값은 그새 120만 원으로 올라가 있었다.

부인은 낙심하여 이르기를 결혼생활 10년에 원하는 송아지는 못 마련하고 별로 원치도 않던 사내아이들만 넷이나 거느리게 되었으니, 누가 우리 애들 델꼬가고 송아지 한 마리씩 줬으면 좋겠다고 푸념하곤 했다. 이제 다시 120만 원 모으는 일을 시작했지만, 걱정스러운 일은 돈을 모으는 동안 또 송아짓 값이 뛰어버릴까 봐 염려된다고 했다.

나는 두 달 전에 그 말을 전해 듣고 그들의 정성이 갸륵하다는 생각이 들어 신용조합에 보증을 서서 50만 원을 빌리게 해주었다. 그리하여 그들 부부는 그간에 모은 돈 70만 원을 합쳐 마침내 예쁜 암송아지 한 마리를 사게 되었다.

결혼 생활 10년 만에 송아지를 사던 날, 부부는 얼마나 기뻤던 지 잔치를 열었다. 금요일 구역예배 시간에 교인들을 초청해 호박지짐에 단술을 만들어 잔치를 벌였다.

그런데 바로 그 송아지가 병이 들어버렸다며 새벽 한 시에 부부가 찾아와 송아지에게 안수기도를 해달라고 한 것이다.

나는 난처하기 이를 데 없었다. 사람에게도 안수기도를 못 하는 내가 송아지에게 어떻게 하란 말인가? 목사에게 부탁할 일이 따로 있지, 어떻게 이렇듯 터무니없는 부탁을 한단 말인가? 나는 못마땅한 생각이 들었다. 그러나 진지하게 나를 쳐다보고 있는 부부의 눈동자를 보고는 도저히 거절할 엄두가 나지 않았다. 나는 거절하기를 포기하고 속으로 말했다.

'할 수 없다. 농촌 목회하려면 이런 일도 감수해야겠지. 송아지든 강아지든 가서 부딪쳐 보는 수밖에 없다.'

이런 생각을 하며 그들 부부에게 앞장서라 이르고는 따라나섰다. 시오리는 족히 되는 길을 부부가 비춰주는 손전등 불빛을 따라갔다. 외양간에 이르니 등에 담요를 덮은 송아지가 기다리고 있었다.

부부는 송아지 양편에 서더니 고삐를 잡으며 안수기도해 달라는 몸

짓을 취했다. 나는 어쩔 수 없이 송아지 정수리에 손을 얹으며 눈을 감고 소리 높여 기도하기 시작했다.

"하나님 아버지, 이 송아지에게 은총을 베풀어주시옵소서. 이 송아지가 지금 기침을 심하게 하고 콧물을 흘리고 있습니다. 만약에 폐렴이라도 걸려 실패하는 날이면 이들이 십 년간 쌓은 정성이 무너집니다. 하나님, 저도 보증 섰습니다. 하나님께서 이 송아지를 꼭 회복시켜 줄 줄로 믿고 예수님 이름으로 기도드렸습니다. 아멘."

내가 아멘으로 기도를 마치니 그들 부부도 정성 들여 "아멘"을 따라 했다. 이틀 뒤에 부인이 온 얼굴에 웃음을 가득 띤 채 사택에 와서 말했다.

"목사님, 나았습니다. 송아지가 말짱해졌습니다. 감사합니다. 다음에 또 부탁하겠습니다."

"예? 다음에 또 부탁하겠다고요? 아예 직업을 바꾸라고 하십시오."

부인은 고맙다며 남성용 로션 한 병을 사 들고 와서는 연방 고마움을 표시했다. 사람이든 짐승이든 감기 정도는 시간이 지나면 저절로 낫는 것인데, 그들 부부는 내 기도를 받았기 때문에 송아지가 나았다고 확신하고 있었다. 그다음 주일예배 때에는 감사헌금까지 냈다. 강대상에 놓인 헌금 봉투에는 연필에 침을 발라 쓴 글씨가 다음과 같이 씌어 있었다.

'송아지 낫게 해주신 은혜 감사합니다. 000 드림'

나는 광고 시간에 교우들에게 말했다.

"지난 주에 OO네가 밤중에 저를 불러서 송아지 안수기도를 시켰습니다. 그 송아지가 건강하게 되었다고 오늘 감사기도를 드렸습니다."

그렇게 교우들에게 알렸더니 부인석에서 "아멘" 하는 소리가 여기저기에서 나왔다. 예배가 끝난 후 남자들은 그 남편에게 가서 축하한다고 말하고, 부녀자들은 부인한테 가서 손을 잡으며 말했다.

"하이고, 다행이제. 어떻게 마련한 송아진데, 그 송아지가 잘못될 수가 있나. 목사님 기도 받고 나았다면서."

결국은 송아지 한 마리로 인해 온 교인들이 행복해진 셈이다. 이런 일이 착하게 살아가는 농민들의 모습이다. 그래서 나는 농민들 속에서 목회하며 살아가는 걸 좋아한다.

덧붙여 내가 농촌 생활을 즐기는 데에는 다섯 가지 이유가 있다.

첫째는 정직하고 소박하게 살아갈 수 있다는 점이다.

흙은 정직하다. 흙에는 사람들의 요령이나 편법이 통하지 않는다. 그저 콩 심은 데 콩 나고 팥 심은 데 팥 난다. 나는 누구든지 정직하게 살기를 원하면 농촌으로 와서 살라고 권한다. 사람들은 한세상을 권모술수와 온갖 꾀를 부리며 살지만, 이에 빠지지 않고 살 수 있는 곳이 농촌이다. 심신이 병들지 않고 자연 그대로 싱싱하게 살아가려면 농촌 생활이 제일이다.

둘째는 건강하게 살 수 있다.

노동은 사람의 몸도 마음도 건강하게 만든다. 더욱이 농촌의 맑은 공기, 신선한 바람, 깨끗한 물속에서 일찍 일어나 일하고 일찍 잠자리

에 들며 살아가면 건강한 삶을 누릴 수 있다. 세상살이에 욕심부리지 않고 살아갈 수 있다. 그래서 나는 아들들에게도 "신경쇠약 걸린 교수가 되는 것보다는 건강한 농사꾼이 돼라"고 권한다.

셋째는 공부를 할 수 있다는 점이다.

농촌 생활은 시간이 자유롭기도 하려니와 온 사방에 깔린 것이 학습 자료다. 토양도, 곤충들도, 온갖 들풀과 꽃들도, 거기에다 곡식을 심어 자라고 추수하기까지에 이르는 온갖 과정이 모두 공부 거리다. 하나하나 배우는 자세로 관찰하면 흥미롭기 그지없다.

프랑스의 파브르란 초등학교 교사는 두메산골에서 평생 곤충들의 생태를 살피며 낱낱이 기록한 결과 세계적인 곤충학자가 되었다. 그가 인류에 미친 공로는 대학에서 웅변을 토했던 그 어느 교수보다 지대했다. 하나님은 우리 내면에 지적 호기심을 심어주셨고 그것을 바탕으로 평생토록 깨우쳐 나갈 온갖 교과서를 주위에 두셨다. 하나씩 정성껏 살펴 깨우쳐 나가는 일에서 삶의 기쁨을 누릴 수 있다.

내가 농촌 생활을 좋아하는 넷째 이유는 좋은 먹을거리들을 생산하여 도시 소비자들에게 공급할 수 있어서다.

지난 3, 40년간 온 세계는 농업생산을 위해 농약과 비료를 너무 많이 사용했다. 농약과 비료를 과다하게 사용한 결과 이제는 생산하는 농민들도 소비하는 도시민들도 해를 입게 되었다. 농약을 치던 농민이 매년 1천 명 이상 죽어 나갈 뿐 아니라 죽지는 않더라도 병을 얻는 경우가 부지기수다. 또 그렇게 길러진 농산물은 먹는 사람들에게도 온갖 병을 일으키고 있다.

이제는 살아남기 위해서도 자연농업, 친환경농업을 생각하지 않을 수 없게 되었다. 그래서 두레마을은 진작부터 자연농업을 원칙으로 삼아왔다. 농약과 화학비료를 사용하지 않고 퇴비로만 농사짓기를 고집스레 지켜왔다. 그런 고집 때문에 김매기, 퇴비 만들기, 흙 가꾸기 등에 힘은 들었지만, 누구나 안심하고 먹을 수 있는 먹을거리들을 길러낼 수 있게 되었다.

이제는 시절이 바뀌어 온 세계가 환경농업에 관심을 기울이고 자연농업을 권장하고 있다. 우리도 모르는 사이에 두레마을은 이 분야에서 개척자가 되었고 선구자가 되어가고 있다. 이 얼마나 고맙고 자랑스러운 일인가!

내가 농촌과 농민을 좋아하는 다섯째 이유는 땅과 자연을 가꾸어 겨레 사랑을 실천할 수 있기 때문이다.

지금 세계는 환경파괴 내지 환경오염으로 인해 중병을 앓고 있다. 이런 처지를 극복하여 땅과 환경을 살리는 길은 다른 대안이 없다. 각 나라 정부가 환경보호를 정책적으로 실시하고 시민 운동 단체들이 환경 살리기에 앞장서야 한다.

그리고 땅과 사람을 살리겠다는 뜻을 품은 농사꾼이 많이 나와야 한다. 그래서 나라마다 그 국가와 국민들은 온 역량을 환경을 살리는 일에 집중해야 한다. 이런 일에는 농민들이 앞장설 수밖에 없다. 그러나 개별 농가들은 이 일에 효율적으로 대처할 수 없다. 빚에 쪼들리고 있는 현실도 각박하기에 환경파괴라는 전 지구적인 문제를 농가들이 개별적으로 대처하기에는 역부족이다. 그래서 두레마을과 같은 공동체

가 유리하다. 공동체는 인력과 자원과 지식이 모여 있기에 마음만 먹으면 힘을 발휘할 수 있다.

특히나 우리 겨레가 몸담아 살아가고 있는 이 땅, 한반도는 산천이 빼어나다. 남과 북을 막론하고 온 나라가 마치 잘 가꿔진 정원 같다. 나는 직업상 외국 여행이 잦은 편이다. 오대양육대주에 안 가본 곳이 거의 없다. 그렇게 여러 나라를 다니노라면 자연히 그곳과 우리 땅을 비교해 보게 된다 그럴 때마다 나는 우리 국토가 빼어나게 수려함을 느낀다.

우리 국토는 어느 곳을 가든 자연경관이 지루하지 않다. 보면 볼수록 친밀감을 준다. 말 그대로 친화적이다. 연이어지는 산등성이며 산자락에 다소곳이 엎드린 마을들이며 골짜기 사이로 흐르는 개천들은 볼 때마다 정겨움을 느낀다. 온 국토가 하나의 정원이다. 이런 아름다운 땅을 오염시키고 허물어뜨리는 것은 얼마나 큰 범죄인가!

나는 최근 몇 년 사이에 북한을 네 번 다녀왔다. 북한 땅을 다니노라면 그 허물어진 땅과 사람들의 모습에 절로 한숨이 나오고 탄식을 멈출 수 없다.

"아! 슬프고 슬프다. 이렇게 아름다운 산천과 착한 백성들이 이다지도 허물어지게 되다니…. 이는 단군 이래의 재난이고 재난이로구나."

이런 감정이 북받쳐 몸 둘 바를 모르게 된다. 나무를 다 베어버려 나무 한 그루 찾아볼 수 없는 산들이 많다. 산에 나무가 없으니, 비가 올 때마다 홍수가 일어나고, 홍수에 논과 밭이 묻혀 황무지로 변했다. 굶주리고 헐벗은 인민들이 호미와 괭이만으로 논밭을 복구하려니 애초에 엄두가 나지 않아 손을 놓고 있다. 그래서 굶주림은 되풀이될 수밖에 없다. 나는 북한 땅을 방문해 이런 광경들을 보고 올 때마다 우선 남한이나마 제대로 가꿔야 하지 않을까 다짐한다.

그런 생각으로 지금 두레마을에서 진행하고 있는 사업이 전국 각도에 두레마을 공동체 농장을 하나씩 세우는 일이다. 각 도에 널찍한 골짜기를 하나씩 구해 공동체 마을을 세우고 땅과 사람, 자연과 환경을 함께 살려 나가는 운동을 펼치는 것이다. 이미 경기도, 전라남도, 전라북도, 경상북도에 터를 닦고 있다. 지금 경상남도에 땅을 물색 중이며, 경상남도가 마무리되면 충청도, 강원도에 이어 제주도까지 터를 잡으려 한다. 그렇게 세워진 두레마을들이 힘과 뜻을 합하여 땅을 살리고 사람을 살리는 운동을 펼쳐나가는 것이다. 한 시대를 살면서 이보다 더 보람 있는 일이 또 있겠는가?

해외에도 이미 여러 곳에 두레마을이 세워졌다. 중국 연변에는 150만 평에 이르는 광대한 농장을 1996년에 세웠다. 그곳에서는 한국 두레마을 출신 열 세대와 현지의 조선 동포 40여 세대가 합하여 공동체를 일궈가고 있다. 그 농장에서 생산되는 곡식들은 전량 북한 동포 돕기에 쓸 계획이다.

그곳을 발판으로 삼아 1998년에는 북한의 나진 · 선봉지구에 두레마을 농장을 세웠고 감자 농사를 알차게 지었다. 두레마을에서 세 명의 농사꾼을 파송하여 북한 농민들과 함께 감자 농사를 지었다.

우선 나진에 10만 평 규모의 시범농장을 세워 남북의 농민들이 함께 농사를 짓고 1천만 평은 계약재배 형식으로 농사를 지으려는 계획을

세우고 있다. 한국의 두레마을 쪽에서 씨앗, 비료, 농기구 등을 지원하고 북한 측에서는 농사를 지어 가을걷이가 끝난 후 적정하게 분배한다는 조건이다. 분배한다고 하지만 애초에 북한 농민들을 도우려고 시작한 사업이니만큼 어떤 형태로든 그쪽에 주게 될 것이다.

감자 캐는 날 나진농장에 들렀을 때의 일이다. 우리가 지원한 신품종 감자를 심은 밭이었다. 1998년 한국의 대덕단지 과학자들이 연구개발한 씨감자 40만 개를 북한 측 농장에 들여보냈는데, 그 씨가 자라 어느새 수확 철에 이른 것이다.

협동 농장의 감자밭에 남녀 일꾼들이 줄지어 앉아 감자를 캐고 있는데 나도 한켠에 끼어들었다. 내 뒤에는 보호자랄까, 감시원이랄까 나를 호위하는 사람이 서 있었다. 내 곁에는 30대 후반으로 보이는 여성이 머리에 수건을 쓰고 앉아 감자 캐기에 열중하고 있었다. 얼마가 지난 후 뒤를 돌아보니 감시원이 자리를 비우고 없었다. 화장실엘 갔는지 아니면 담밸 피우러 갔는지 보이지 않았다.

나는 옆 고랑에서 감자 캐기에 열중해 있는 여인에게 말을 걸었다.

"안녕하세요, 아주마니. 감자가 생각보다 더 잘 열렸구먼요."

"예, 나쁜 날씨에도 씨알이 잘 열렸구만요."

이런 말이 오고 간 후 우리 사이에는 한참이나 아무 말이 없었다. 내가 또 무슨 말로 말머리를 틀까 생각하고 있는데 그녀가 앞질러 물어왔다.

"남조선에는 거지가 많다디요?"

그런데 그녀의 모습이 엉뚱했다. 묻기는 분명히 오른편에 앉은 내게 묻는데 얼굴은 반대편으로 돌려져 있었다. 다른 사람들로부터 오해받을 게 염려스러워 얼굴을 돌린 채 말을 거는 것이겠거니 짐작하고는 나도 그녀와 반대편으로 얼굴을 돌리며 대답했다.

"거지가 많다니요? 부자가 많지요."

"미 제국주의자들한티 얻어먹고 산다던디요?"

"아니지요. 얻어먹기는요, 사다 먹지요. 자동차니, 텔레비전이니 옷감 같은 것들을 만들어 미국에 팔아서 그 판돈으로 양식을 사다 먹지요."

"그으래요? 듣던 것과는 다르구만요. 어서 통일이 돼야겠네요."

"예. 남조선 사람인 내가 북조선 여기 와서 감자를 같이 캐는 거이 이미 통일이 돼 가고 있는 거 아니겠습니까?"

"그건 그렇네요. 자주 오시라요."

이런 대화를 나누던 때가 1998년 7월 하순이었다. 그곳으로 가서 가을걷이까지 돕고 돌아왔던 두레마을 세 일꾼은 그 후에 아직 못 들어가고 있다.

그쪽에서 하늘같이 받드는 김정일 장군이 즐겨 쓰는 말이 "통 크게 놉시다래"다. 그 말마따나 정주영 회장이 금강산 사업으로 통 크게 수억 달러 거래를 터버린 뒤로는 우리같이 푼돈 들고 들어가는 사람들은 눈에 차지 않게 된 것 같다. 금강산 관광으로 가져다주는 달러는 북녘 주민들에게는 별 도움을 주지 못할 것이다. 그 돈은 김정일 장군의 통치 자금으로 쓰일 것이다.

실제로 북녘 사회의 밑바닥 백성들에게는 우리 같은 보따리장수들

이 가져다주는 정성 어린 성금들이 도움이 되련만, 생각할수록 애석한 마음을 금할 길이 없다. 성경에 이른 대로 이땅에 하늘이 열려 남과 북이 제 집처럼 내왕할 때를 기도하며 기다릴 수밖에….

중국 두레마을과 북한 두레마을에 이어 세울 러시아 두레마을은 훨씬 의욕적이다. 러시아의 두레마을은 연해주 우수리스크 지역에 있다. 러시아 연해주는 고구려의 옛 영토였다. 그리고 숱한 독립지사들이 조국 광복의 꿈을 안고 떠돌던 땅이다.

1995년 그곳에 들어가 러시아 동포인 고려인들을 모아 교회를 세우는 일에서 시작한 연해주 두레마을은 300만 평의 농지를 확보해 놓고 있다. 그 넓은 땅에다 한국의 두레마을 농꾼들이 현지 동포인 고려인들과 중국에서 넘어온 조선족 동포들과 러시아 땅을 헤매고 있는 탈북자들을 하나로 묶어 한민족 공동체를 발전시켜 나가려는 설계다.

무릇 큰 일은 꿈꾸는 데서 비롯된다. 두레마을의 꿈은 다가오는 21세기 통일 한국시대를 바라보며 코리언들이 살아가는 세계 곳곳에 두레마을 공동체를 세우는 것이다.

두레마을이 세워지는 곳은 어디에나 다섯 가지 사업 프로그램이 함께 들어간다.

첫째는 농장이다.

두레마을은 처음부터 농업공동체로 시작되었고 농업으로 발전해 왔다. 두레마을은 농업을 주업으로 하되 한 농장에서 생산과 가공, 유통을 하나로 묶어 생산성과 부가가치를 높여가고 있다.

둘째는 청소년들의 훈련장이다.

청소년을 위한 훈련 과정 중 특히 노동학교가 유명하다. 노동 학교에서는 젊은이들을 모아 낮에는 노동하고 저녁에는 정신 교육을 한다. 그런 과정을 통해 청소년들의 몸과 마음을 단련시키고 젊은이다운 기상을 높여나간다. 거기에다 1999년 3월에 대안학교를 개교하면서 두레마을의 청소년 프로그램이 더욱 다양해졌다.

두레자연고등학교라고 불리는 두레마을 대안학교는 열린 교육을 실시해 청소년들을 건전한 인격으로 길러내고, 나아가 사회에 공헌하는 일꾼으로 키우는 교육을 목표로 하고 있다.

두레마을이 세워지는 곳마다 실시되는 프로그램의 셋째는 두레 치유원이다.

치유원은 다섯 분야의 일꾼들이 한 팀을 이루어 운영한다. 첫째는 의사이고 둘째는 목사, 셋째는 식이요법을 전문으로 하는 요리사, 넷째는 물리치료사, 다섯째는 행정과 관리를 맡은 일꾼이다. 이 다섯 명이 한 팀이 돼 치유 활동을 하되 팀장은 의사가 맡는다.

넷째는 성서훈련원이다.

두레마을은 기독교 신앙을 기초로 세워진 공동체이고 기독교 신앙은 성서를 기초로 하고 있다. 성서에 대한 바른 이해는 바른 신앙생활의 기본이요, 공동체적인 삶의 바탕이다. 그래서 두레마을에서는 성서 연구 세미나를 열고 테이프를 만들어 보급하고 출판 활동도 전개하고 있다.

이렇게 성서에 입각해 바른 삶을 사는 것은 두레마을의 4대 생활신조 중 첫째로 꼽는다. 4대 신조란 첫째 성서, 둘째 노동, 셋째 봉사, 넷

째 학문이다.

첫째 신조를 성서라 함은 두레가족은 성경적인 삶을 사는 데 힘쓴다는 다짐이다.

성경이 이렇게 살아가라고 가르쳐 주고 있는 바대로 살고 있다는 것이 아니라, 그렇게 살기를 목표로 세우고 그 목표에 도달하려고 힘쓰는 것을 말한다.

둘째 신조를 노동이라 한 것은 두레마을 가족들은 땀 흘려 노동하며 살겠다는 의지다.

건강한 사람들은 물론이려니와 몸이 불편한 장애인들도 자기가 할 수 있는 만큼 노동을 하며 사는 것을 원칙으로 한다. 예를 들어 앞을 보지 못하는 맹인이 있고 일어서지 못하는 앉은뱅이가 있는 경우 맹인이 앉은뱅이를 업고 둘이 한 몸이 되어 일을 하게 한다. 그리고 휠체어를 타야 하는 장애인들은 밭일을 할 수 없으므로 밭 옆에서 벽돌로 밭이랑을 쌓아 높여주는 일을 한다. 그렇게 높인 이랑에 흙을 넣고 씨앗을 심어 토마토나 채소를 기른다. 휠체어를 탄 장애인은 자신의 몸에 맞는 농기구를 사용하여 앉은 채로 일을 할 수 있다.

물론 그들이 일하는 양은 극히 적다. 그렇게 불편한 조건으로 노동을 해봤자 건강한 사람들이 일하는 양의 몇십분의 일에도 미치지 못한다. 그러나 두레마을에서는 노동의 양이 문제가 아니라 땀 흘려 일한다는 마음가짐 자체를 중요시한다.

심지어 나는 팔과 다리 양쪽이 없는 사람에게도 노동하라고 권한다. 엎드려 뒹굴어서라도 밭으로 가서 입으로라도 잡초를 뽑으라고 한다.

비록 몇 포기 못 뽑을지라도 그것으로 충분하다. 자기가 할 수 있는 최선을 다했다면 일용할 양식을 먹을 자격이 있는 것이다. 또 그렇게 살았기에 자신의 자존심이 넉넉히 지켜졌으리라는 생각이다.

요즘 우리 사회에는 노동 정신, 즉 땀 흘려 살겠다는 정신이 많이 약해지고 있다. 아직도 우리나라 경제는 땀 흘려 일해야 할 수준이지 흥청망청 살아갈 수준이 절대로 아니다. 우리가 국제통화기금의 구제금융을 받아야 하는 불명예스러운 재난을 당한 것도 따지고 보면 이런 노동 정신의 실종과 관계가 있다. 그래서 두레마을은 노동을 중요시한다. 그리고 노동을 명예롭게 생각한다. 더욱이 노동을 신앙의 실천에까지 승화시켜 생각한다.

두레마을 식당에는 다음과 같은 글이 씌어 있다.

기도는 노동이요, 노동은 기도이다.

전심전력 노동에 열중하는 삶은 바로 하나님 앞에 혼신을 다해 기도드리는 것과 같음을 강조한다.

두레마을의 셋째 신조인 봉사는 자신보다 낮은 자리에 있는 이웃을 섬기는 삶을 말한다.

건강하고 가진 사람들만 남을 섬길 수 있는 것이 아니다. 건강하지 못한 사람도, 배우지 못한 사람도 가지지 못한 사람도 자기 자신의 자리에서 섬기는 삶을 살아갈 수 있다.

몇 해 전 두레마을에 스물세 살의 자폐증 환자가 왔다. 초등학교 3

학년 때 담임 선생에게 뺨을 맞은 이후로 지금까지 방에만 틀어박혀 지내는 자폐증 환자가 되었다고 그를 데려온 어머니가 눈물을 훔치며 말했다 나는 그 어머니의 말을 들으며 지극한 모정에 가슴이 뭉클했다. 그녀는 연신 눈물을 닦으며 말했다.

"그 지랄 같은 선생이 내 새낄 망쳐논기라요. 저 녀석을 사람 만들어 볼라고 세상에 안 가본 곳이 없고 안 써본 약이 없는 기라요. 자식 고치겠다고 굿도 하고 성당도 가 보고 절에도 가 보고 기도원이고 산이고 용하다는 댄 다 가봤지라요. 한창나이에, 방안에만 틀어박혀 숨만 쉬고 있는 저 녀석을 보면 그냥 억장이 무너지는 기라요.

인자 나도 늙어가는데, 내가 있을 때는 그래도 괜찮지만 내가 늙어 죽고 나면 누가 저 녀석을 돌봐주겠능기요. 그래서 여길 찾아왔는데, 우리 모잘 받아만 주시면 내가 살아있는 동안에는 식모살이를 하겠시유. 그라고 내 죽은 뒤에 저 녀석을 쫓아내지 않겠다는 약속만 해주시면 내사 뼈가 휘도록 일할기요."

나는 그녀의 말을 들으며 '이런 것을 바로 한이라 일컫는구나' 하는 생각이 들었다. 나는 그 자폐증 아들은 두레마을 가족으로 받아들이고 그의 어머니는 돌려보내기로 마음먹고 그녀를 위로했다.

"아드님은 우리가 동생처럼 여기고 잘 돌봐드릴 테니 안심하고 가세요. 가서 편안히 지내시다가 가끔 아들 보러나 오세요. 집에 있는 것보다 이곳이 나을 겁니다."

그녀는 고맙다고 거듭거듭 인사하고 돌아갔다.

나는 마을에서 가장 인정 많은 젊은이인 금 군을 불러 일렀다.

"금 군, 자네 요즘 무슨 부서에서 일하고 있는가?"

"영농부에 있습니다."

"그래? 오늘부터 자네는 다른 일은 안 해도 좋으니 이 친구를 담당하게. 글쎄, 학교 선생님이 멀쩡한 애 뺨을 때려서 초등학교 삼 학년 때부터 스물세 살이 된 지금까지 방 안에만 틀어박혀 지내고 있었다는 기야. 얼마나 불쌍한가. 이런 증상을 자폐증이라 부르는데, 자네가 오늘부터 친형이라 생각하고 함께 살아보게. 자네 지금 누구와 한방에 있는가?"

"김 군과 함께 지내고 있습니다."

"김 군도 환잔가?

"아네요, 정상인 청년입니다."

"그럼, 됐네. 그 김 군은 다른 방으로 보내고 자네는 이 아이와 함께 지내도록 하게. 이 친구 하나 제대로 돌보는 것만으로도 자네는 충분히 할 일을 한 거니까 전심으로 좀 돌보게."

"한번 투자해 보겠습니다."

"그래, 선선히 맡아줘서 고맙구먼. 그런데 자네 말 안 해도 알겠지? 절대 멍청하다고 짜증 내거나 윽박지르지 말고 부드럽게 인격적으로만 대하게. 병신보고 '병신아' 하면 안 되는 거야. 성한 사람에게 병신이라 하면 농담인 줄 알고 웃지만, 병신 보고 병신아 부르면 그의 가슴에 못질하는 것과 같으니까 절대 그렇게 대하지 말게."

"예, 알고 있습니다."

그를 맡은 지 일주일이 지난 후 금 군이 나를 찾아와 말했다.

“목사님, 성공했습니다.”

“성공하다니, 뭘 성공했다는 건가?”

“제가 맡은 미스터 자폐증 말입니다. 그 친구가 입을 열기 시작했습니다.”

“그래? 기쁜 소식이구먼. 어떻게 되어 가는데 그렇게 신이 나서 그러나?”

“그 친구가 처음 올 때는 자기 이름 하나밖에 몰랐는데요. 지금은 이름을 셋이나 더 외우게 됐습니다.”

“그래? 누구누구 이름을 외게 됐는데?”

“물론 제 이름하고요. 목사님 이름하고요. 또 우리 마을 이장님 이름을 외게 되었습니다.”

“이장님이라니, 누굴 말하는 긴가?”

“하이고 목사님, 왜 그러십니까. 우리 마을 이장님 있잖아요. ‘두레마을의 이장은 예수님이시다’ 잖아요.”

“그래? 큰 발전이구먼. 그러니까 그 친구가 좋아질 가능성이 있다는 거 아니겠나. 절대 포기하지 말고 부딪쳐보자구.”

그런 대화가 있은 지 다시 일주일이 지난 후 금 군이 또다시 와서 말했다.

“목사님 미스터 자폐증이 이제 일곱 명의 이름을 알게 되었습니다. 그러구요, 어제는 웃기도 했습니다. 큰 발전이지 않습니까? 목사님 기대해 주십시오.”

그렇게 조금씩 바뀌기 시작한 그가 그해 성탄절에 열린 마을 잔치에서 농림부 지정곡이라 일컫는 '송아지 송아지 얼룩송아지'를 불러 온 마을 사람들을 행복하게 했다. 그가 송아지 노래를 조금도 틀리지 않고 불러내자, 모두가 손뼉을 치며 즐거워했다. 마을 식구 가운데 한 명이 함박웃음을 띠며 말했다.

"히야, 병신이 성한 사람 행복하게 하는구먼."

"왜 아니래. 좌우지간 세상은 오래 살고 볼 일이야."

그 뒤로 그는 눈에 띄게 좋아졌다. 그가 자폐증에서 서서히 벗어나 제 모습을 조금씩 찾아가는 것을 보고 그의 어머니는 눈물을 훔치며 말하곤 했다.

"아이고, 이 녀석아. 네가 내 한을 풀어주었데이. 두레마을 고마운 사람들이 널 사람 구실 하게 허는구나. 아이고, 내 새끼야, 이제 내사 눈감고 죽어도 되겄다."

그러던 어느 날 새벽 한 시경에 그의 방 앞을 지나다가 방안에서 사람 소리가 들려 발걸음을 멈추었다. 나는 중얼거리는 소리가 그의 목소리인 것을 알고는 그가 독백하고 있겠거니 생각하고 문을 두드렸다. 그런 증상을 가진 사람들은 걸을 때나 밤중에도 혼자말을 주고받는 경우가 흔히 있다.

"너 밤중에 안 자고 뭐 하니?"

그러면서 문을 연 나는 깜짝 놀랐다. 그가 자기보다 늦게 들어온 자폐증 소년에게 한글을 가르치는 중이었다

사람이 사람을 섬긴다는 것은 하늘의 뜻을 대행하는 것이다. 하나님은 사람을 섬기려고 이 땅에 오셨다. 사람의 모습으로 오셨다. 바로

이 땅에 오신 하나님 예수 그리스도다. 예수 그리스도는 신약성서 마가복음 10장에서 이렇게 말씀하셨다.

> 인자가 온 것은 섬김을 받으러 온 것이 아니다. 사람을 섬기러 온 것이다. 섬기되 죽기까지 섬기러 온 것이다.

크리스천들은 예수님처럼 섬김으로써 살아간다. 있는 자는 없는 자를 섬기고, 배운 자는 배우지 못한 자를 섬기고, 건강한 자는 병든 자를 섬긴다. 그래서 두레마을은 섬기는 마을이다.

두레마을 생활신조의 넷째인 학문은 학벌이나 학위를 말하는 것이 아니다. 학문을 가까이하는 삶을 말한다. 배우기를 즐겨하는 생활이다. 다만 배우고 익히되 자신을 위해서가 아니라 공동체를 섬기기 위해서다. 그리스도의 이름으로 교회와 사람을 섬기기 위해 학문을 즐겨하는 생활 태도를 말한다. 그래서 두레마을에서는 공부하는 것을 노동으로 인정한다. 다만 그 공부가 생산성 있고 창조적인 공부일 경우에 한해서다.

중세 시대의 유럽을 암흑기라 부른다. 그런 암흑의 시대에 그나마 유럽 정신세계를 유지할 수 있게 한 것이 '수도원 운동'이다. 수도원에서 청빈과 노동과 학문을 추구했던 수도승들이 있어 그 시대를 그나마 지켰다는 이야기다.

그래서 두레마을은 공동체 운동을 학문적으로, 이론적으로 뒷받침하기 위해 연구소를 설립했다. 두레마을의 다섯 번째 사업인 두레 연구소에는 네 가지 연구 분과가 있다. 첫째는 두레의 공동체 농업을 연구하는 두레 친환경농업 연구소다. 둘째는 바람직한 교육, 즉 대안교육을 모색하는 두레 대안교육연구소다. 셋째는 통일한국시대를 바라보며 북한 중국 러시아를 포함하는 북방선교를 위한 통일한국연구소다. 넷째는 두레 공동체 운동을 성서적으로, 신학적으로 뒷받침하는 목민 신학연구소다. 이 네 분야가 합해서 두레 연구소를 이룬다.

지금까지 말한 다섯 가지 사업을 아우르는 바탕에 바로 교회가 있다. 애초에 두레마을 공동체를 설립하게 된 동기는 교회다운 교회를 세워보자는 데에서 비롯되었다. 원래 진정한 공동체는 교회 공동체다. 가장 본질적이고 대표적인 공동체인 것이다. 그런데 한국 교회는 불행하게도 공동체의 본질에서 많이 벗어나 있다. 그래서 한국 교회에 결여된 공동체성을 회복하려는 의미에서 두레마을을 세운 것이다.

예수 공동체인 교회공동체의 역할과 능력 중에는 치유(healing)하는 힘이 있다. 구약성서에서 하나님을 일컬어 '치유하시는 하나님'(출애굽기 5장 26절)이라 했고, 하나님을 경외하는 자들에게는 하늘로부터 치유의 광선을 발하여 그 질병에서 놓임받게 하겠다고 했다(말라기 4장 2절). 신약성서에서는 예수 그리스도 자신이 스스로 "마음 상한 자를 치유하기 위하여 내가 왔다"고 했다. 따라서 치유 능력은 교회의 본질에 속한다. 다시 말해 모든 교회는 치유 능력을 지닌다는 뜻이다.

한국에는 개신교만 하더라도 4만여 교회가 있다. 이들 교회마다 그리스도의 이름으로 백성들의 병과 약함을 치유하는 능력을 지니고 있다. 그래서 두레마을에만 치유원이 있는 것이 아니라 모든 교회는 치

유원이 돼야 하고, 또 치유 사역이 끊임없이 일어나고 계속돼야 한다.

그러나 현실의 한국 교회는 개인과 사회를 치유하는 능력을 잃고 있다. 교회가 병든 개인과 부패한 사회를 치유하는 역할과 능력을 지녀야 함에도 불구하고 한국 교회는 그런 본분을 감당하지 못하고 있다. 그래서 '교회다움'을 상실하고 있다. 이 점을 회복하기 위해서도 공동체 운동이 요청된다. 두레마을은 마땅히 치유공동체 역할을 담당해야 하고, 또 치유하는 능력을 지니고 있어야 한다.

그런데 그간 두레 공동체를 운영해 오면서 우리가 생각했던 것보다도 훨씬 큰 치유의 열매를 맺었다. 그래서 두레마을 가족들은 이 점을 퍽 고마워하고 있다. 신유의 은사가 있는 인물이 안수하거나 환자를 위해 무슨 특별기도 순서 같은 행사가 없어도 공동체에서는 더불어 함께 사는 동안에 치유의 사건들이 지난 날에도 있었고 지금도 진행되고 있다. 그리고 앞으로도 치유의 사건들이 일어나게 될 것임을 확신한다. 왜냐하면 두레마을은 예수 그리스도가 이장이시고 이장이신 예수 그리스도는 백성을 치유하기 위해 세상에 오셨기 때문이다.

그래서 공동체 가족들은 경험을 통해 하나의 결론을 내리고 있다. 그리스도의 영이신 성령께서는 공동체를 통해 치유의 역사를 일으키고 계신다는 결론이다. 김진홍 목사가 환자를 위해 안수기도를 안 해도(물론 해도 효과가 없긴 하지만) 공동체 안에서 함께 살아가는 동안에 치유의 열매가 맺어지는 것이다.

흔히 교인들은 기도 드릴 때 즉각적으로 일어나는 치유를 기대한다. 물론 그런 경우가 드물지 않게 있다. 그러나 치유의 역사는 생활 속에서 서서히 일어나는 경우가 더 많다. 그리고 그런 경우가 더 바람직스럽다고 여겨진다.

나 자신으로 말하자면 섭섭하게도 치유 능력이 너무나 미약하다. 청계천 빈민촌에서 사역하던 시절에 병든 사람을 치유하는 능력을 얼마나 아쉬워했는지 말로 표현할 수 없을 정도였다.

가난에 찌든 빈민촌 주민들에게 질병은 가장 가까운 동반자였다. 제대로 먹지 못하는 데다 환경은 나쁘고 생활 습관은 무질서하니 병이 따라다닐 수밖에 없었다. 그 숱한 환자들 속에서 치료할 수 있는 능력은 없고, 그렇다고 모른 채 외면할 수도 없어 속으로 안타까웠던 그 시절의 절박했던 심정은 세월이 가도 잊히지 않는다.

빈민촌에는 환자들이 정말로 많았다. 가정마다 골목마다 환자들이 바글바글했었다. 그 시절 선교구역이었던 송정동 판자촌 지역 내에만 결핵환자가 273명이었다. 그 273명의 결핵환자 신상명세서를 교회당에 비치해 두고 한 사람 한 사람씩 치료해 나갔다. 그때 환자들을 방문하면 중환자를 만날 때마다 여간 난처한 일이 아니었다. 피를 토하는 환자를 대하고는 급한 겨를에 머리에 손을 얹고 안수기도를 했다.

"하나님 아버지, 이 환자에게 긍휼을 베풀어주시옵소서. 지금 피를 토하고 있는 이 환자에게 제가 베풀어 줄 수 있는 것은 아무것도 없습니다. 병든 자를 불쌍히 보시는 아버지께서 이 환자를 낫게 하여 주시옵소서. 예수님 이름으로 기도드렸습니다. 아멘."

간절히 기도를 드리고 아멘으로 끝나면 환자는 그냥 "아야, 아야" 하며 가쁜 숨을 몰아쉬고 있었다. 그러면 나는 답답하고 안타까워 내

기도에는 왜 이렇게 능력이 나타나지 않을까, 같은 목사라도 조용기 목사 같은 분은 기도하면 환자가 재까닥 낫는다던데 나는 왜 이리 안 되나, 나는 조 씨가 아니라서 그런가, 원망스러운 생각이 들어 다시 환자에게 다가가서 기도를 드렸다. 이번에는 환자의 양어깨를 잡고 흔들며 "믿습니다~ 믿습니다~"를 연발하며 환자 이마에 침을 뒤집어 씌우며 절실히 기도 드려도, 환자는 여전히 "하이고~, 아이고~ 나 죽네" 하며 숨을 몰아쉬는 것이었다.

그렇다고 그런 중환자를 그냥 두고 지나쳐 버릴 수도 없는 일이고 해서 어쩔 수 없이 업고 병원으로 가곤 했다. 기도하여 나으면 10분이면 끝날 일이지만 병원으로 데려가면 여간 힘든 일이 아니었다. 그렇다고 돈이라도 있으면 돈 내고 치료하겠는데, 돈 없는 환자를 병원으로 데려가 치료 받기란 정말 어려웠다. 그렇게 무료 환자를 늘상 병원으로 데려가니 나중에는 병원 의사들이 나를 보길, 마치 송충이 보는 듯한 눈길이었다. 그리고 나를 곁눈질하며 자기네들끼리 수군댔다.

"저 사람 환자 브로커인가 봐. 저렇게 해서 뜯어먹고 사는가 봐."

그때나 지금이나 나 자신은 기도하여 병을 고치는 능력이 없는데도 두레마을 공동체 안에서는 치유의 역사가 종종 벌어지고 있다. 그래서 나는 하나님의 치유 능력이 내 개인을 통해서는 나타나지 않으나 내가 속한 공동체를 통해 나타나는 것이라고 생각한다. 그래서 두레마을 공동체는 치유공동체다.

지금 두레마을에서 가족으로 함께 살고 있는 D군이 있다. 원래 목사의 아들인 D군은 두레마을에 들어왔을 때 중증의 마약 중독자였다.

목사인 그의 아버지가 울먹이며 나에게 아들을 돌봐달라고 부탁했다. 자신이 가정 목회를 잘못하여 아들이 마약 중독자가 되었는데, 치료센터에 세 번이나 들어갔고 교도소에도 두 번이나 다녀왔으나 회복될 기미가 없다고 했다. 동료 목사의 처지가 딱하긴 했으나 어떻게 할 엄두가 나지 않았다.

"목사님, 이런 중독자는 전문 기관으로 가서 치료를 받아야지 두레마을에서는 곤란합니다. 우리 마을에는 정신과 의사도, 전문 상담가도 없습니다. 그냥 보통 사람끼리 모여 노동하며 살아가는 마을입니다. 아드님은 전문 치료 기관에 맡기십시오."

"말씀 마십시오. 김 목사님. 전문 기관에 왜 안 갔겠습니까? 전문 치료기관에 세 번씩이나 갔었지만 소용없습니다. 다른 도리가 없어 그러니 목사님께서 내 아들을 그냥 데리고 있어 주시기만 해도 제게는 큰 도움이 되겠습니다."

"알겠습니다. 정 그러시다면 보내십시오. 다시 말씀드리는데 우리가 데리고는 있겠으나 기대는 마십시오."

"고맙습니다. 어떻든지 우리 아들 사람 구실하게만 이끌어 주십시오."

이런 대화가 오간 후 열흘 지나서 D군이 두레마을로 왔다. 처음 그가 왔을 때는 영락없는 폐인이었다. 본래 인물은 잘생긴 젊은이가 마약에 절고 절어 꼴이 말이 아니었다.

그가 측은해 돕고 싶은 마음이 솟았다. 그를 고추밭으로 데려가서 밭매는 요령을 가르쳐줬다. 고추밭을 맬 때는 잡초를 뽑고, 이랑 바닥

의 흙을 호미로 끌어다 고추 포기를 북돋우고, 이랑 곳곳의 흙을 호미 끝으로 쪼아 공기와 수분이 뿌리로 잘 통하도록 도와주어야 한다며 밭 매기 요령을 일러주었다. 그러면서 그에게 말을 걸었다.

"이 사람아, 자네는 아버지가 목사고 인물도 멀쩡한 데다 어릴 때는 공부도 잘했다던데, 그래 약을 먹으려면 신약, 구약을 먹지 왜 마약을 먹었나? 자네 아버지가 세일즈하는 신약이 약효가 없던가? 내가 자네에게 한가지 충고를 하겠는데, 앞으로 약을 먹으려면 구약, 신약을 먹지, 몸에 해로운 마약일랑 먹지 말게. 민주주의 사회는 자유니까 자네가 약을 먹는 것은 못 말리겠는데, 골라 먹게. 이제부터는 마약은 해로우니까 그만 먹고 대신에 신약, 구약을 먹게."

내가 그렇게 말하는 동안 그는 아무 소리 없이 호미로 밭이랑의 흙을 쪼아대고만 있었다. 가만히 보니 그는 호미 끝으로 고추 포기를 쪼아 상하게 하고 있었다. 더운 여름 한낮에 밭매기를 시키는 것이 불만스러워 사보타주하는 것이었다. 그런 심사가 느껴져 부드럽게 말했다.

"이 사람아, 고추 포기를 그렇게 상하게 하면 금년 고추 농사 헛농사가 되는 거 아닌가? 그렇게 하지 말고 고추 포기에 흙을 끌어모아 북돋워주게. 자네 심사야 사납겠지만 고추가 뭔 죄가 있겠나."

그렇게 타일렀더니 얼마가 지난 후에 그가 볼멘소리로 입을 열었다.

"김 목사님."

"왜."

그렇게 나를 불러놓고도 그는 아무 소리 없이 호미질만 계속하고 있었다.

"이 사람아, 사람을 불렀으면 말을 해야지 할 말이 있으면 주저하지 말고 하게나. 사나이가 화끈해야지, 그렇게 할 말 안 하고 쭈뼛거리고 있는 게 아냐."

"김 목사님, 날 이렇게 강제노동시켜도 되는 거예요? 이렇게 일 시키고 일당을 얼마나 줄 거예요?"

노동의 대가로 일당을 얼마 줄 거냐는 말에 나는 웃음이 나왔다. 그래서 일러줬다.

"뭐시라고. 일당을 얼마 주느냐고? 그럴 땐 한국말로 뭐라 카는 줄 아나? 주제 파악을 하라 칸다."

"주제 파악을 하라니요?"

"그래, 그 말이 맞잖나? 자네 스스로 생각해 봐라. 자네의 노동력이 얼마나 된다고 일당을 생각하는가? 자네 하나 돌보느라 두레마을 식구들이 얼마나 고생하고 있는지 모르겠나? 일당을 받으려면 내가 자네에게서 받아야지 자네가 왜 받아? 정신 차려!

두레마을이 자네에게 왜 노동을 시키는지를 말해주지. 이걸 바로 '노동요법' 이라고 하는 거야. 음악으로 심신이 병든 사람을 치료하는 것을 뮤직 테라피(music therapy, 음악요법)라 이르고, 도자기를 굽거나 그림을 그리는 등의 예술 활동으로 환자를 치료할 때를 아트 테라피(art therapy, 예술요법)라 이르듯이, 노동으로 환자를 치료할 때는 워크 테라피(work therapy, 노동요법)라 하는 거다. 자네가 잡된 마음을 버리고 열심히 땀 흘려 일하면 자네 몸속의 마약 기운이 땀으로 빠

져나가는 거고, 또 삐뚤어졌던 자네 인격이 제자리로 돌아오는 게야. 그러니 딴맘 먹지 말고 열심히 노동에 몰두하게. 그것이 자네가 회복할 수 있는 유일한 길이야. 내 말 알아듣겠는가?"

그렇게 다그쳐도 그는 내 말이 귀에 들리지 않는다는 듯 불손한 태도를 바꾸지 않았다. 그 뒤로도 한참 동안 그의 태도가 별반 달라지지 않았다.

마약 중독은 참 무서웠다. 밤중에도 마약을 하고 싶은 생각이 간절해질 때면 마치 짐승처럼 소리를 질렀다. 한밤중에 그가 "우와~" 하고 지르는 소리는 사람 소리가 아니라 마치 흉악한 짐승의 소리처럼 들렸다. 그리고 속에서 끓어오르는 광기를 스스로 감당치 못해 자기 주먹으로 벽을 쳐서 팔을 부러뜨리기도 했다. 광기가 얼마나 심했으면 자기 팔을 부러뜨렸을까 하는 생각이 들어 그가 불쌍하고 측은했다.

나는 그가 그렇게 발작할 때마다 등을 토닥거리며 위로했다. 또 그의 두 손을 잡고 기도했다.

"너 힘내라. 이 고비를 이기지 못하면 넌 일어설 수 없다. 이 고비를 극복하고 이겨나가야 네가 사람 구실 하게 되는 거다."

그런 중에도 세월은 흘러 그가 두레마을에 들어온 지 다섯 달이 지난 때였다. 하루는 서울에서 모임을 마치고 밤 열한 시가 지나 마을로 들어왔더니, 마을 뒷산 소나무 숲에서 누군가 소리 높여 울고 있었다. 나는 의아스러워 식구들에게 물었다.

"누가 저리 우냐?"

"미스터 마약이 울고 있습니다."

"으응, 미스터 마약이 왜 울어? 싸웠냐?"

"아뇨. 싸움은 누가 싸움을 합니까?"

"그럼 한밤중에 왜 저래 울어?"

'회개의 영이 역사하셔서요. 사흘 전부터 저렇게 밥도 안 먹고 잠도 안 자고 울고만 있습니다."

나는 그 말을 듣고 '이제 되었구나, D군이 이제는 제 길을 찾아 사람 구실 하게 되었구나!'하는 생각이 들었다. 예수 그리스도의 영이신 성령께서 우리 마음에 임하여 잘못 살았던 세월을 회개하게 할 때 회개의 영이 역사한다고 일컫는다.

그가 마약에 사로잡혀 사람 구실 못하고 살아왔는데, 성령이 이제 친히 그의 심령에 임하여 새롭게 해주시니 새로운 삶을 시작할 수 있겠구나 하는 생각이 들었다.

그때까지 길 잃고 병든 그의 영혼을 아무도 바로잡아주지 못했다. 그의 아버지가 목사였어도, 김진홍 목사가 곁에 있었어도 그를 어떻게 도와주지 못하였다. 그러나 성령께서 친히 그의 마음에 임하여 그를 감동시켜 준다면 그는 새로운 사람이 돼 새로운 삶을 살아갈 수 있으리라는 생각이 들었다.

나는 그가 울고 있는 뒷산 소나무 숲으로 올라갔다. 그는 소나무 그루터기를 안고 사흘 동안 몸부림치며 울부짖었던지라 옷은 흙범벅이 되고 눈은 붓고 목은 쉬어 기진맥진한 상태였다. 그런 모습으로 그는 계속 기도하고 있었다. 기도라기 보다는 울부짖는 울음이었다.

"예수님, 이 죄인을 용서해 주십시오. 어리석게 살아온 이 몸을 용

서하여 주시옵소서. 죽을 죄인을 받아주시옵소서."

그는 그렇게 소리 지르며 기도를 드리고 있었다. 나는 그런 그가 기특해서 등을 두드리며 격려했다.

"힘내라. 이젠 됐다."

나는 지난 세월 그릇되게 살았던 삶을 눈물로 회개하고 있는 '미스터 마약'을 진심으로 격려해 주었다.

"너 참 고맙다. 회개할 수 있다는 것이 은총이다. 철저히 회개하고 새출발하는 거다."

나는 그의 어깨를 토닥거려주다가 두 손을 맞잡고 기도해 주었다.

"하나님, 이 젊은이에게 베푸시는 은총에 감사드립니다. 회개하는 기회를 주심을 감사드립니다. 철저히 회개하고 새사람이 되어 새출발할 수 있게 인도하여 주시옵소서."

그는 일주일 동안 애통해하며 회개의 기도를 드리고 나더니 그 후 변화되었다. 무엇보다도 인상이 달라지기 시작했다. 눈길이 순해지고 얼굴에 부드러운 기색이 감돌았다. 또 사람이 겸손해지고 일하기를 즐겨 했다. 양계 파트에 배치했더니 궂은 일을 마다하지 않고 잘 견뎌내고 있었다. 지난날에 비하면 완전히 딴 사람으로 바뀐 셈이었다.

하루는 같은 부서에서 일하는 일꾼 한 명이 내게 와서 말했다.

"목사님, 미스터 마약을 불러다가 좀 뭐라케 주시라요."

"이 사람아, 좋은 이름 놔두고 왜 자꾸 미스터 마약이라고 부르는가? 그 친구가 날 때부터 마약 한 것도 아니고, 과거에 좀 하다가 이제 좋아졌잖은가? 앞으로는 그렇게 부르지 말고 이름을 부르게나."

"예, 알겠습니다. 이름을 부르지요."

"그건 그렇다 치고. 그 친구가 어때서? 뭔 사골 쳤는가?"

"사고 친 건 아닌데요."

"그럼, 뭔 일로 그러는가?"

"예, 연애를 하고 있습니다."

"그으래? 그거참 잘됐네. 연애하면 좋은 거 아이가."

"목사님, 그게 그냥 좋은 일이라고만 할 일이 아니잖습니까?"

"왜 존일이 아닌가? 나이든 처녀 총각이 수녀나 신부 될 것도 아닌데 데이트를 해야제."

"하지만 처녀가 아깝잖아예."

"자네 지금 무슨 소릴 하고 있는 겐가? 처녀가 아깝다니?"

"그렇잖습니까? 그 순진한 처녀가 마약쟁이하고 어울려서야 되겠습니까?"

"아하, 뭔 소린지 알겠구먼. 순진한 아가씨하고 마약쟁이하고는 안 어울린다 이거지. 도대체 아가씨는 누군데?"

"예, 경남에서 온 미스 박이라고 있잖아요?"

"그래, 그 예쁜 아가씨 말이지."

"그래요. 그렇게 착하고 예쁜 아가씨가 그런 건달하고 어울려서야 되겠습니까?"

"뭐이라고? 혹시 자네 질투하고 있는거 아이가."

"질투하다니요?"

"자네가 그 아가씨를 눈독 들이고 있는데 딴 사람하고 데이트하니

까 샘이 나서 그러는 거 아니냔 말이야."

"그렇게 뒤집어씌우지 마시구요."

"내가 보기엔 그런 것 같은데, 안 그러면 왜 넘 좋은 일에 자네가 나서서 초를 치려는겐가? 옛말에 동냥은 안 줘도 쪽박은 깨지 말랬다고, 자네 도와주지는 못할지언정 파토 내질랑 말게. 그리고 그 친구가 한때는 마약도 하고 깡패 노릇도 했다지만 지금은 얼마나 잘해보려고 애쓰고 있는가? 자네들이 곁에서 도와주어야지, 그렇게 부정적인 시각으로 봐서야 쓰나? 사람은 여러 번 바뀌는 거라네."

"나 참, 목사님이 이러실 줄 알았어요. 목사님은 만사를 좋게만 보시니까요. 목사님께 이런 말 하는 내가 멍청이지. 나 그만 갈라요."

"그래, 자네 말은 내가 알아들었어. 좌우지간 그렇게 신경 써주는 건 고마운 일일세. 그러나 다시 한번 말하겠는데, 자네가 둘 사이에 초치는 일은 하지 말게."

그날 오후 나는 미스 박을 불렀다. 양계장에서 계란을 닦고 있던 그녀는 앞치마를 두른 채 서재로 왔다.

"목사님, 저를 보자고 하셨습니까?"

"그래, 둘이서만 하고 싶은 말이 있어서 불렀다."

"아이고, 떨리네요. 뭔 일로 그러세요?"

"자네 요새 데이트 한담시러?"

"데이트라니요?"

"그래, 데이트지. D군하고 사귀고 있다던데. 두레마을 사람들이 다 알고 있는데 나 혼자만 몰랐던 것 같은데."

"데이트랄 것은 없고요, 같은 부서에서 일하고 있으니까 좀 가까이 친구처럼 지내는 정도예요."

얼굴을 붉히며 말하는 폼이 이미 친구 사이를 넘어 깊은 관계인 듯했다. 나는 그녀가 부담 갖지 않게 하려고 소탈하게 일러주었다.

"아, 그래? 친구 사이로 사귀다가 애인이 될 수도 있는 거니까 부담 갖지 말고 마음 놓고 사귀게. 그런데 친구든 애인이든 사귀는 건 좋은데, 내가 자네에게 한 가지 부탁이 있네. 부탁이라기보다 주의를 준다는 게 더 좋을 것 같군."

"예, 목사님, 무슨 말씀이신지요?"

"다름 아니라 데이트하더라도 정상적으로 품위 있게 하라는 거야. 괜스레 둘이 산으로 깊이 들어간다든지 보리밭으로 들어간다든지 하는 일이 없도록 하라는 게야."

"예? 산이나 보리밭에 들어가지 말라구요?"

"그래, 자네도 그 말을 알아들을 나이가 되었으니 하는 말이네. 남자들은 성질이 급하니까 자네가 알아서 잘 처신해야 하네. 천하만사에는 다 절차가 있는 법이야. 괜스레 속도위반해서 결혼식도 올리기 전에 치마가 들썩하게 해선 안 되는 기야. 자네 알아듣겠나?"

"호호, 목사님도 참 별말씀을 다 하시네요. 제가 그런 것도 모르는 어린앤가요?"

"글쎄, 자네는 알아서 한다지만 남자들은 알아서 하지 못하는 성질들이니까 자네에게 주의를 주는 게야."

"목사님, 넉넉히 알아들었습니다."

"그럼, 됐네. 그리고 그 녀석이 한때는 험하게 지냈다지만 근본 심성은 착하더라고. 그러니 자네가 도와주게."

이렇게 두 사람이 사귀기 시작하더니 드디어 결혼식을 올리는 데까지 발전했다. 두레마을 결혼식은 푸짐하고 넉넉하다. 돼지를 잡고 지짐을 부치고 해서 푸짐한 잔칫상이 차려진다. 식장에서는 농악대가 풍악을 울리고 마을은 잔치 분위기로 떠들썩해진다. 나는 주례를 맡아 주례사를 했다.

"오늘의 이 결혼식은 신랑 신부 당사자들은 물론이려니와 우리 두레마을 전체로서도 뜻깊은 결혼식입니다. 특히 신랑으로 말하자면 병들었던 마음으로 두레마을에 들어와서 예수님 만나 건강 얻고 거기에다 평생의 반려자인 아내까지 만나게 되었으니 얼마나 기쁜 일입니까? 우리 마을로서도 이런 열매를 거두게 되었으니 얼마나 보람 있는 일입니까? 신랑신부 둘이 한 몸을 이루어 낮에는 농장에서 생산성을 높이고 밤에는 자녀 생산을 부지런히 하여 두레마을을 번영케 하는 일에 기여할 수 있기를 바랍니다."

내가 우스갯소리를 담은 주례사를 하였더니 좌중에서 "아멘" 하는 소리가 터져 나왔다.

"아니, 신랑신부 본인들이 아멘 해야지 구경꾼들이 아멘 하면 어쩐다요!"

내 말에 좌중이 와 하고 웃으면서 "그래도 아멘"을 외쳤다.

지금 신랑은 두레마을에서 견실한 일꾼으로 살아가고 있다. 하루는 그의 지난날이 생각나서 그에게 물었다.

"자네 요즈음 아주 착실한 일꾼인데, 옛날엔 왜 그렇게 말썽 피우며 살았나?"

"그땐 제가 멍청했지요. 물론 제가 못나서 그랬지만 전 가끔 아버지를 원망합니다."

"뭣이? 아버지를 원망한다고? 목사님 아버지 말이냐?"

"그렇습니다요."

"아니, 목사 아들이 목사 아버지를 왜 원망해?"

"제 아버지가 목사로서 교회 일을 얼마나 열심히 하시고 교인들에게는 얼마나 존경받으시는지 모르겠지만, 자녀들에겐 너무 했습니다. 저는 이 나이가 되도록 아버지하고 따뜻한 대화를 나눠 본 기억이 없습니다."

"자네 말을 들으니 나 자신이 돌아봐지는구먼. 그건 자네가 이해해야 하네. 목사직이 얼마나 바쁘고 긴장이 쌓이는 자리인지, 아버지로서 자녀들이나 가정을 돌볼 정신적이고 시간적인 여유가 없다네. 자네 어른만 그런 게 아니고 목사 세계 거의가 다 그렇다네."

"이해할 듯하면서도 납득은 되지 않습니다. 그리고 제 아버지는 절 도무지 인정하시지 않았습니다. 초등학교 때부터 가졌던 한 가지 소원이, 어떻게 하면 아버지께 인정받는 아들이 될까 하는 것이었습니다. 그래서 아버지께 한번 인정받아 보겠다고 마음으로 다짐하고 아버지께 가서 무슨 말을 하면, 아버지는 대뜸 '네까짓 게 뭘 알아. 네 앞이나 잘 감당해. 너 땜에 이 아버지 목회에 얼마나 지장이 있는지 알아? 사사건건 말썽만 피우는 녀석이' 하는 식으로 절 윽박지르곤 했지

요. 그래서 친구들하고 재미있게 놀다가도 아버지가 인상 쓰는 얼굴이 떠오르기라도 하면 갑자기 몸에 기운이 쑥 빠지고 멍해지곤 했습니다. 그 점에서 아버지는 해도 너무했지요. 목사님, 아버지에게 인정받지 못하는 아들의 슬픔을 아시겠습니까? 목사님은 모르실 겁니다."

그는 우울한 표정으로 한숨을 쉬었다. 그의 말을 들으며 나는 심각해졌다. 목사가 교회 일을 아무리 열심히 해도 처자식을 제대로 돌보지 않으면 심각한 문제가 생긴다는 점을 절실히 느꼈다.

그날 저녁 두 아들을 서재로 불렀다. 공부하고 있던 두 아들이 와서 물었다.

"아버지, 부르셨습니까?"

"그래."

"왜요?"

"딴 기 아니고 오늘 저녁엔 우리 삼부자가 대화를 좀 하려고 불렀다."

"아버지, 공부해야 하는데요."

"공부해야 하는 줄은 아는데, 공부보다 더 중요한 것이 있다. 부자지간에 대화하는 거다. 너희들 D형 알제. 그 형 아버지가 목사잖니? 그 목사님이 나처럼 매우 바쁜 분이셨던가 봐. 그래서 부자지간에 대화를 못 하여 그 형이 마약쟁이가 됐대. 나도 바쁘답시고 너희들과 대화를 못 해서 너희들이 나중에 잘못되면 어떡하니? 그야말로 심각한 일이잖니? 그래서 오늘은 나도 하던 일을 미루고 너희도 공부 멈추고 부자간에 대화하는 거다."

"아버지, 그럼 대화 빨리 끝내주세요."

"얘야, 대화를 어떻게 빨리 끝내니. 시간 정해놓고 빨리 끝내는 건 대화가 아니야. 시간을 잊은 채 마음에 여유를 갖고 이런저런 이야기를 허물없이 나누는 것이 대화야."

나는 아내에게 차를 끓여오라 이르고는 모처럼 세 부자가 마주 앉아 대화하는 시간을 가지려 했다. 그러나 평소에 안 하던 대화가 갑자기 잘될 턱이 없었다. 김이 모락모락 나는 찻잔을 앞에 두고 세 부자가 마주 보고 있노라니 도무지 할 말이 없었다. 하도 분위기가 어색하고 갑갑해서 내가 입을 연다고 한 것이 엉뚱한 말이 나왔다.

"밥 묵었나?"

"예."

서로가 한마디씩 주고받은 후 또 말이 끊어졌다. 갑갑하여 다시 입을 열었다

"아버지한테 할 말 없니?"

"없어예."

두 녀석 입에서 한꺼번에 할 말이 없다는 대답이 나왔다. 나는 하는 수 없이 그들에게 말했다.

"가서 공부해라."

이것으로 끝이었다.

7 자주 뽕 가는 건 아니구요

자주 뽕 가는 건 아니구요

나는 평소에 교인들에게나 주위 사람들에게 대화의 중요성에 대해 가르쳐왔다. 특히 집안의 가장이 가정을 대화하는 분위기로 이끌어야 건강한 가정이 된다고 강조해 왔다. 그러나 그렇게 가르치면서도 막상 나 자신은 실천하지 못하고 살아온 셈이다. 말하자면 이 점에서는 언행이 일치되지 못했다고 하겠다.

공동체가 제대로 유지 발전하는 데 필수적인 것이 대화다. 식구들 사이에 대화가 막힌 공동체는 이미 공동체이기를 포기한 집단에 지나지 않는다. 공동체 중에 가장 기본이 되는 것이 바로 가정이요 교회다. 그런데 요즈음엔 가정에서 대화가 끊어지고 교회에서 대화가 막혀 있다. 거기서 숱한 문제들이 생겨난다.

실제로 두레마을에는 길 잃은 청소년이 숱하게 찾아온다. 가출한 청소년들, 퇴학당한 청소년들, 자퇴한 청소년들이 일주일에도 몇 명씩 꼭 찾아온다. 나는 그들과 대화하는 중에 묻곤 한다.

"너희들 좋은 집 두고 왜 거리를 헤매는 거니? 그 나이에 아버지 어머니 밑에서 보호받으며 편안하게 지내지, 왜 가출하고 퇴학을 당하고 문제아들이 되어 이렇게 헤매고 다니니?"

이렇게 물으면 그들의 대답은 한결같다.

"목사님도 저희 부모나 선생님과 똑같은 말을 하시네요. 부모 밑에서 편히 지내지 않고 왜 집을 나왔느냐고요? 우리가 뭐 사육되고 있는 강아지나 집토낀가요? 우리도 인격을 지닌 인간이라고요. 우리에게 필요한 건 세끼 밥과 용돈이 아니라구요. 우리에게 필요한 건 우리와 대화해 주는 사람들이라고요. 우릴 사람으로 대해 주고 인격자로 대해주는 부모와 스승이 필요하다구요."

1997년 어느 날, 여고 2학년 학생이 아버지 어머니 손에 이끌려 마을로 왔다. 사연을 들은즉 딱하기가 그지없었다. 무슨 이유가 있었던지 가출했던 그 딸을 부모가 일 년여 만에 겨우 찾아냈는데, 그땐 벌써 임신한 지 7개월이 지난 뒤였다 일 년여를 애태우다 겨우 찾아낸 딸의 부풀어 오른 배를 보고는 억장이 무너진 부부가 어찌할 바를 모르고 허둥대다가 한 친지의 소개를 받고 두레마을을 찾게 되었다.

서재로 안내 받아 들어온 부부는 딸을 옆에 두고 번갈아 가며 신세타령을 했다 먼저 어머니가 말했다.

"저 아이가 애비를 닮아 끼가 있어서 저 꼴이 된 기라예. 목사님, 애가 애를 배고 있으니 우째야 될까예~. 너 나하고 같이 죽자."

아내의 말에 이어 남편이 질세라 끼어들었다.

"조것이 콩만 한기 지 에미를 닮아 겁없이 집 나갔다가 애를 다 배

고, 애비가 누군지도 모르는 씨를 뱃속에 담고 있으니, 우리 집구석은 이제 망한 기지요."

나는 그들 부부가 참으로 한심해 보였다.

"내가 볼 때는 둘 다 닮은 것 같네요. 서로 엄마 닮았다, 아빠 닮았다 할 게 아니고 무슨 대책을 세워야지요. 두 분께서 딸을 살리려면 그렇게 나무라기만 해선 안 됩니다. 일단 딸 입장을 이해하고 아이 편에서 생각을 해보셔야지요. 저 나이에 엄마, 아빠 밑에 있지 않고 오죽 답답했으면 집을 나갔겠습니까?"

고개를 푹 숙이고 앉아 있는 소녀 쪽을 보니 소녀의 눈가에 눈물이 비치고 있었다. 나는 소녀의 눈에 비치는 눈물을 보고 이 소녀는 아직 희망이 있구나 생각했다. 대체로 그럴 경우 눈물을 흘리는 것 자체가 자신의 잘못된 길을 반성하고 새롭게 변화할 수 있다는 희망을 보여주는 조짐이 된다. 말하자면 요즘 흔히 쓰는 말로 감성지수(EQ)가 살아 있다는 증거가 되기 때문이다. 아직 자신이 잘못 걸어온 길을 돌이켜 새롭게 될 수 있는 정서적인 바탕이 살아있기에 희망이 있다고 여기는 것이다. 반면에 눈알이 반질반질하게 메말라 있는 경우에는 이미 희망이 없는 상태라고 볼 수 있다.

나는 소녀가 눈물을 글썽이고 있기에, 아직 순수한 정서가 남아 있어 잘 돌보면 새출발을 할 수 있을 것 같다는 희망이 생겼다. 그래서 그녀의 부모에게 딸을 두레마을에 맡기고 집으로 돌아가라고 말했다. 그리고 치유원 담당자를 불러 그녀에게 방을 배치해 주라고 일렀다.

다음 날 집회 인도차 외출했다가 나흘 만에 돌아왔더니 그녀와 한방을 쓴다는 아가씨가 찾아와 말했다.

"목사님, 저는 지난주에 온 향이와 같은 방에 있어요."

"응~. 향이가 누구지?"

"목사님, 잊어버리셨어요? 지난주에 부모와 같이 왔던 여고 2학년짜리 있잖아요."

"아, 그래 걔가 향이로구먼. 그래, 그 애가 잘 있니? 네가 좀 도와주지. 지금 도움이 아주 필요한 때인 것 같던데."

"예, 있긴 잘 있는데요. 좀 이상해요."

"그래? 좀 이상한 건 이해를 해야지. 그 나이에 그런 일을 당했으니 어째 말짱하겠니?"

"그렇게 이상한 게 아니고요."

"너 참 어렵게 이야기하는구나. 어떻게 이상한 데 그러니?"

"예, 목사님 사진을 한 장 구해서는 책상 앞에 붙여두고 밤에 잘 때 사진 앞에 가서 '김진홍 목사님, 밤새 안녕히 주무세요'라고 인사하구요. 아침에 일어나자마자 또 사진 앞에 가서는 '김진홍 목사님, 밤새 안녕히 주무셨나요' 하고 인사드리곤 합니다."

"아니, 뭐이라고? 그거참, 징그럽구나. 걔가 날 짝사랑하는 것도 아니고 무슨 일이지? 내가 유부남인 줄 알 텐데 뭐 땀시 그러지?"

"그러니까 이상하다는 거 아닙니까!"

"그래, 참말로 이상하긴 하구나. 왜 그라는지 불러서 물어봐야겠구나."

"목사님이 직접 물어보세요."

"그래, 내가 오늘 낮에 불러서 한 번 물어볼게."

그날 오후에 나는 그 학생을 불렀다.

"목사님, 부르셨어요?"

"그래, 좀 궁금한 일이 있어 불렀다. 너 이름이 향이라 했지? 그런데 넌 인사성이 있다면서?"

"무슨 말씀이신지요?"

"들으니, 네가 내 사진을 한 장 구해서 책상엔가 붙여두고 아침저녁으로 인사한다던데?"

내 물음에 그녀는 얼굴이 빨개지더니 대답했다.

"예, 그랬습니다. 목사님, 죄송해요."

"아니, 죄송하다 할 것까지는 없지만, 왜 그렇게 하는지 궁금해서 물어보는 거다."

"제가 하도 답답해서요. 목사님께 상담 좀 하려고 목사님 서재로 갔더니 목사님은 안 계시고 책상 위에 목사님 사진이 있기에 허락도 안 받고 가져왔습니다. 목사님, 죄송합니다."

"그래, 사진 가져간 건 괜찮다만, 왜 사진에 인사하는 거니?"

"목사님, 제가 엄마 아빠랑 같이 목사님 만나러 왔을 때 목사님이 우리 엄마 아빠께 하신 말씀 기억나세요? 목사님은 잊어버리셨겠지만, 저는 그 말 한마디에 뿅 가버렸어요."

"그래? 내가 무슨 말을 했기에 뿅 갔니? 평소에도 자주 뿅 가니?"

"아녜요. 자주 뿅 가는 건 아니구요. 목사님이 그러셨잖아요. 내가 집 나가서 애 배고, 엄마 아빠가 집이 망했다고 할 때 목사님께서 '애를 살리려면 자꾸 그렇게만 말하지 마세요. 오죽했으면 가출했겠어요' 라고 말하셨잖아요."

"그래, 그 말 한 기억이 난다. 내 말이 맞잖니. 네 나이에 엄마 아빠 밑에 있으면 편할 텐데 오죽이나 답답했으면 집을 나갔겠냐? 그렇게 집 나가서 얼마나 고생했니?"

"목사님이 그렇게 말해주셔서 제가 눈물이 났어요. 전 어른들에게 그런 말을 듣고 싶었다구요. 그런데 그런 말을 해주는 어른이 아무도 없었어요. 정말 누군가와 대화하고 싶었어요. 어느 때는 강아지하고라도 말을 나누고 싶었어요. 목사님, 제가 왜 가출했는지 아세요?"

"글쎄. 난 모르겠다. 무엇 때문에 집을 나간 거니?"

"안 미치려고 가출한 거예요. 제가 가출한 짓이 잘했다는 건 아니구요. 그때 가출 안 했으면 틀림없이 미쳤을 거예요."

"미쳤을 거라고? 어지간히 힘들었던 게로구나. 그렇게까지 말하는 걸 보니."

"예, 힘들었어요. 엄마는 나만 보면 공부하라는 말만 하지요. 우리 엄마는요, 공부 귀신 들린 여자예요. 날 보기만 하면 공부, 공부하니 나중엔 엄마 얼굴만 봐도 머리가 지끈지끈 아프더라구요. 그런데다 아빠는 밤늦게 술 먹고 들어와서 소릴 지르지요. 난 대학 갈 마음도 없는데, 학교에 가면 아침 여덟 시부터 저녁까지 책상에만 앉아 있으라고 하지요. 같이 놀아 줄 친구도 없지요. 정말 미치겠더라구요. 그래서 안 미치려고 가출했던 거예요."

"그래? 네 말을 들으니 조금은 이해가 가는구나. 그래, 가출해서는

어떻게 지냈니?"

"어른들은 해도 너무해요. 다방에서 일했는데요. 나는 심부름만 하면 되는 줄 알았는데 그게 아니었어요. 아빠 나이 되는 어른들이 날 영계라고 하면서 주인아줌마에게 몇십만 원씩 주고 자자고 그러고요, 같이 안 자려고 하면 막 때리고요, 그러다가 난 누구 씨인지도 모르는 애기를 뱄어요."

"아이구야, 남자들이 참 죄가 많구나. 너 같은 어린 소녀를 어떻게 데리고 자니."

"고민하다가 병원에 갔을 때는 이미 떼기는 늦었다고 하더군요. 목사님, 전 어쩜 좋지요? 저 같은 사람은 죽어야겠지요? 죽는 거 외엔 다른 길이 없을 것 같아요."

나는 그녀의 말을 들으며 참 불쌍하다는 생각이 들었다. 그녀만 불쌍한 것이 아니라 이 땅의 청소년 모두가 불쌍하다. 이 사회는 어른들 모두가 작당하여 청소년들을 망가뜨리는 일에 열중하고 있다. 그래서 그리스도의 교회가 해야 할 일은 저렇게 아파하는 영혼 한 사람 한 사람을 넓은 가슴으로 품어주는 것이라고 생각했다.

나는 이런 청소년들을 만날 때마다 '참으로 험한 세상이로구나' 하는 탄식이 절로 나온다. 그리고 생각한다.

이렇게 병든 세상을 어떻게 하면 고쳐나갈 수 있을까? 이렇게 소리 없이 썩어가는 사회를 어떻게 건강한 세상으로 바꿔 나갈 수 있을까? 서로가 서로를 짓밟는 세상을 어떻게 하면 더불어 함께 살아가는 세상으로 변화시켜 나갈 수 있을까?

예수 그리스도를 이장으로 모시고 있는 두레마을 역시 이런 일을 위해 존재하는 것이란 생각이 들었다. 그래서 두레마을은 다른 일을 하려 들지 말고 이런 소년 소녀들을 정성스레 돌보아 형님이 되어주고, 언니가 되어주고, 어머니가 되어주고, 아버지가 되어주는 일이 큰일이라 여기고 노력해야 한다고 판단했다. 그리고 그런 일에 전심전력을 다하는 공동체 마을이 되어야겠다고 다짐했다.

공동체가 좋은 것은 치유 능력이 있고 회복시킬 수 있다는 점이다. 성직자 중에는 기도하여 환자를 낫게 하는 능력을 지닌 분들이 있다. 그런 능력을 교회에서는 '신유의 은사'라 부른다.

물론 그런 능력은 기독교에만 있는 것이 아니다. 불교에서 큰 스님이나 도를 깊이 닦은 수도자들에게도 그런 능력이 있음을 기록을 통해 알 수 있다. 원효선사나 서산대사 같은 어른들은 살아생전에 많은 병자들을 치료했던 기록이 남아있다.

한편, 길을 잃고 헤매던 청소년 중에는 공동체에 들어와 지내는 동안에 몸도 마음도 새로워져 새출발하는 경우가 많다.

한번은 서울에서 한 여학생이 찾아왔다. 7학군이라던가 8학군이라던가 좌우지간 서울에서 가장 좋다는 학군에 속한 고등학교 2학년생이었다. 어려서부터 공부라면 상위권에 들었다는 그녀는 고2가 되자 갑자기 공부에 흥미를 잃고 말았다. 대학도 싫고 집도 싫고 세상만사가 다 싫어져 어딘가 조용한 곳으로 가서 평생을 파묻혀 살고 싶어졌다. 그래서 두레마을로 왔다.

우리는 그녀를 두레마을 가족으로 받아들였다. 마을 할머니들의 등

을 긁어주고 세탁도 해주고, 낮에는 닭장에서 계란 줍는 일 등을 하며 섬기는 삶을 살아보라고 일러주었다.

처음 두레마을에 왔을 때는 쇠약한 몸에 웃음기 없는 얼굴이어서 못내 걱정스럽기만 하던 그녀가, 낮에 농장에서 땀 흘려 일하고 밤에는 할머니들 수발을 들며 지내더니 날로 달라졌다. 얼굴에 웃음기가 되살아나고 눈동자에 총명한 기운이 감돌았다. 두레마을에 들어온 지 열 달이 지난 어느 날 그녀는 내게 말했다.

"목사님, 저 공부하게 해주세요. 이제 공부하고 싶어졌어요."

"아니, 왜 골치 아픈 공부를 다시 하려고? 평생을 노동이나 하며 묻혀 살고 싶다더니 웬 공부냐?"

"여기 올 때는 그랬는데요. 이젠 생각이 달라졌어요."

"그래? 왜 달라졌는지 이유나 들어볼까? 그 이유가 궁금하구먼."

"별다른 이유는 없구요, 여기서 할머니들 시중도 들고 저보다 약한 사람들을 돕다 보니까요, 몸으로만 돕는 건 얼마 돕지 못하겠다는 생각이 들었어요. 사람을 제대로 도우려면 공부해서 전문 지식을 갖추어야 한다는 생각이 들었어요."

"그래? 그거참, 좋은 생각이구나. 그 생각이 맞다. 사람을 도우려면 실력을 길러야지. 고마운 생각을 했구나."

"그런데요, 목사님, 사람을 도우려면 어떤 공부를 하면 될까요?"

"응, 천천히 생각해 보자꾸나. 우선 생각나는 대로 말하자면 사회복지학이나 심리학 아니면 의학이나 간호학 이런 분야가 좋겠지. 넌 머리가 좋고 심성이 착하니까 뭘 공부해도 귀히 쓰임 받을 게야."

"목사님, 정말 그렇게 생각하세요? 절 위로하려고 하시는 말씀 아니고 진짜로 그렇게 생각하시는 거예요?"

"그럼, 넌 정말 좋은 그릇이야. 그렇기 때문에 이렇게 방황하다 제 길을 찾으면 그렇지 않았을 때보다 훨씬 더 잘해 나갈 거라 믿는다."

"목사님 말씀 들으니까 자신이 생기네요. 내일 서울 집에 가서 아빠 엄마께도 말씀드리겠어요."

"그래, 그렇게 하자. 그런데 다니던 학교에서 다시 받아줄지 모르겠구나."

며칠 후 학교를 찾아가 복학시켜 주기를 애원했으나 어림 반 푼어치도 없는 일이었다. 이미 빈 자리가 채워진 지 오래라면서 딱 잡아뗐다. 하는 수 없이 그녀를 영국으로 유학 보냈다.

그녀의 부모는 유학 비용을 감당하기가 벅찬 처지였기에 두레마을에서 일부를 담당하기로 하고 런던으로 보냈다. 그녀의 유학 성적은 예상외로 탁월했다. 방황하다 찾은 길이었기에, 말하자면 동기부여가 확고해서 대학에서 뛰어난 성적을 보였다. 고맙게도 지금은 옥스퍼드 대학에서 박사 과정을 밟고 있는 그녀는 소원대로 사회복지학을 전공하고 있다.

이렇게 두레마을에 들어와 치유된 예가 적지 않다. 박씨 부녀의 경우도 성공한 사례다.

1989년인가 몹시 춥던 어느 날, 박씨 부녀가 두레마을을 찾아왔다. 해그늘이 두레마을 뒷산 자락에 내릴 무렵 택시 한 대가 마을로 들어오더니 소녀 한 명이 내리고, 이어서 앉은뱅이 남자가 내렸다.

차에서 굴러떨어지듯 내린 그의 팔뚝에 보퉁이 하나가 들려 있었다. 택시가 돌아간 지도 한참이나 지났는데 그들은 마당 한 가운데에 우두커니 있었다. 어린 딸은 선 채로, 아버지는 앉은 채로였다.

마을 식구 중 한 명이 다가가 "어디서 어떻게 오신 분들이세요?" 하고 물었더니, 아버지가 아무 말 없이 봉투 하나를 내밀었다. 봉투 속에서 종이 한 장을 꺼내 읽은 그는 단걸음에 내게로 가져왔다.

'존경하는 김진홍 목사님께'라고 적힌 봉투에는 다음과 같이 쓴 편지가 들어 있었다.

> 예수님 같으신 목사님, 김진홍 목사님께 드립니다. 이 환자 부녀는 우리 기도원에서 지난 몇 달간 지낸 사람들입니다. 고혈압으로 쓰러져 앉은뱅이가 된 후로 부인은 가버리고 아버지와 딸이 우리 기도원에 몇 달간 머물러 있었습니다만 이곳에선 별 진전이 없기에 목사님이 계신 두레마을로 보냅니다. 목사님께서 갈 곳 없는 이들 부녀를 받아주실 줄로 믿고 보냅니다. 할렐루야!
>
> 00기도원 김00 올림

나는 이 편지를 읽고 두레마을 식구들에게 돌렸다. 마을 젊은이들이 편지를 읽고는 열을 받아 말했다.

"머시라고, 예수님 같으신 목사님이라고라. 저그가 예수하지, 왜 우리 대장더러 예수하라카노. 그냥 돌려보내자. 그 기도원은 암 환자도 감기 낫듯이 낫게 한다고 소문은 내놓고, 왜 앉은뱅이를 저그가 고치고 돌보지 우리한테로 보내노. 두말 말고 돌려보내는 기다."

두레마을의 젊은 친구 한 명이 이렇게 열을 내어 말하자, 소녀가 나서서 그의 옷자락을 잡으며 말했다.

"아저씨, 우릴 돌려보내지 마시라요. 우리는 갈 곳이 없어요. 어젯밤에도 길에서 잤어요. 아저씨, 제발 우릴 받아주세요."

소녀는 그렇게 말하고 울음을 터뜨렸다. 딸이 말하고 있는 동안에도 앉은뱅이 아버지는 그냥 맨땅에 앉아 고개를 숙이고만 있었다. 소녀가 그렇게 나오니 모두 입을 다물었다. 두레마을 식구들은 나를 닮아 눈물에 약한 것이 특징이다. 얼마 지나지 않아 식구 중에 누군가가 나지막한 소리로 말했다

"안 되겠다. 받아주자."

이 말을 받아 다른 편에서 말했다.

"그래, 받아줘야제. 갈 데 없다는 사람을 쫓아냈다가는 두레마을이 복을 받겄나. 목사님, 받아줍시다요?"

분위기가 이쯤 되자 내가 나서서 말했다.

"받아준다, 안 받아준다 결정하기 전에 어떻게 된 건지 사정부터 들어보자구. 아저씨, 그렇게 부처님처럼 앉아만 있지 말고 어떤 내력으로 여기까지 오게 되었는지 소상히 말해보세요. 어이, 우선 이라고 있을 기 아니고 따순 방으로 안내해서 요기부터 시키고 이야길 들어봅시다."

이렇게 해서 그의 사정을 들어보니 딱하기가 이를 데 없는 처지였다. 애초에는 남부럽지 않게 살던 그였으나 나이 사십에 고혈압으로

쓰러지고 말았다. 다행히 목숨은 건졌으나 다시는 일어서지 못하는 앉은뱅이 신세가 되고 말았다. 그렇게 되니 아내가 초등학교 5학년인 딸을 남겨둔 채 고무신을 거꾸로 신고 떠나버렸다. 이래저래 재산까지 다 날리고 알거지가 된 그는 병도 고칠 겸 호구지책으로 기도원에 갔다.

중풍 병자도 암 환자도 감기 떨어지듯이 뚝뚝 떨어지는 곳이란 소개를 듣고 기도원에 갔으나, 자신에게는 아무런 기적도 은총도 일어나지 않았다. 더러는 낫는 환자들도 있었으나 그냥 죽어 나가는 환자들이 훨씬 더 많았다. 다만 나았다는 사람들은 손뼉 치며 앞문으로 나가고 죽은 사람들은 조용히 뒷문으로 나가니, 산 사람은 많은 듯하고 죽은 사람은 눈에 띄지 않을 따름이었다. 박씨와 어린 딸은 일 년 가까이 그곳에 있다가 처지를 딱하게 여긴 어느 분 소개로 두레마을에 오게 되었다는 것이다. 두레마을을 소개하신 분은 '예수님 같으신 목사님께'로 시작되는 그 편지를 보낸 주인공이었다.

박씨의 이야기를 들은 식구들 입에서 나온 첫 마디가 이랬다.

"야~요즘 여자들 참 의리 없네. 허리에 힘 좋을 땐 같이 살고 앉은뱅이 돼서 힘 못 쓰니깐에 그냥 가버리는구먼. 우리도 그 꼴 안 당하려면 몸 관리 잘해서 허리 힘을 잃지 말아야제."

우리는 그들 부녀가 거할 수 있도록 따뜻한 방 한 칸을 내주었다. 그는 감격해서 눈물을 보이며 "고맙습니다, 고맙습니다"를 연발했다.

그런데 아직 두레마을에는 박씨와 같은 중증 장애인을 위한 시설이 갖춰져 있지 않아 식당이나 화장실에 갈 때마다 곤란하기 그지없었다. 어린 딸이 앉은뱅이 아버지를 부축하다가 때로는 넘어지기도 하고 이 때문에 화가 치민 아버지가 딸의 뺨을 때리기도 하며 소란을 떨곤 했다.

나는 그런 모습을 보고 일주일간 일본을 다녀왔다. 그런데 일본에서 돌아와 두레마을 마당에 들어섰더니 앉은뱅이 박씨가 마당에서 서서 다니는 것이 눈에 들어왔다. 꼭 디스코 발걸음처럼 보기에 좋을 만큼 잘숨잘숨 다리를 절며 마당을 돌고 있었다. 나는 신기하여 그에게 다가가 물었다.

"박씨, 이거 웬일이에요? 어떻게 서서 다니게 됐어요?"

"예, 목사님, 예수님이 날 이렇게 일어서도록 도와주셨어요. 너무나 감사합니다."

그렇게 말하며 그는 눈물을 훔쳤다. 나는 신기하기만 하여 자초지종을 말해보라고 했다.

"목사님, 지가요, 어린 딸 델꼬 길거리에서 얼어 죽는가 생각했지요. 근데 두레마을에서 받아주어 따순 방에서 따순 밥을 먹고 지내게 되니 정말 고마워 예수님께 감사기도를 드렸습니다. 그런데 기도하는 중에 허리에 힘이 오더라구요. 그래서 혼자 벽을 짚고 일어섰더니 되더구먼요."

"히야, 굉장하네요. 기도를 어떻게 드렸는데요?"

"그냥 감사하다고 기도드렸지요. 그라고 이렇게 고마운 두레마을이 잘되게 해달라고 기도드리고요. 또 도망간 마누라도 잘 되게 해달라고, 나보다 나은 신랑 만나 고생 안 하고 잘 살게 하늘이 도와달라고

기도드렸습니다. 전에는 마누랄 위해 그렇게 기도 안 했걸랑요. 어디 가서 벼락 맞아 디지뿌리라고 악담했지요. 그런데 두레마을에 와서는 그 마누라도 내한테 와서 고생했는데, 어디 가서든 잘 살게 해달라는 기도가 나오더구만요. 마누라를 위해 그렇게 기도하고 있는데 눈물이 쏟아지더라구요. 혼자 실컷 울고 나서 또 기도하고 있는데 마음에 기쁨이 생기고 허리에 힘이 솟기에 일어선 겁니다."

"박씨, 축하드립니다. 앞으로도 그렇게 기도하세요. 자신을 위한 기도 보다 남을 위해 그렇게 기도드리니 예수님이 기뻐하시는 게지요."

"아무렴요. 제가 이제 할 일이 뭐 있겠습니까. 두레마을을 위해서, 주위에 있는 어려운 사람들을 위해 기도나 드리며 사는 거지요."

곁에서 보는 사람도 이렇게 기쁜데 본인의 기쁨이야 오죽하겠는가? 저녁 모임 때 마을의 한 식구가 말했다.

"목사님, 두레마을이 히트했지요? 앉은뱅이 나았잖습니까!"

"응, 굉장한 일이지. 그런데 이 사람아, 그걸 밖에 나가서 소문 내지 말게. 두레마을에서 앉은뱅이가 일어섰다고 소문나면 큰일 난다네. 전국에 앉은뱅이가 1, 2백 명이겠는가. 본인이 기도하다가 스스로의 힘으로 일어선 건데 소문은 그렇게 안 나는 기라. 두레마을이 능력이 많아서 일으킨 것이라고 소문이 잘못 나봐. 앉은뱅이들이 몰려들면 우리는 방에 자고 그들을 마당에 재울 수 있겄냐? 우리가 복도나 마당에 나가 자야지. 그러니 절대로 그 소문을 밖에 내지 않도록 하세."

"아니, 목사님. 두레마을에서 누가 밖에 나가 소문내겠습니까? 목사님이나 밖에 나가 소문내지 마십쇼."

이 말에 온 가족이 와 하고 웃었다.

세월은 흘러 초등학교 6학년일 때 들어왔던 박씨의 딸은 이미 대학을 졸업하고 직장에 다니고 있다. 박씨는 여전히 디스코 걸음으로 걸으며 두레마을에서 한 자리를 차지하고 있다. 다른 사람 같은 노동력은 없지만 그래도 일꾼 한 사람 몫을 감당하고 있다. 이것이 공동체가 가지는 장점 중 하나다. 일반 가정이나 기업 같은 곳에서는 그가 할 일이 없겠지만 공동체에서는 자기 몫을 넉넉히 한다. 박씨가 하는 일은 다음과 같다.

두레마을에는 숱한 행사가 있다. 행사가 열릴 때마다 외부에서 오는 손님들을 맞이하는 것이 여간 큰일이 아니다. 두레마을은 서해안 바닷가의 외진 곳에 있어 방문객들이 찾아오기가 쉽지 않다. 서울 사당동이나 수원 버스터미널에서 버스를 타고 조암 종점에 내리면 두레마을 사람이 그들을 마을로 안내한다. 그 일이 박씨 몫이다.

면소재지인 조암 버스 종점에서 가슴에 띠를 두르고 서 있기만 하면 된다. "두레마을로 오시는 분들은 이리로 모이십시오"라고 쓴 가슴띠를 두르고 버스 종점에 서 있는 것이다. 두레마을 방문객들은 그 띠를 보고 주위로 모여든다. 10여 명이 모이면 마을에서 봉고차가 나가 그들을 태우고 온다. 박씨 같은 사람이 없으면 다른 건장한 일꾼이라도 나가서 해야 할 일이다. 그러기에 박씨 자신은 아무런 노동력이 없어도 이런 일로 한 사람 몫을 감당한다. 그래서 나는 공동체가 좋다.

공동체 안에서는 늙든 젊든, 배웠든 못 배웠든, 강하든 약하든 관계없이 나름대로 쓸모가 있게 마련이다. 아기가 딸린 젊은 부인들이 낮

에 밭일하러 나가면 할머니들이 아기를 맡는다. 할머니들은 어떤 탁아소 못지않게 아이들을 돌본다. 또 주방부가 있어 담당자들 외에는 모두가 주방일에서 해방된다. 마을 세탁소에는 최신 세탁시설이 마련돼 있어 누구든 벗은 옷을 그곳으로 보내기만 하면 된다. 철이 바뀔 때가 돼 옷을 세탁소에 맡기면 세탁한 뒤 제철이 돌아올 때까지 보관해 준다.

공동체 가족들 각자가 자신의 능력과 재간에 따라 자신의 몫만 잘 감당하면 물 흐르듯 공동체가 운영된다. 그래서 나는 공동체 생활을 좋아한다. 좋아하는 정도를 넘어서 예찬한다. 공동체 생활을 선택하지 않는 사람은 단지 몰라서 그럴 뿐이다. 알고 나면 공동체 생활만큼 편하고 효율적이며 생산적인 삶도 드물다.

누구든 두레마을 공동체에 들어오면 묻지 않는 것 세 가지가 있고, 묻는 것 세 가지가 있다.

묻지 않는 것의 첫째는 학벌이다. 두레마을에는 해외 유학을 마치고 박사학위를 취득한 사람부터 무학자에 이르기까지 다양한 사람들이 살고 있다. 이들은 자신의 학력과 관계없이 각자 자기가 맡은 분야에서 자기 분량만큼 일하며 살아간다. 그래서 두레마을에 들어와 살아가노라면 자신의 학력을 잊어버리게 된다.

둘째는 재산이다. 두레마을의 기본 정신 중 하나가 무소유의 정신이다. 두레마을 가족들이 재산을 싫어하거나 일부러 가난하게 살고 싶어 하는 것은 아니다. 재물을 가지고 경제 경영을 일으키되, 그 재물은 개인의 소유가 아니라 예수님이 주인이라는 것이다. 두레마을 사람들은 예수님의 재물을 맡아 경영한다는 마음가짐으로 살아가는 것이다. 말하자면 재물의 소유주는 예수님이고 우리는 경영주가 되는 것이다. 요즘 유행하는 소유와 경영의 분리를 철저히 지켜나가자는 것이다.

두레마을에 들어올 경우 재산이 있는 사람은 재산을 가지고 들어오고, 빚이 있는 사람은 빚을 가지고 들어온다. 그런데 재산을 가지고 들어왔던 사람의 경우 무슨 사연이 있어 공동체를 떠나야 할 때에는 가지고 왔던 재물을 그대로 되돌려 받아가지고 나간다. 이런 원칙이 있긴 하지만 빚을 가지고 들어왔던 경우는 몇 있어도 재산을 가지고 들어온 경우는 별반 없다.

두레마을의 셋째 불문율은 과거를 묻지 않는다는 것이다. 두레마을에는 어디에 내놔도 두드러질 만한 엘리트가 있는가 하면 전과자도 있다. 두레마을 가족 중에는 전과 17범도 있다. 그는 아마도 일생 동안 감옥 밖에서 살았던 기간보다 감옥 안에서 살았던 기간이 더 길 것이다. 그러나 감옥에서 예수님을 만난 뒤 그의 삶이 달라지고 성품이 바뀌어 새 삶을 살아가고 있다. 이런 사람들을 보노라면 신앙의 힘이 참으로 위대함을 실감한다. 전과 17범이나 되는 사람을 누가 무슨 방법으로 변화시킬 수 있겠는가? 오로지 예수 그리스도를 주인으로 섬기겠다는 신앙의 길로 들어설 때 그의 삶이 통째로 변화된 것이다. '과거는 묻지 마세요'란 대중가요가 있듯이 두레마을에서는 철두철미 '과거는 묻지 마세요'를 불문율로 지킨다.

다음으로 두레마을에 처음 들어올 때 묻는 세 가지가 있다.

첫째는 땀 흘려 일하며 살아갈 뜻이 있느냐고 묻는다. 성경에 "일하기 싫거든 먹지도 말라"고 했다. 그리고 "하나님이 일하시니 나도 일한다"는 말씀도 있다.

둘째는 더불어 살아갈 수 있겠느냐고 묻는다. 이른바 공동체적 삶이다. 셋째는 자기보다 못하고 약한 사람들을 도우며 살 수 있겠느냐고 묻는다. 더불어 살아가는 공동체의 삶, 땀 흘려 살아가는 노동의 삶, 약한 이웃을 도우며 살아가는 섬김의 삶이 두레마을이 바라는 이상적인 삶이다.

그러나 그렇게 살기를 바라는 것과 현실적으로 실천하는 것은 다르다. 세상만사가 다 그렇겠지만 두레마을에서도 꿈과 현실 사이에는 큰 간격이 있다. 두레마을이 공동체적 삶이란 이상을 간판으로 걸어놓았지만 때로는 가장 이기적인 삶을 살 때도 있고, 협동이란 말을 하면서도 다툼을 일삼을 때도 있다.

한 번은 서울에서 서른두 살 먹은 부인이 찾아왔다. 남편에게 매를 맞아 견디다 못해 두레마을을 찾아왔노라고 했다. 그녀는 흐느끼며 말했다.

"목사님, 손으로 때리고 발로 차는 것은 얼마든지 참겠습니다만 몽둥이로 때리는 건 감당하지 못하겠습디다. 제가 짊어져야 하는 십자가려니 생각하고 견디려 했는데, 오 년을 견디다 도저히 더 지탱할 수 없어 여기로 왔습니다."

얼굴도 예쁘장하고 옷차림도 깔끔한 여인이었다. 나는 딱한 생각이 들어 물었다.

"어쩌다가 그런 남편을 만나게 되었어요?"

"제 탓이지요. 제가 잘못한 겁니다."

"너무 자기 탓으로만 돌리는 부정적인 사고는 좋지 않은데요."

"아닙니다. 제가 잘못한 겁니다. 처녀 시절에 교회에서 성가대를 하면서 성가대 남자와 사귀었더랬습니다. 그런데 그 남자가 결혼을 자꾸 미루기에 그만 자기 아니면 남자 없을까 하는 오기가 생겨 평소에 저를 따라다니던 남자와 급하게 결혼하고 말았습니다. 그런데 남편이 술만 먹으면 매질하는 겁니다. 내 탓이거니 생각하고 남편이 변화되기를 기다려왔습니다만, 매질이 점점 심해져 아파트에서 떨어져 죽으려고 베란다로 나갔다가 죽을 바에는 두레마을로 가자 하고 찾아왔습니다."

"아이들은 어떡하구요?"

"다행히 아이가 없습니다. 그리고 혼인신고도 돼 있지 않구요."

"다행인지 불행인지 모르겠지만 간단해서 좋구먼요. 이왕 왔으니 얼마간 푹 쉬다 가세요."

"목사님, 저에게 가라고만 하지 마십시오. 무슨 일이든 시키는 대로 할 테니 여기서 살게 해주십시오."

"예, 그런 건 천천히 살아가며 생각합시다."

그녀는 다음 날부터 양계장에서 일하게 되었다. 성품이 조용하고 정이 깊어 마을 사람들에게 환영받고 있다는 소리가 들렸다. 그러다가 얼마 후에는 양계장에서 함께 일하는 남자 일꾼과 퍽 가깝게 지내고 있다는 말이 들렸다. 대구에서 온 건실한 동갑내기 총각이었다.

나는 둘 다 고생해 본 사람들인지라 서로 사귀다가 이상이 맞고 뜻이 통한다면 결혼을 하는 것도 괜찮겠다고 생각했다. 이전 남편은 그녀가 두레마을로 온 지 반년도 지나지 않아 다른 여자를 만나 예전 버릇을 여전히 고치지 못한 채 살고 있다는 소식이 들려왔다.

그 후 달포나 지나서 둘이 나를 찾아와 결혼하고 싶으니 허락해달라고 했다. 나는 흔쾌한 마음으로 그들에게 말했다.

"이 사람들아, 미성년자들도 아니고 다 자란 사람들이 본인들이 좋으면 결혼하는 거이지 허락이고 말고 할 거 없잖은가?"

"그래도 어디 그렇습니까. 영적 지도자인 목사님의 허락을 받아야지요."

여자 쪽에서 하는 말이었다. 나는 그들의 혼사를 기쁘게 생각하여 말해주었다.

"좋은 일이야. 허락하고 말고. 자네도 고생하며 자라 아픔이 있는 남자고, 여자 쪽도 본의 아니게 인생의 쓴맛을 보며 지낸 사람이니 서로 이해하고 잘 지내게. 상처 많은 사람들이 그 상처를 영적으로, 정신적으로 극복하고 나면 내면세계가 깊어지고 인간에 대한 이해의 폭도 넓어지는 법이야. 둘이 그렇게 만났으니 좋은 가정을 이루어 나가도록 하게나."

여자는 눈물을 떨구었고 남자는 심각한 얼굴을 한 채 고개를 숙이고 있었다.

이런 일이 있은 후 가정을 가진 부인 다섯 명이 나를 찾아왔다. 그런 방문은 좀처럼 드문 일인지라 나는 그 부인들을 쌍수로 환영하며 서재로 맞아들였다.

"아이고, 오늘 웬일이오? 두레마을 실세 부인들이 나를 찾아오다니. 이거 신문에 날 일이네."

"갑자기 찾아와서 죄송스러워요, 목사님."

"아니, 반가운 일이지, 왜 죄송스러워."

"목사님께 물어보고 싶은 일이 있어서요."

"그래, 뭐든 마음 놓고 물어보세요."

"목사님, 이번 결혼 허락하실 거예요?"

"이번 결혼이라니, 누구 결혼을 말하는 거지요?"

"있잖아요. 양계장 부서에서 일하는 대구 총각 말이에요."

"아, 그 대구 총각하고 서울 아가씨하고 결혼하겠다는 것 말이구먼. 왜 그 결혼에 무슨 문제가 있나?"

"문제가 있지요."

"무슨 문젠데?"

"그렇게 둘이 결혼하면 총각이 너무 억울하잖아요."

"총각이 억울하다니, 뭣이 억울하지?"

"그렇잖아요. 그렇게 순진한 숫총각이 때 묻은 여자하고 결혼하면 억울한 일이지요."

"응?"

나는 그 말이 무슨 뜻인가를 한참이나 생각하다가 그 뜻을 헤아리고는 화가 치밀었다. 남편에게 매 맞다가 도망쳐 온 헌 여자와 총각이 결혼하면 총각 쪽에서 손해 보는 것 아니냐는 뜻인 듯했다. 나는 두레

마을 식구들의 그런 좁은 인간 이해에 대해 속마음대로라면 '이 싸가지 없는 사람들아' 하고 소리라도 지르고 싶은 것을 꾹 참으며 조용한 목소리로 말했다.

"때 묻었으면 목욕탕에 가서 씻으면 되겄네."

"목사님, 그렇게 쉽게만 생각할 일이 아니지요. 여자가 꾀가 많고 영리해서, 순진하고 착한 총각을 닭장 안에서 같이 지내는 동안 꼬신 거예요. 두레마을에서 이런 결혼을 허락하면 안 됩니다."

"아, 이 사람들아, 내 참 숨이 답답하네. 자네들은 왜 그리 인간 이해가 인색들 한가? 그 자매의 과거를 가지고 때 묻은 여자라고 말하는데, 그렇게 생각하면 안 되네. 자네들은 그 자매보다 뭐가 잘난 것이 있어서 지금 때 묻지 않고 살고 있는가? 다행히 좋은 남편 만나 말썽 없이 살고 있는 것을 감사한 줄 알고, 그런 불행하게 살았던 이웃을 보면 그렇게 손가락질할 것이 아니라 저 자매는 그처럼 고생하고서도 타락하거나 낙심하지 않고 믿음을 지키며 저같이 살아가니 참 훌륭하구나, 숱한 고난 속을 거치면서 인간 됨됨이가 우리보다 깊어졌구나, 곁에서 함께 지내면서 배우며 살아야지 하고 생각해야지. 때 묻은 여자가 순진한 총각을 유혹했다는 식으로 생각하면 안 되지."

"목사님이 그렇게 말씀하실 줄 알았습니다. 이렇게 찾아온 우리가 멍청한 거지요."

"아냐, 찾아온 건 잘한 일인데, 자네들 생각만큼은 잘못됐구먼. 이웃이 겪는 아픔과 불행을 그런 마음으로 대하면 안 되네. 인간이 당하는 고통과 불행에 대해 너그러운 눈을 가져야 하는 것이여. 자네들 그런 마음 고쳐먹고 그 자매에게 가서 이번 결혼을 축하한다고 일러주게."

"글쎄요. 목사님이 그렇게 말씀하시니 가만있긴 하겠습니다만 축하는 못 해주겠습니다."

그녀들은 시큰둥한 얼굴로 나가버렸다. 나는 두레마을 가족들이 이웃이 겪는 불행을 그런 마음으로 대하는 것이 심히 못마땅했다. 그런 마음가짐으로는 공동체 자체가 아무 의미가 없는 것이라고 생각되었다. 애초부터 공동체의 삶은 인간에 대한 바른 이해에서 비롯된다. 그런 인간 이해의 핵심은 인간의 약함에 대한 깊은 이해와 이웃이 겪는 고통에 대해 동참하려는 절실한 동기에서 공동체는 유지되고 성숙한다. 나는 그녀들이 가고 난 후 답답함을 느껴 서재에서 무릎을 꿇고 기도했다.

"예수님, 이 마을이 인간이 당하는 고통을 존중하는 마을이 되게 하여 주시옵소서. 이웃의 아픔에 대해 예수님의 마음을 품고 대할 수 있게 하여 주시옵소서 인정이 메마르고 사랑이 시들어 버린 시대에 저희 두레마을만큼은 사막 한가운데 오아시스 같은 마을이 되게 하여 주시옵소서. 인간의 고통을 존중하고 영혼에 대한 뜨거운 사랑을 품은 공동체 마을이 되게 하여 주시옵소서."

그즈음에 일어났던 일 중에 내가 크게 당황했던 일이 있다. 아들 민혁이가 마을 안의 다른 아이들로부터 '왕따'를 당한 일이었다. 하루는 출타했다가 돌아와 안방으로 들어갔더니 아내가 아들 민혁이의 어깨

를 감싸안은 채 함께 울고 있었다. 놀란 내가 물었다.

"어, 왜 이러지? 모자간에 왜 이리 울고 있어?"

내 물음엔 대답도 않은 채 아내가 되물었다.

"여보, 우리 언제까지 이렇게 살 거예요?"

"그게 무슨 말이야? 언제까지라니? 예수님 오실 때까지지. 이 생활에 뭔 기간이 있나? 왜, 무슨 일인데?"

"당신 생각처럼 그렇게 살면 우리 가정은 어떻게 되는 거예요?"

"당신 갑자기 왜 그래? 가정이 어떻게 되다니? 우리 가정에 무슨 문제가 있나? 다 잘돼가는데 왜 그러나?"

"뭐라구요? 다 잘돼간다구요? 당신 몰라도 한참 모르네요."

"허, 그거참, 자꾸 그러지 말고 터놓고 말을 해보라요. 갑자기 그러니 영문을 알 수가 있어야제."

아내의 마음을 가라앉히고 사정을 들어보니 난처한 일이 일어나고 있었다. 사연인즉 저녁 식사 시간에 아들이 보이지 않기에 아내가 웬일인가 하여 아들 방에 들어갔더니 아들이 울고 있더라는 것이었다.

"혁아, 너 왜 그러니?"

놀라서 묻는 아내에게 아들은 충격적인 대답을 했다.

"엄마, 나 죽어버리고 싶어."

그 말에 아내가 자지러지게 놀라 아들의 손을 잡으며 왜 그러는지 빨리 말해보라고 다그쳤다.

"형들과 누나들이 날 못살게 굴어."

"아니, 뭐라고? 어떤 형들인데? 학교 형들이냐? 교회 형들이냐?"

"두레마을 형들이에요."

"그게 무슨 소리야. 두레마을에 널 괴롭힐 형들과 누나들이 있을 턱이 있냐?"

두레마을은 150여 명이 한솥밥을 먹고 사는 공동체인지라 자녀들이 꽤 많다. 또 부모가 없거나, 있어도 부양할 능력이 없어 두레마을에 맡겨진 아이들도 있다. 아침마다 30개가 넘는 아이들 도시락을 쌀 때면 마을은 마치 도시락 공장 같다.

그런데 부모들이 이런저런 사연으로 상처가 깊은 사람들인지라 그 자녀들도 자연히 상처가 있을 수밖에 없다. 성인이든 어린이든 자기 내면에 상처가 있는 경우 가까이 있는 사람들에게 상처를 입히기가 쉽다. 그런데 내 아들은 목사 아들이어서 두레마을에서는 특권층인 셈이다. 이것이 때로는 다른 아이들로부터 따돌림받고 구타당하는 이유가 되었다.

아이들이 오며 가며 아들을 쿡쿡 쥐어박으며 "너그 아버지가 목사라고 재지 마!"라고 말하기도 하고, 아들이 아끼는 물건을 빼앗으며 "야, 공동체 마을에서는 모두가 공동으로 쓰는 거야. 네 것이 어디 있어? 네 아버지께 배우지 않았어?" 하며 빼앗아 가기도 했다.

아들은 본래 순하고 너그러운 성격이다. 두레마을을 시작하기 전에는 자기 학급에서 성적이 부진한 아이들을 집으로 데려와 공부를 가르쳐 줄 때도 있었다. 방에 조그만 흑판을 걸고 아이들을 가르치는 것이었다. 그런 아들이 두레마을이 시작된 후로 차츰 말이 없어지고 얼굴에서 웃음이 사라져 갔다. 우리 부부는 사정도 모르고 그냥 지나가

는 말로 이야기하곤 했다
"혁이가 요즘 왜 시무룩하지?"
"크느라고 그라겠지요. 애들이 그럴 때도 있지요, 뭐."
우리 부부는 이런 말을 나누고는 그냥 지나쳤다.
그러나 실상은 두레마을 형들과 누나들 사이에서 따돌림이 너무 심해 성격마저 변하고 죽고 싶다고까지 생각할 만큼 악화되었다.
그런 사정을 들은 아내는 눈앞이 캄캄할 정도로 놀라고 화가 치밀어 "그런 짓을 하는 애들이 누구냐? 그 녀석들 가만두지 않을 테다. 누구누군지 대봐" 하고 아들을 다그쳤다.
그랬더니 아들이 말했다.
"엄마가 그렇게 나올까 봐 내가 말을 못하고 있었던 거야."
"뭐라고, 그건 무슨 뜻이냐?"
"엄마가 나를 괴롭히는 형들과 누나들이 누군지 알면 두레마을에서 내쫓으려 할 거 아니야?"
"그럼. 그런 나쁜 애들을 그냥 둘 수 있어? 당장 나가게 해야지."
"엄마, 정말 그렇게 해도 돼? 공동체에서 나쁘다고 내보내도 돼? 그렇게 되면 그 형들은 어디로 가야 하는 거야? 길거리로 내쫓기게 되잖아."
아들 말에 아내는 말문이 막혀 한동안 가만히 있다가 아들의 손을 잡으며 물었다.
"그럼, 어떡하니. 네 마음은 고맙다만 너를 괴롭히는 아이들을 그냥 둘 수는 없잖니?"

"내가 참아야지 뭐. 아버지가 공동체를 하니까 아버지를 돕는다고 생각하고 내가 참으면 되겠지."

"그렇지만 죽고 싶다며?"

"응, 엄마. 참으려 하는데 잘 안돼서 그래."

그래서 모자간에 안고 울고 있었던 것이다.

나는 그런 사연을 듣고 난감한 생각이 들어 할 말이 없었다. 그냥 입맛만 쩍쩍 다시고 앉았다가 "애들 사이에 있을 수 있는 문제이긴 한데" 한마디 남기고 서재로 돌아왔다.

그날 밤 나와 아내는 이 문제를 어떻게 풀어나갈 것인가를 놓고 고심했다. 아들도 상하지 않고, 또 다른 아이들도 다치지 않도록 하면서 그런 분위기를 없애는 길이 무엇일까?

고심에 고심을 거듭한 끝에 우리는 며칠 후 마을 아이들을 위한 잔치를 벌였다. 진수성찬(?)을 차려놓고 한껏 부드러운 분위기를 만든 후 아들에 대한 왕따 문제를 공개했다. 그리고 서로 간에 이해와 대화가 얼마나 중요한지를 설명했다. 이런 일이 다시 일어나지 않도록 하기 위해서였다. 그런 노력을 한 결과 따돌림을 했던 아이들은 용서를 빌었다.

"우리가 잘못했어요. 다신 그러지 않을게요."

아들도 웃으며 아이들과 악수하고 화해했다. 그 후 즉석 노래방이 열려 한 곡씩 뽑고는 화기애애한 분위기 속에서 잔치를 마쳤다.

공동체에서는 이런 비슷한 사건들이 자주 일어났다. 어떤 때는 황당해서 공동체 마을을 유지해 나갈 필요가 있을까 하고 갈등을 느끼는

경우도 있다. 끊임없이 일어나는 이런저런 사건 중 '두부 사건'이 있었다. 나는 두부를 좋아하는데, 두부를 공동체 전체가 먹지 않고 나 혼자만 먹어서 일어난 사건이다.

대구에서 나흘간의 집회 인도를 마치고 집으로 돌아오는 길이었다. 면 소재지에 있는 버스 정류소로 마중 나온 아내는 피곤에 지친 나를 보고 말했다.

"당신 지금 마을에 들어가도 저녁 식사가 끝날 시간인데 밖에서 식사하고 들어갈까요?"

"난 외식하는 걸 싫어하잖아. 식사 시간이 끝났으면 당신이 찌개라도 따로 끓여 먹도록 해주구려."

"그래요. 당신이 좋아하는 두부찌개를 끓여드릴게요."

우리는 두부 두 모를 사서 두레마을로 들어왔다. 아내는 이미 설거지가 끝난 주방에 들어가 두부찌개를 끓이고 두부 한 모는 끓는 물에 데쳐 간장에 찍어 먹을 수 있도록 장만했다. 그러고는 마을식당에 둘이 앉아 저녁 식사를 했다. 그런데 둘이서 오붓이 식사하는 자리를 지나치던 마을 식구들이 두부 요리를 본 것이 문제가 됐다.

그 주에 열린 마을 회의에서 자매 몇 분이 이의를 제기했다. 공동체는 본래 이상적으로 완전 민주주의를 추구하기에 무슨 문제든 마을 회의를 열어 논의하고 결정한다. 공동체가 성공하는가 못 하는가 하는 문제는 언로(言路)가 얼마나 열려 있느냐에 따라 결정된다. 그리고 상호 비판이 얼마나 자유로운가에 따라 공동체의 성숙 정도가 결정된다. 마을의 창립자나 지도자라고 해서 비판에서 제외되고 지나치게 권위가 인정되면 공동체의 열린 분위기는 사그라들게 된다.

그 주간에 열렸던 마을회의에서도 그런 전통을 따라 마을 안에서 일어나는 여러 가지 문제들에 대해 설왕설래가 있었다. 그 자리에서 몇몇 자매가 이의를 제기하고 나선 것이 바로 두부 문제였다.

"공동체는 함께 소유하고 함께 사는 것이 원칙 아닙니까? 그렇게 되려면 먹는 것도 같은 수준이어야 하지 않습니까?"

한 자매의 발언에 사회를 보던 내가 물었다.

"옳은 말입니다. 그런데 그런 원칙을 어그러지게 한 일이 있었습니까?"

"예, 있었지요."

"그런 일이 있으면 구체적으로 말을 해야 다른 식구들이 알아듣지요."

"예, 말하지요. 이틀 전에 목사님 부부가 다른 식구들이 식사가 다 끝난 후에 따로 두부를 끓여 먹던데요. 그날 우리는 김치하고 나물 반찬만 먹었는데, 목사님이라고 따로 두부를 끓여 먹어도 되는 겁니까? 그러면 공동체가 아니잖아요."

그 발언에 몇 명이 동조하고 나섰다.

"그래요. 공동체를 하려면 공동체답게 되어야지 식탁에 차이가 있으면 공동체가 아니라고 생각합니다."

나는 아차 하는 생각이 들어 다른 발언들이 나오기 전에 얼른 말했다.

"아, 예에 그건 제가 잘못했군요. 그날은 제가 집회 인도를 마치고

오다가 너무 지친 데다 시간도 늦고해서 그만 실수했습니다. 앞으로는 그런 일이 없도록 하겠습니다. 두부든 생선이든 식구 전체가 먹을 수 있도록 같이 마련해야지, 저 혼자만 그렇게 먹은 건 잘못한 것이네요."

나는 그렇게 얼른 사과하고 넘어가려 했는데 아내는 그렇지 못했다. 화가 치민 아내가 일어서서 말했다.

"뭐라고? 그래 공동체면 공동체지, 피곤할 때 남편 두부도 한 모 끓여 먹이지 못하나. 여보, 이딴 공동체 걷어치웁시다. 정말 해도 해도 너무하는구먼."

이렇게 소리치고 아내는 휑하니 2층 방으로 올라가 버렸다. 이렇게 되니 분위기가 아주 나빠졌다. 한편에서는 "그래, 그건 너무했다"고 말하는가 하면, 다른 한편에서는 "목사님께 그렇게 말한 건 죄송스럽긴 하지만 말은 맞는 말이잖아" 하고 응수했다.

내가 좌중을 수습하여 다시 한번 사과하는 것으로 회의를 마무리 지었다.

아내 방으로 들어가니 아내가 울먹이며 말했다.

"여보, 우리 이 짓을 언제까지 할 거예요?"

"여보, 그기 무슨 소리여. 언제까지 하다니 뭔 말이요?"

"반찬 하나도 맘대로 못해 먹는 이런 짓을 언제까지 해야하느냔 말이에요?"

"당신 이번 일을 너무 크게 생각하지 맙시다. 그 사람들 말도 일리가 있잖아요. 공동체라 하면서 둘이서 따로 놀았으니 그런 말 나올 만도 하지요."

"당신이야 그럴 만하다고 생각하시겠지만 난 그렇게 넓지 못해요. 난 걔들 만나 따져야겠어요."

나는 화를 삭이느라 애쓰는 아내가 안쓰럽기도 하고 미안하기도 하고 또 일이 크게 돼 마을이 뒤숭숭해질까 봐 조바심이 나기도 했다. 공동체가 이상은 좋은데 이런 비본질적인 일에 시달리는 것이 문제로구나 하는 생각이 들었다.

다행히 다음 날 아침 녘에 자매 몇이 아내를 찾아와 이번 두부 건은 지나친 것 같다며 사과했다. 아내도 공석에서 화를 내고 소리를 높여서 미안하다고 말하여 서로 좋은 분위기가 됐다.

베세토바 프로젝트

베세토바 프로젝트

공동체에서 끊임없이 문제 되는 것 중 하나가 경제 재정의 문제다.

본래 두레마을은 처음 시작하던 때부터 창립 정신에 무소유의 정신을 기반으로 하고 있다. 물론 무소유라고 해서 아무것도 가지지 않는다는 뜻이 아니라 경제를 일으키고 재정을 확보하되 그 경제가 두레마을에 속한 가족과 개인들의 것이 아니라 두레마을의 이장이신 예수님의 것으로 소유한다는 말이다. 그리고 두레마을의 재산이 예수님의 것이란 말은 예수님의 뜻을 따라 이웃을 사랑하고 섬기는 일에 쓴다는 것을 뜻한다. 그런 바탕에서 두레마을이 지켜나가는 경제원칙이 바로 '능력에 따라 일하고 필요에 따라 쓴다'이다.

거기에다 두레마을은 삼위일체의 원칙이라 하여 신앙과 생활과 산업을 하나로 묶어 균형을 이루어나가게 하려는 원칙을 갖고 있다. 우리가 믿는 믿음에 인생을 거는 신앙이 생활 속에서 실천되어 가고, 그 신앙생활이 날마다 부딪히는 산업현장에 적용되어 신앙적인 산업을 일으켜나가는 것을 일컬어 삼위일체 신앙이라고 말한다. 말로는 간단한 경제 원리지만 실제로 공동체 생활에 적용할 때는 그렇게 간단하거나 순탄치만은 않다.

맨 처음에는 무소유 원칙과 '능력 있는 사람은 일하고 필요한 사람은 쓴다'는 원칙에 따라 각자가 필요한 돈을 그때그때 마을 재정부에서 타서 쓰게 했다. 그랬더니 열심히 일하면서 마을 경제에 크게 기여하고 있는 일꾼들은 일에 파묻혀 돈을 쓸 생각도 시간도 없었지만, 몸이 나쁘거나 성품이 게을러 어영부영 시간을 보내는 사람들은 시간이 남아돌게 되니 돈 쓸 이유들을 생각해내 연방 지출을 요청했다. 이것이 문제가 된 것이다.

이런 사정이 시간이 흐르자 당연히 말썽을 일으키게 마련이었다. 상당 기간 서로 불편을 느끼다가 어느 단계에 가서 마을 회의를 열어 이 문제를 진지하게 다루기로 했다

사회자인 내가 회의 서두에 논의의 주제를 설명했다.

"여러분, 오늘 회의 주제는 마을 운영에서 그간 큰 불편을 주었던 경제 문제, 즉 용돈 문제입니다. 우리 마을은 무소유의 원칙 아래 능력에 따라 일하고 필요에 따라 쓴다는 원칙을 정하고 지내왔습니다. 그런데 그간의 실행 과정에 문제점이 드러났습니다. 이 문제점을 개인적으로 이러쿵 저러쿵 하게 되니 마을 분위기도 안 좋고, 그런 말을 하는 사람이나 듣는 사람이나 피차간에 득이 되지 않았습니다. 그래서 오늘은 마을에서 용돈이 지급되는 원칙을 새롭게 정하자는 주제를 걸고 토론하겠습니다. 오늘 모임에서 문제점을 살펴 그간에 실시해

오던 제도를 그냥 두자든지 아니면 새로운 원칙을 정하자든지 논의를 거쳐 정해지는 대로 해야겠습니다.

우선 그동안 우리가 실행하고 있는 내용에는 두 가지 문제가 있습니다. 첫째는 마을에서 노동력이 있고 기술이 있어 열심히 일하는 일꾼들은 돈을 타서 쓸 시간도 없고 생각도 없어서 거의 돈을 쓰지 않고 있으나, 그렇지 못한 가족 중에는 노상 돈을 타다가 쓰고 있으니 이 일로 마을에 말썽이 생기고 있습니다. 그리고 아직 우리 사회는 체면 차리는 사회가 되어 점잖은 사람들은 아쉬운 게 있어도 체면 차리느라 그냥 참고 돈 타러 오지 않지만, 어떤 사람은 그냥 참으면 될 것도 재정부에서 돈을 타다가 쓰고 있어서 마을 생활이 불편해지고 있습니다. 오늘 진한 토론을 거쳐 바람직한 대안을 찾읍시다. 이것이 오늘의 주제입니다."

그 후 곧 논의에 들어갔다. 긴 시간에 걸친 토론을 거쳐 합의된 안은 매달 초 각 가정에 일정한 금액의 돈을 먼저 지급하고 월말에 가서 쓰고 남은 금액은 반환하기로 하는 내용이었다.

일견 괜찮은 안인 것 같아 그렇게 하기로 결정했으나 실행 과정에 문제가 생겼다. 예를 들어 다음 날이 남은 돈을 반환하는 날이면 식구 중에 일부러 수원이나 면 소재지로 가서 남은 돈을 쓰고 오는 사람도 있는 것이었다. 그렇게 되니 일터에서 일꾼이 빠지게 되는 데다 속 들여다보이는 얌체짓이라 하여 말썽이 계속되었다.

그래서 서너 달 그런 방법을 계속하다가 다시 원칙을 고쳤다. 월초에 각 가정에 지급한 돈이 남게 되면 자신들의 돈으로 하고, 모자라는 가정은 그 내용을 적어 모자라는 만큼 재정부에 신청하기로 했다. 말하자면 각 가정이 자신들의 저금 통장을 가질 수 있게 한 것이다.

이런 원칙을 세우고 실시하게 되니 일단은 말썽이 사라졌다. 그러나 '능력에 따라 쓰고 필요에 따라 쓴다'는 원칙 자체가 문제를 내포하고 있었다. 왜냐하면 유능하고 열심히 일하던 사람은 의욕이 줄어들고, 마음가짐이 바르지 못하거나 공동체 정신이 뚜렷하지 못한 사람들은 땀 흘려 일하지 않고 오락가락 헛시간을 보내는 것이 눈에 두드러지게 나타나기 때문이었다.

더 나쁜 것은 자기가 일하지 않는 데 그치지 않고 열심히 일하는 다른 일꾼들에게까지 나쁜 영향을 미치는 것이었다. 공동체 운동에 공감하여 뜻을 품고 들어온 일꾼들이 의욕을 가지고 열심히 일하면 먼저 온 일꾼들이 지나가며 빈정거린다.

"야, 넌 김진홍 목사 양자 될라카나. 뭐 그래 열심히 일해쌌노?"

이런 소리를 몇 번 들으면 그만 의욕을 잃고 끝내는 두레마을을 떠나려 하게 된다. 내 입장에서는 새로 들어온 일꾼들이 열심히 일하는 모습을 보면 고맙고 귀하게 여겨져 속으로 '저 젊은이가 참 좋은 일꾼이로구나. 잘 길러 마을의 기둥으로 세워야지' 하고 생각하는데, 그 젊은이가 얼마 지나지 않아 두레마을을 떠나겠다고 하면 여간 실망스러운 일이 아니었다.

"이 사람아, 그기 뭔 소리여. 자네에 대한 기대가 얼마나 큰데 갑자기 떠나겠다는겐가? 자네 처음 올 때 두레마을에 뼈를 묻을 각오로 왔다더니, 그간에 그렇게 변했는가?"

나무라듯 물으면 그는 뒷머리를 긁적이며 말한다.

"죄송스럽습니다. 할 말은 있지만 암말 않고 사라지는 것이 좋겠네요."

"그 할 말이란거이 뭔지 터놓고 해보게나."

"떠나는 사람이 말은 해서 뭘 합니까? 나중에 다시 올 수도 있겠지요."

그렇게 떠나고 나면 여간 아쉬운 게 아니었다. 그가 떠난 후 남은 식구들에게 묻는다.

"그가 이 마을에 뼈를 묻겠다더니 왜 가게 되었을까?"

그러면 더러는 내 눈치를 보며 슬슬 피하는 사람이 있는가 하면 더러는 "이 마을에는 목사님만 모르는 일이 많습니다요" 하고 말한다. 그런 말을 들으면 나는 의아스러워 "그기 뭔 소리여. 우리 마을같이 열린 공동체에 나만 모르는 일이 있다는 거이 무슨 소린가?" 하고 되묻는다.

그런 사연들이 쌓여가는 동안 나는 공동체가 생각처럼 쉽게 되는 것이 아니로구나 하는 것을 느끼고, 이런 문제를 어떻게 극복할 것인가 고민하게 되었다. 하지만 그런 고민이 쌓여서 또 한 단계 발전된 대안을 찾아나가게 되고, 그런 과정이 쌓여나가면서 공동체는 내실을 다져가는 것이다. '필요는 발명의 어머니'란 말이 있듯이 '문제는 해결의 어머니'라 할까, '고민은 해결의 어머니'라고나 할까. 아무튼 문제와 고민을 통해 공동체는 성숙하는 것이다.

내가 공동체를 처음 시작하려 했을 때 여러 사람이 만류했다. 우리

나라 사람들은 모래알처럼 흩어지는 국민성을 지닌 사람들이어서 공동체가 이루어지지 않는다는 것이 주된 이유였다.

그렇게 만류하는 분 중 가나안 농군학교의 김용기 장로님이 있었다. 평소에 존경해 마지않던 분인지라 찾아뵙고 공동체를 시작 하려는데 이에 대한 장로님의 고견을 듣고 싶다고 말씀드렸다. 그랬더니 김 장로께서는 극구 만류했다. 자신이 젊은 시절에 공동체 이상향을 설립해 온갖 정성을 쏟았으나 끝내 실패하고 말았다는 것이다. 그래도 꿈을 완전히 버릴 순 없어서 가족들로 이루어진 가나안 농군학교를 세웠노라고 했다.

장로님은 조용히 타일렀다.

"김 군, 좋은 일에도 너무 욕심부리지 마시게. 공동체가 이상은 좋으나 현실적으로 실천하기에는 무리가 있어. 결국은 실패로 끝나게 되고, 앞장섰던 사람에게 좌절감만 주게 마련이야."

나는 이런 분야에 산전수전 다 겪은 대선배의 말인지라 수긍했다.

"시작했다가 후에 감당치 못할 일은 하지 않아야겠습니다."

그러나 집으로 돌아와 얼마쯤 시간이 지나니 마음속에 의문이 떠올랐다.

한국 사람들은 정말로 공동체가 안 될까? 우리 국민들은 과연 그렇게 이기적이기만 하고 단결이 잘 안되는 국민일까? 우리에게 그런 성품만 있다면 우리 겨레가 오늘의 후진성을 극복하고 선진 사회로 나아가기는 애초에 바랄 수 없는 노릇 아닌가?

이와 함께 마음 밑바닥에서는 또 다른 생각도 떠올랐다.

모두 안 된다고 하지만 한번 도전해 볼 가치가 있는 일 아닐까? 내가 목사 이전에 한 사나이로서 남들이 안 된다고 하는 일에 도전해 성취해 낼 경우 그야말로 보람 있는 인생이 아니겠는가?

그러고는 성경에 있는 공동체적 삶과 우리 겨레의 지난 역사에 나타났던 공동체적 삶의 자취를 생각했다. 또한 한국 교회가 앞으로 나아가야 할 방향을 생각했고 아울러 우리 민족이 분단 체제를 극복하고 통일한국시대를 열어나가야 할 미래를 생각했다. 그런 모든 점에서 공동체를 세워나가는 일은 큰 의미를 지닌다는 결론에 이르렀다.

이렇게 해서 1979년 시작한 두레마을이 일 년 만에 실패로 끝났던 과정은 앞에서 밝힌 대로다. 그 후 7년의 준비 작업을 거쳐서 1986년 4월에 시작한 제2차 두레마을이 오늘에 이르고 있다.

제2차 두레마을을 시작하던 날, 나는 두레 식구들 앞에서 이렇게 말했다.

> "오늘 우리가 남들이 안 된다는 공동체 마을을 시작하면서 일단은 십 년을 시험기간으로 정하고 다시 시작해보자. 십 년간 열심히 살아보고 과연 안 되는 일이면 그때 가서 포기하자. 한국 땅에서 바람직한 공동체를 이루어나가는 일에 십 년 정도는 투자해 볼 가치가 있다."

이렇게 선포하고 제2차 두레마을을 시작한 지 7년여가 지나고 나니 '공동체가 되는 것이로구나' 하는 자신감이 생겼다. 그리고 공동체 운동이 애초에 생각했던 것보다 훨씬 중요하다는 것도 느끼게 되었다. 그래서 7년을 지나는 동안 두레마을 가족들은 다음과 같은 결론을 품게 되었다.

'한국 땅에서 공동체는 꼭 해야 할 일이고, 또 반드시 성공할 수 있는 일이다.'

그러나 이런 확신을 지니게 되었다는 것과 공동체가 제대로 운영되는 것은 별개 문제였다. 두레마을은 여러 우여곡절을 겪고 아슬아슬한 존폐 위기를 겪으며 지탱해 왔다.

공동체를 이뤄오면서 겪은 어려움 가운데 첫째는 역시 사람 문제였다. 공동체를 제대로 이끌어 나갈 일꾼이 절대적으로 부족했다. 물론 숱한 사람들이 공동체에 뜻이 있어서 우리 마을을 찾아온다. 그러나 그들은 대체로 경영이나 관리에 적합지 못한 사람들이었다. 공동체가 성장 발전하려면 경영 능력이 있는 일꾼들이 각 부서에 포진해 있어야 하는데 그렇지 못했다. 인생 경영, 자기 관리에 실패한 사람들이 주로 두레마을로 찾아들었다. 그런 사람들을 대충 훈련하여 각 부서의 경영을 맡기다 보니 일이 제대로 될 턱이 없었다.

두레마을은 농업을 주축으로 하는 농업공동체다. 그리고 두레마을은 농약과 화학비료를 사용하지 않는 순수 자연농업, 유기농업을 고집한다. 두레마을은 하나님께서 창조하신 창조 원리에 가깝게 농사짓자는 뜻에서 자연농업을 고집한다. 그러나 이상은 좋지만, 생산성이

문제였다. 말하자면 뜻은 좋으나 배고픈 셈이다. 두레마을 현장마다 전문가 없이 아마추어들이 모여 좋은 뜻으로만 경영하다 보니 생산성은 갈수록 낮아지고 시행착오가 되풀이됐다.

논밭은 곡식밭인지 잡초밭인지 구분할 수 없으리만큼 잡초가 우거졌고, 가공공장은 공장대로 적자가 쌓여갔다. 게다가 서울에 있는 매장 역시 인건비를 건지기 어려울 만큼 판매가 부진했다.

제2차 두레마을을 시작한 지 10년이 지난 1996년에 이르러서는 적자가 매월 3, 4천만 원에 달했다. 나는 그 적자를 메우느라 동분서주 정신없이 뛰어다녀야 했다. 그러기를 몇 년 계속하니 체력도 정신력도 한계에 다다를 수밖에 없었다. 이런 상태로 계속 끌고 갈 수는 없는 터였다. 무언가 획기적인 전기 없이는 공동체가 무너질 수밖에 없는 상황에 이르렀다.

그러던 10월 어느 날, 두레마을은 대책을 논의하는 회의를 열었다. 회의 머리에 나는 일장 연설을 했다.

"그간 두레가족 여러분의 수고가 여간 크지 않았습니다. 우리 마을이 오늘에까지 이르게 된 것은 첫째는 하나님의 돌보심이요, 둘째는 여러분의 땀과 수고 덕분이라 하겠습니다. 그러나 우리가 처한 현실에 대해 정직해야 합니다. 거두절미하고 결론부터 말하자면 우리 마을은 지금 존폐 위기에 처해 있습니다.

위기 내용은 세 가지입니다.

첫 번째는 공동체의 정체성 위기(Identity Crisis)입니다. 우리는 성경적인 삶을 땅 위에 실현해 나가자는 뜻을 세우고 예수 공동체로 시작했습니다. 그러나 지나온 십 년 세월에 이 점이 너무 약화하였습니다. 예수 공동체에서 예수는 빠지고 사람들만 남은 셈입니다. 성경적 삶을 살아보자고 했는데 성경은 사라지고 사람의 생각만 남았다 하겠습니다.

우리들이 직면한 두 번째 위기는 공동체 정신의 위기입니다. 공동체를 이루어보겠다고 처음 이백여 명이 모였으나, 그간에 공동체 정신은 약화되고 개인들의 이기심과 고집만 자라고 있습니다.

우리가 처한 세 번째 위기는 경제위기입니다. 지금 우리 마을은 매월 적자가 삼천만 원에 이르고 있습니다. 어떤 달은 사천만 원을 넘어서는 때도 있습니다. 이런 상태로는 도저히 공동체를 계속할 수 없습니다.

지금 우리가 과감한 개혁을 하지 않는다면 두레마을 공동체는 살아남기 어렵습니다. 그래서 오늘의 두레마을 가족회의는 이런 위기를 어떻게 극복할 것인가에 대한 논의를 해야 합니다. 스스로 두레마을 가족이라고 생각하는 사람들은 모두 참여하여 자기 의견을 기탄없이 말해주기 바랍니다. 그래서 모두의 뜻을 하나로 묶어 지금의 위기를 극복해 나갈 수 있기를 바랍니다."

이런 서두로 시작된 그날 마을 사람들은 모처럼 진지하고 깊은 대화의 시간을 가졌다. 그 대화의 결과 우리는 다섯 가지 사항을 실행하여 당면한 위기를 극복해 나가기로 결의했다. 요즘 말로 표현하자면 5개 항목에 걸친 구조개선을 실시하여 위기를 타개하려 한 셈이다.

그때 실시했던 다섯 가지 사항은 지금 생각해 봐도 참으로 중요한

내용이라 여겨진다. 나는 그 다섯 가지 개선 사항의 내용이 합당했고 또 적절한 시기에 실천되었으므로 두레마을 공동체가 살아남아 오늘에 이를 수 있었다고 생각한다.

실천 사항 중 첫째는 마을이 소유한 부동산 일부를 팔아 부채를 갚았다. 둘째는 마을이 운영하고 있던 여러 사업 가운데 적자를 보는 부서는 과감히 폐지하고 흑자 부서는 투자를 늘렸다.

셋째는 공동체 운동에 잘 적응하지 못하거나 의욕이 없어 생산 활동에 소극적인 일꾼들은 마을을 떠나도록 권면했다. 요즘 말로 하면 정리해고에 가까운 조치라 하겠다. 이런 조치로 인해 20여 명이 마을을 떠났다. 그러나 자활 능력이 없는 노약자들이나 장애인들은 당연히 마을에 남게 했다.

넷째는 재정지출을 줄이기 위해 각 가정이나 개인에게 지급되던 용돈을 절반 이하로 줄이는 것을 비롯해 마을이 보유한 차량, 전화세, 전기세 등 모든 비용을 절감하는 운동을 전개했다.

다섯째는 그간 일률적으로 관리해 오던 재정 관리 시스템을 고쳐 부서별 독립채산제로 운영토록 했다. 더 땀 흘리고, 더 절약하고, 더 연구하여 이익을 많이 올리는 부서에는 인센티브를 주어 한결 높은 혜택을 누리도록 했다. 또 각 부서 팀장에게는 더 많은 재량권을 부여하여 동기유발이 강화되도록 조치했다.

이렇게 구조조정을 시행했던 초기에는 일꾼들이 떠나기도 하고 부서가 폐지되기도 하는 바람에 마을 분위기가 뒤숭숭했다. 마치 마을 전체가 송두리째 흔들리는 듯했다. 그래서 "두레마을이 망했다" "두레마을이 실패하여 문 닫게 되었다"는 등의 악성 소문이 주위로 번져나갔다.

나에게도 가까운 분들이 찾아와 "목사님, 두레마을 그 골치 아픈 사업일랑 그만하고 목회나 하시면서 편히 지내십시오" 하고 권하곤 했다. 그런 말을 들을 때마다 나는 미소를 지으며 "좀 더 두고 봅시다" 하는 정도로 응수하곤 했다.

그런데 그런 구조개선이 있은 지 일 년여가 지난 뒤부터 효과가 나타나기 시작했다. 1997년 후반부가 되면서 적자 폭이 줄어들기 시작했다. 그런데 공교롭게도 그해 10월 말에 한국에 IMF 체제가 시작되었다.

IMF 체제가 시작되면서 온 나라가 경제위기에 휩쓸려 허둥지둥했으나 두레마을은 반대였다. 그때쯤부터 적자를 벗어나기 시작하더니 한 달이 다르게 경영 조건이 좋아졌다.

대표적인 사례가 두레마을 가공부다. 두레마을은 생산, 가공, 유통을 일원화시켜 소득을 높여나가는 경영방침을 취하고 있기 때문에 농산물 가공부서가 강하다. 그 가공부가 IMF 이전에는 적자운영의 주요인이었는데 IMF 이후로는 제대로 운영되기 시작했다. 그럴 수밖에 없었던 것이, IMF 체제가 시작되기 이미 일 년 전에 구조조정을 끝낸 상태여서 IMF체제가 시작되던 시점에는 이미 경영이 정상화되고 있었기 때문이다.

IMF 후 이런저런 사정에 의해 다른 공장들이 가동을 중단케 되자 우리 공장으로 주문이 밀려 들어오기 시작했다. 남들은 공장 문을 닫

게 되고 실업자들이 줄줄이 늘어나고 있던 때에 두레마을 가공부는 바빠지기 시작했다. 심지어 1998년 추석에는 일꾼들이 명절에 고향에도 못 간 채 공장에서 일해야 했다. 나는 가공부를 지나다가 일하고 있는 그들을 보고 물었다.

"이 사람들아, 이기 먼일이여? 추석 명절에 다들 고향으로 가고 있는데 여기는 웬일로 기계를 돌리고 있는 겐가?"

"아이고, 목사님, 신납니다. 명절이고 뭐고 주문이 밀려서 쉴 시간이 없습니다."

"아니, 주문이 들어오는 건 좋은데, 놀 땐 놀아야지 일만하고 있어서야 되겄는가?"

"다른 공장들은 문을 닫고 있는데 우린 주문이 밀려드니 지금 표정관리하기가 힘듭니다. 이럴 때 명절 찾을 기 아니라 메뚜기도 한 철이겠거니 생각하고 일해야지요."

가공부서 일꾼들은 기분이 좋아 싱글벙글 웃으며 추석 명절도 아랑곳하지 않고 일했다.

이런 과정을 거치며 두레마을은 이제 경영에서 기본 틀을 잡아 가게 되었다. 1996년 10월 다섯 가지 사항으로 구조조정을 한 후 3년 만에 적자가 흑자로 바뀌기 시작하고 있다.

나는 두레마을이 비록 작은 공동체이긴 하나 우리의 경험이 나라 경제나 기업 경제에도 적용될 수 있으리라 생각한다. 큰 조직이나 작은 조직이나 무릇 경영의 요체는 마찬가지일 것이기 때문이다.

두레마을 경영이 흑자로 전환되자 일손이 모자라기 시작했다. 예전에는 적자 상태가 계속되어 구조조정을 단행하여 20여 명이 마을을 떠나야 했으나 경영 조건이 좋아지자 새 일꾼이 필요했다. 1999년 5월 말에 열렸던 마을회의에서는 마을 일꾼으로 세울 새 가족들을 외부로부터 대거 받아들이는 일을 논의했다. 그 결과 백 세대를 받아들여 공동체의 면모를 일신하자고 뜻을 모았다. 요즘 정부가 제2 건국이란 말을 쓰고 기업들이 제2 창업이란 말을 쓰듯이, 두레마을도 제2 창설의 뜻을 세워 공동체 운동에 과감한 진전을 도모해 나가자는 결론에 이른 것이다.

흔히 한국 농촌의 장래는 어둡다고들 말한다. 더욱이 우루과이 라운드 이후 WTO 체제가 시작되면서 한국의 농촌과 농업은 몰락할 운명에 처해 있다고들 인식한다.

그러나 나는 그런 생각에 단연코 반대한다. 그런 생각은 마치 전쟁터에서 싸워보지도 않고 패전을 말하는 군대와도 같다. 그리고 그것은 한국 농업의 겉만 보고 속은 살피지 않은 데에서 나온 말이다. 나는 한국 농업도 제대로만 하면 능히 국제 경쟁력을 가질 수 있고 또 농민들이 부를 누리며 쾌적한 문화생활을 할 수 있다고 확신한다.

그간 우리 농촌에는 경영 마인드를 지닌 엘리트가 없었기 때문에 낙후된 상태로 머물러 있었다고 생각한다. 농촌에서 일을 제대로 하려면 두레마을처럼 공동체로 경영하는 것이 매우 효과적이다. 세상만사가 다 그러하듯이 혼자 힘으로 무언가를 이루기는 어렵지만 여럿이 힘을 합하면 한결 쉬워진다. 이 점은 농촌과 농업 분야에서 한층 더 두드러진다. 농업은 다른 어느 분야보다 협력과 협업이 필요한 곳이

기 때문이다.

앞으로 한국농촌에도 현대적인 수준의 경영 마인드가 도입되고, 거기에다 세계 경영을 아는 사람들이 농촌에 투신한다면 한국 농업은 성장할 수 있다.

두레마을은 농업 공동체이기에 당연히 식품의 가공과 유통에 관심과 역량을 집중할 수밖에 없다. 두레마을은 이 분야에서 세계 경영을 꿈꾸면서 이른바 '베세토바 프로젝트'(BeSeToVA project)를 진행해 나가고 있다. 베세토바 사업은 내가 이미 10년 전부터 늘상 이야기해 왔으나 주위에서 귀담아듣지 않더니 요즘에 와서야 귀를 기울이는 일꾼들이 생기고 있다.

베세토바 프로젝트에서 베(Be)는 베이징(Beijing), 즉 중국을 말한다. 세(Se)는 서울(Seoul)로 한국이다. 토(To)는 도쿄(Tokyo), 즉 일본을 가리킨다. 또 바(VA)의 브이(V)는 블라디보스토크, 즉 러시아의 연해주를 가리키며, 에이(A)는 LA(Los Angeles), 미국이다. 그래서 베세토바 사업이란 베이징의 중국, 서울의 한국, 도쿄의 일본, 블라디보스토크의 러시아 연해주, LA의 미국을 하나로 묶어 농업의 세계 경영을 도모하자는 두레마을의 비전이다.

이들 중에서 중국과 러시아, 그리고 북한은 주로 농산물의 원료 생산기지가 되고, 한국은 가공과 경영의 중심지가 되어 한국, 일본, 미국을 유통기지로 삼는다는 복안이다.

두레마을이 꿈꾸는 이 베세토바 사업은 스위스의 네슬레 기업을 모델로 삼는다. 네슬레란 회사는 스위스 식품 전문기업이다. 잘 알다시

피 스위스는 면적이 한국의 강원도만 한 작은 나라다. 게다가 국토 대부분이 산지여서 농업 생산에는 적합지 않다.

그런데 그런 나라에서 시작된 네슬레 기업은 세계 경영에 성공했다. 81개국에 지사를 설립하였고 전 세계에 흩어져 있는 식품 공장만도 520여 개에 이른다. 종업원이 23만여 명에 이르고 1998년 매출은 55조 원, 순이익은 3조 원이 넘는다.

우리나라는 스위스보다는 크지만 역시 좁은 국토에 인구가 많다. 그나마 75퍼센트 이상이 산지여서 정작 쓸만한 땅인 가용지는 국민 1인당 170여 평에 불과하다. 이렇게 열악한 환경을 딛고 일어설 수 있는 길은 간단하고 분명하다. 세 가지 정신으로 미래에 도전하는 것이다. 개척 정신, 창조 정신, 그리고 공동체 정신이다.

개척 정신이란 안으로 과학과 기술을 발전시켜 나가고 밖으로 오대양 육대주를 우리 집 안마당으로 여기며 과감히 진출하는 정신이다.

창조 정신이란 무에서 유를 만들어내는 정신이다. 우리는 사람은 많은데 자원이 없는 나라다. 그러니 사람을 똑똑하게 길러내는 길밖에 없다. 똑똑한 사람이란 다름 아닌 창조적인 사람이다.

공동체 정신이란 이미 거듭 말한 대로다. 두레인들은 공동체 정신에 의해 농업공동체를 이루어 창조 정신으로 무장해 개척자의 길을 가려는 사람들이다. 그래서 오대양 육대주 어느 곳이든 코리언의 발길이 닿는 곳에는 두레마을의 공동체 정신, 창조 정신, 개척 정신이 뻗어나가게 하자는 것이 두레마을이 지닌 포부이자 꿈이다.

결국 베세토바 사업은 두레마을의 개척 정신 · 창조 정신 · 공동체

정신을 경영적인 측면에서 펼쳐나가는 구체적인 운동이다. 이 사업은 지금은 상당한 수준에까지 도달해 진행되고 있다.

러시아 연해주의 경우 300만 평에 이르는 농지를 확보하여 러시아에 사는 동포인 고려인들과 서울에서 파견된 두레 일꾼들이 함께 일할 예정이다.

중국의 경우 두만강에서 백 킬로미터 떨어진 곳에 150만 평의 농지를 확보해 여러 농사를 짓고 있다. 이곳은 조선족 40여 세대와 두레 일꾼 열 가정이 함께 개척해 가고 있다.

중국 두레마을은 다른 무엇보다 북한 동포들의 식량난을 돕자는 의도를 갖고있다. 실제로 중국 연변 두레마을을 발판으로 삼아 1998년에는 북한의 나진 · 선봉지역에 두레마을 농장을 세우는 작업이 시작되었다. 북한 땅 10만 평에 마을 직할 농장을 세우고 1천만 평을 계약재배 형식으로 해서 남북의 농민들이 함께 농사짓는 사업이다.

미국은 서부 지역인 베이커스필드에 두레마을 농장과 동부 지역인 뉴저지에 20만 평의 농장을 갓 시작한 단계다. 한편, 일본에는 오사카와 도쿄에 두레모임이 결성돼 있고, 일본에 적합한 형태로 두레 공동체를 발전시켜 나갈 수 있는 길을 모색하고 있다.

이런 베세토바 프로젝트의 중심은 물론 한국 두레마을 본부다. 한국 두레마을 본부를 우리는 'DCM 본부'라고 일컫는다. DCM이란 Doorae Community Movement (두레 공동체 운동)란 영어의 머리글자를 따서 부르는 이름이다.

한국 두레마을은 그 본부를 경기도 화성군에 소재한 남양만 두레마을에 두고, 지역 단위 공동체로 경북 경주 두레마을, 경남 함양 두레마을, 전남 보성 두레마을, 전북 전주 두레마을, 경기 양수리 두레마을 등이 이제 막 출발했거나 설립에 박차를 가하고 있다.

두레마을의 꿈은 7천만 한국인이 가는 곳마다 두레 운동이 따라가는 것이다. 비록 우리나라가 남과 북이 갈라져 있으나 같은 혈통, 같은 언어, 같은 문화를 지닌 한겨레다.

21세기는 국경이 없어져 가는 시대다. 이데올로기도 이념도 사라져 가는 시대다. 남는 것은 인간이요, 민족이요, 문화다. 지금까지는 민족이 다르고 문화가 다르면 서로가 미워하고 죽이는 상극(相剋)의 시대였다. 그러나 이제는 서로가 다르기 때문에 서로 도우며 함께 살아가려는 상생(相生)의 시대가 열리고 있다. 그래서 두레 공동체 운동은 상생 운동이다.

상생 운동의 중심은 경제 경영 운동이 아니라 문화 가치관의 운동이다. 그런 뜻에서 두레 공동체 운동의 중심도 경제공동체 운동이 아니라 문화운동, 정신운동이 되어야 한다. 그러므로 베세토바 사업이 성공한다고 해서 두레 공동체 운동이 성공하는 것은 아니다.

베세토바사업은 DCM 운동 가운데 한 부분인 경제 운동을 대표할 따름이다. DCM 운동의 목표는 더 깊은 데 있다. 우리는 DCM을 4단계 운동으로 설명한다. 복음 운동, 공동체 운동, 교회 갱신 운동, 사회 개혁 운동이 그것이다.

복음 운동은 기독교 신앙 운동의 핵심을 일컬으며, 복음이란 예수 그리스도를 믿을 때 사람이 얻는 구원의 사건이다. 그래서 복음 운동

이란 한 사람 한 사람이 예수 그리스도를 믿고 그 믿음 안에서 생명을 얻어 누리는 삶을 사람들 속에서 총체적으로 일으켜 나가는 운동이다. 두레 공동체 운동은 그 근본 시작에서 마지막까지 복음 운동이다. 그래서 울타리를 넓게 잡고 경제 운동, 민족 운동, 복지 운동을 포함하고 있지만 그 중심은 복음 운동이다.

예수 그리스도를 주인으로 모시고 그의 삶을 따르며 살아가는 복음인들이 모여 공동체를 이뤄나간다. 그런 공동체의 중심은 교회다. 그리스도가 머리가 되는 교회다. 그래서 두레 공동체 운동은 어디까지나 교회운동이다. 세계 어느 곳에 세우더라도 두레마을은 그리스도의 교회를 섬기는 공동체에서 그 근본이 벗어나지 않는다.

그런데 그렇게 소중한 교회가 한국 땅에서는 병들어 있다. 병이 들었어도 아주 심한 중증 상태에 있다. 부모가 병들면 고쳐드리는 효도를 해야 하듯이 우리가 섬기는 교회도 마찬가지다 병이 든 교회를 고치는 일에 헌신해야 한다. 그래서 교회갱신 운동이 요청된다.

나는 개인적으로 세 가지 기도 제목, 혹은 삶의 목표를 갖고 있다. 첫째는 '어떻게 하면 진실한 인간이 될 것인가?'이다. 둘째는 '내가 목회하고 있는 활빈교회와 두레교회를 어떻게 하면 교회다운 교회로 세워나갈 것인가?'이다. 셋째는 '교회가 교회로서만 머물러 있는 것이 아니라 어떻게 겨레를 섬기는 교회가 되어 백성들의 눈물을 씻고 한을 풀어줄 수 있을 것인가?'이다. 이런 개인적인 소원과 아울러 두레마을이 추구하는 목표도 마찬가지다.

즉, 예수 그리스도가 전한 복음을 깨달은 복음인들이 뜻을 모아 예수 공동체를 이룬다. 그런데 공동체 안에서만 머물지 않고 교회를 새롭게 하는 일에 앞장선다. 바로 교회다운 교회를 이뤄나가는 일이다. 그렇다면 교회다운 교회는 왜 세워야 하는가? 바로 백성을 섬기는 교회를 이뤄나가기 위해서다. 사람이 사람답게 사는 세상을 만들어 나가는 일에 쓰임 받는 교회가 되기 위해서다. 그래서 사회개혁 운동이다.

교회는 그리스도를 위한 교회임과 동시에 백성을 위한 백성들의 교회가 되어야 한다. 교회는 백성들이 모여 사는 사회를 바른 사회, 복지사회로 바꾸어나가는 일에 전심전력을 다해야 한다. 그 책무를 감당하지 못하는 교회는 이미 교회이기를 포기한 교회다.

이런 의미에서 한국 교회는 한민족이 살아가는 민족사회를 새롭게 하고 바르게 하고 위대하게 하는 일에 헌신해야 한다. 두레마을은 이런 일에 쓰임 받기를 소망하고 있는 공동체다. 이런 일을 제대로 이루려면 사람을 길러야 한다. 뜻을 지니고, 사상으로 다져지고, 자기 분야에 탁월한 전문성을 가진 사람들이 필요하기 때문이다.

우리 사회는 가는 곳마다 사람 타령이다. 사람은 많고 많지만, 쓸만한 사람이 드물다는 타령이다. 왜 그럴까? 왜 우리 사회는 일꾼이 적을까? 이유는 간단하다. 키우지 않았기 때문이다. 인물을 길러야 한다. 기르지 않고 인물이 없다고 한탄만 하는 것은 심지 않고 거두려는 마음과 같다.

우리 국민은 자질이 빼어난 사람들이다. 부지런하고 총명하다. 친절하고 낙천적이다. 게다가 기동성이 뛰어나다. 말하자면 활력이 넘치

는 국민들이다.

그런데 자고로 한 가지 복이 없다. 다름 아니라 지도자 복이 없다. 바른 지도자를 만나지 못해 타고난 자질을 제대로 활용해 보지 못한 채 혼란과 침체의 세월을 되풀이 해오고 있다.

그러면 무엇을 어떻게 해야 할 것인가? 지도자를 길러내야 한다. 그래서 우리가 해야 할 일 가운데 가장 중요하고 긴요한 일이 '사람 기르는 일'이다. 그래서 두레마을은 사람 기르는 일에 투자하기로 마음먹고 장학재단으로 '두레 연구원'을 설립했다.

"네게서 날 자들이 오래 황폐된 곳을 다시 세울 것이며
너는 역대의 파괴된 기초를 쌓으리니
너를 일컬어 무너진 데를 수보 하는 자라 할 것이며
길을 수축하여 거할 곳이 되게 하는 자라 하리라.

• 구약성서 이사야 58장 12절

9
사람 기르는 일

사람 기르는 일

두레 연구원 사업은 두레가 일궈온 일 중에 가장 성공적인 일이라 여겨진다. 두레 연구원은 1989년에 시작되었다.

그해 7월, 나는 일본에 가서 열흘간 금식기도 할 기회가 있었다. 격무에서 오는 과로로 심신이 지쳤던 나는 조용한 곳에 가서 휴식과 재충전의 시간이 필요하다고 느꼈다. 그래서 간 곳이 일본 도쿄 부근 후지산 중턱에 있는 금식수련원이었다.

옛날 사찰이었던 자리에서 열린 금식 수련회에 28명의 수련생이 모여 열흘간 금식 수련에 들어갔다. 전체 참석자 중 25명이 일본인이었고 재일동포가 둘, 한국인은 나 혼자였다.

나는 열흘간의 수행 기간에 많은 것을 생각하고 배울 수 있었다. 일본인들은 기도하는 자세부터가 한국인과 달랐다. 한국의 기도원에 가보면 심히 시끄러움을 느낀다. 모이는 사람이 많기도 하려니와 기도 시간에 통성기도 소리가 너무 높아 귀가 먹먹할 지경이다. 조용한 분위기를 즐기는 나는 한국기도원에 적응하기가 여간 어렵지 않다. 게다가 얼굴이 알려진 나는 어느 기도원에 가도 사람들이 알아보고는 설교를 부탁해 온다.

"아이고, 김진홍 목사님 아니십니까? 우리 기도원에 와주셔서 영광입니다. 집회 시간에 설교 말씀 부탁드립니다."

조용히 쉬면서 기도와 묵상에만 전념하고 싶다고 해도 막무가내다.

그러나 일본 수련원은 전혀 달랐다. 30여 명이 모여 있어도 마치, 빈 집이나 다름없이 온종일 조용하기만 했다. 다다미방을 걸을 때도 고양이 걸음으로 걸으니 발걸음 소리조차 들리지 않았다. 동참한 일본인이 소감이 어떠냐고 묻기에, 발걸음 소리도 안 나게 움직이니 마치 귀신들의 모임 같다고 우스개 삼아 말하기도 했다.

그리고 한국 금식기도원은 기도하고 찬송하기를 거듭하는 데 반해 일본에서는 매일 등산을 일과로 삼았다. 며칠간을 굶은 터에 가파른 후지산을 오르려니 숨이 턱에 닿고 다리가 후들거리며 땀이 비 오듯 했다. 나는 지도자에게 항의 겸 물었다.

"왜 이렇게 힘들게 하십니까? 나는 한국으로 돌아가야 하는 몸인데 이렇게 계속하다간 살아서 돌아갈 것 같지 않은데요?"

내 말에 금식 수행의 지도자가 자세히 일러주었다.

"김 센세이, 이렇게 강행군하는 것이 영적으로도 좋고 건강에도 좋습니다. 금식하는 중에 이렇게 움직이면 가미사마(하나님)께서 우리 몸 안에 이미 부여하신 생명 에너지가 활성화됩니다. 그러고 나면 평소에 움직이지 않던 몸의 각 부분이 작동케 되고 또 체내에 쌓였던 여

러 가지 불순물이 밖으로 나옵니다. 온몸을 청소하는 셈이지요.

금식하는 중이니, 기운이 없다고 생각해서 조용히 앉아 있거나 누워 있으면 모처럼의 금식인데 효과가 절반으로 줄어듭니다. 그러니 김 센세이, 이를 악물고 움직이십시오. 열흘 정도의 금식은 평소처럼 활동하면서 극복할 수 있습니다. 그러니 열흘 끝날 때까지 매일 후지산 정상을 오르도록 하십시오. 훗날 그 효과를 실감할 겁니다."

그가 자상히 일러주기에 나는 일단은 그의 말을 믿기로 하고 산길을 오를 때마다 앞장서서 오르내렸다. 금식 일자가 5, 6일 지나면서부터는 산을 오르기가 벅찼다. 그러나 처음 5, 6백 미터가 힘들었지, 꿋꿋이 참고 자신을 극복하며 걷노라면 산에서 내려올 때쯤에는 힘이 솟아나는 듯했다. 산을 다시 오르라 해도 능히 감당할 것 같은 자신감이 생겼다.

그렇게 일본인들과 열흘을 지내면서 배운 것은 여러 가지다. 그중 하나는 일본인들의 '의논하는 습관'이다. 금식 수행 중에는 자주 목욕할 필요가 있다. 그런데 산중에 목욕시설이 제대로 갖추어져 있지 않으니, 날을 받아 솥에 물을 데워놓고 순번을 정해 목욕을 했다. 그런데 목욕물을 준비하는 작업이나 목욕하는 순번을 정하는 일에 스물여덟 명 전체가 모여 의논했다. 그렇게 의논하여 정해진 순서를 따라 물 흐르듯 진행하는 것이었다.

나는 무슨 일인가로 목욕 순서를 바꿔야 할 일이 생겨 지도자에게 오전에 있는 내 순서를 오후로 바꿔 달라고 요청했다. 그랬더니 평소에는 부드럽기만 하던 그가 정색하며 거절했다.

"김 센세이, 불가능합니다. 모두 다 모여 의논해서 정한 순서를 개인 사정에 따라 바꾸려는 건 경우에 맞지 않습니다. 꼭 사정이 있으시다면 목욕을 포기하십시오. 정한 순서를 바꾸는 건 안 됩니다."

매몰차게 거절하는 그를 보고 나는 찔끔하여 속으로 말했다.

'아따, 이 양반, 꼭 칼 든 사무라이같이 짜르는구먼.'

나는 무안했지만 그래도 큰 것을 배운 기회였다. 우리는 융통성이 지나쳐 공사에 구별이 없고 질서를 지키지 않아 큰 손해를 보기 십상이다. 따라서 이런 점은 일본인들에게 배워야겠다고 생각했다.

그때 금식 수행하던 일행 가운데 마이니치 신문기자도 있었다. 그는 자기 소개 시간에 담배를 끊으려고 금식 수행에 참석했노라고 말했다. 하루에 두세 갑씩 줄담배를 피워대는 버릇 때문에 이러다간 건강을 해칠 것 같아서 목숨을 걸고 금연한다는 마음으로 금식수행에 참여했노라고 했다.

그는 금식 3일째를 넘어서자, 온몸에 두드러기가 생겨났다. 지도자는 니코틴이 밖으로 빠져나오느라 그런 거니 며칠만 참고 견디라고 권했다. 두드러기가 워낙 심해 보는 사람마다 걱정할 정도였는데, 일주일째를 넘어서니 두드러기 증세가 씻은 듯이 사라지고 맑은 피부로 바뀌었다.

또 그때 참석했던 사람 중에는 내가 한국인인 데다 목사라고 해서 실례되는 태도를 취했던 분도 있었다. 중소기업을 경영한다는 그 일본인 사장은 서로 첫인사를 나누는 중에 내가 한국에서 온 목사라고 소개했더니 비아냥거리는 투로 말했다.

"호이, 조센징 목시데스까(하, 조선인 목사입니까)?"

그의 말투가 퍽 불쾌하게 들렸으나 나는 개의치 않고 웃으며 말했다.

"하이, 와다쿠시와 조센징데쓰요(예, 나는 조선인입니다)."

웃는 얼굴로 그렇게 말하고는 자리를 피해버렸다. 그런데 열흘을 지내는 동안 나에게서 무엇을 느꼈던지 그는 수련이 끝나고 작별할 때쯤 내 앞에 무릎을 단정히 꿇고 사과했다.

"김 센세이, 처음 인사 나눌 때 제가 센세이에게 실례한 일을 용서해 주십시오. 정말 부끄러운 짓을 해서 후회하고 있습니다."

나는 그가 첫 대면에서 조센징이라고 비아냥거렸던 일을 사과하는 것으로 짐작하고는 이렇게 말했다.

"용서하고 말구요. 저는 이미 잊어버린 일입니다. 앞으로 친구처럼 지냅시다."

그리고 그에게 악수를 청했더니 그도 얼굴이 밝아지면서 물어 왔다.

"김 센세이, 그런데 한국에 김 센세이 같은 목사가 많이 있습니까?"

"무슨 뜻인지요? 한국에 목사가 많긴 한데요."

"아뇨, 한국 목사 수를 묻는 게 아니구요. 김 목사님 같은 스바라시이(훌륭한) 목사가 많은가 묻는 겁니다."

"아, 예. 무슨 뜻인지 알겠습니다. 저는 한국 목사 중에 보통 목사의 한 사람입니다만."

"제가 김 목사님과 함께 지내면서 한국인에 대한 인상이 바뀌게 됐고 또 성직자인 목사에게 큰 실례를 저질렀구나 하는 생각이 들어 사과를 드리게 된 것입니다."

"예, 좋은 태도입니다. 앞으로 한국인들과 일본인들 간에 개인적으로나 국가적으로나 서로 이해하고 친하게 지내도록 합시다. 고맙습니다."

누군가가 일본인에게 '앗사리한' 기질이 있다고 하더니, 바로 이런 점을 말하는 게로구나 하는 생각이 들었다. 열흘간의 금식이 끝난 다음 날 끼니라고 주는데 조그마한 접시에 희멀건 미음 한 공기가 고작이었다. 나는 감질나서 말했다.

"아니, 주면 주고 말면 말지, 이렇게 병아리 눈물만큼 주면 어떡혀요?"

내 항의에 지도자가 미소를 지으며 말했다.

"김 센세이, 금식 수행은 이 부분이 어렵습니다. 금식 기간보다 금식이 끝난 뒤의 보식(補食) 기간이 더 어렵고 또 중요합니다. 금식했던 기간의 세 배가 되는 기간에 식사량을 서서히 늘려나가야 금식한 효과가 있습니다. 우리가 열흘을 금식했으니, 열흘의 세 곱절인 30일간의 식사량을 천천히 늘려 30일 후에 금식하기 전의 수준에 이르게 해야 합니다. 이 일에 실패하면 금식한 보람을 잃기도 하거니와 때로는 건강을 그르치는 경우도 있습니다. 김 센세이께서 금식 기간을 모범적으로 견디셨으니 금식 후에도 이찌방(일등)으로 이겨나가십시오."

찬찬히 일러주는 그의 말을 듣고서야 도리없이 참을 수밖에 없었다.

그런데 일본에서의 금식 수행에서 얻은 최고의 열매는 바로 두레 장

학재단인 두레 연구원 사업의 시작이었다. 금식 기간에 집중적으로 생각한 화두가 바로 '사람을 기르는 일' 이었다.

금식이 끝날 무렵 두레 장학사업을 일으키는 취지문을 썼다.

〈사람을 기르는 일 - 두레 장학사업을 시작하며〉

네게서 날 자들이 오래 황폐된 곳을 다시 세울 것이며 너는 역대의 파괴된 기초를 쌓으리니 너를 일컬어 무너진 데를 수보 하는 자라 할 것이며 길을 수축하여 거할 곳이 되게 하는 자라 하리라.

• 구약성서 이사야 58장 12절

우리 국민들은 슬기롭고 민첩한 국민들입니다. 예로부터 평화를 사랑하여 이웃과 더불어 나누며 살기를 즐겨 했던 국민들입니다. 세계 어느 민족에 견주더라도 빼어난 자질을 지닌 국민들입니다. 그럼에도 지난 세월 세계사의 무대에서 빛을 발하지 못하고 수난의 세월 속에서 한을 쌓으며 지내왔습니다. 그 이유가 어디에 있겠습니까? 민족을 바르게 이끌어 나갈 지도자들이 없었기 때문입니다. 그런 지도자가 왜 없었겠습니까? 기르지 않았기 때문입니다. 이에 두레마을은 그런 지도자들이 될 사람을 기르는 일을 시작하기로 작정했습니다.

바야흐로 21세기 통일한국시대에 예수 그리스도의 이름으로 겨레를 이끌며 교회를 섬겨나갈 일꾼들을 기르는 일이 얼마나 소중

하고 긴급한 일이겠습니까? 이에 두레마을은 이 큰 일에 발 벗고 나서기로 했습니다. 온 세계에 흩어져 있는 두레가족들이 이 일에 함께 참여해 나가기를 바랍니다. 먼저 기도로, 뜻으로, 그리고 물질로 이 일에 참여해 주기를 바랍니다. 두레가족들이 길러낸 일꾼들이 각 분야에서 지도자들이 되어 '통일 한국' '성서 한국' '선교 한국'의 시대를 이끌어 나갈 날을 꿈꾸며 글을 줄입니다.

1989년 7월

두레마을 대표 김진홍

이런 취지문과 더불어 두레 장학사업의 시행 방안을 구체적으로 세워나갔다. 우선 영적으로나 지적으로나 사회적으로나 탁월한 인재들을 장학생으로 뽑아 1단계로 2년간 훈련을 시킨 뒤, 그들 중에서 다시 선발된 학생들을 대상으로 박사학위를 받을 때까지 뒷받침하기로 했다.

장학생은 대학 졸업생 가운데 다섯 가지를 기준으로 선발했다.

첫째는 탁월성이다. 이것은 지적 탁월성만을 의미하는 것이 아니라 인간 됨됨이, 영적 깊이, 사회적 리더십 전반에 걸친 탁월성을 뜻한다.

둘째는 파괴력이다. 이는 불의와 부정 및 그릇된 관행이나 가치관 전체를 대할 때 타협하지 않고 굴복하지 않고 또 피하려 들지 않고 당당히 맞서서 무너뜨리려는 기백과 행동력을 뜻한다.

셋째는 창조성이다. 둘째 항목의 파괴력이 아무리 강력하다 할지라도 건설과 창조가 없는 파괴는 뜻을 지니지 못한다. 크리스천의 파괴

는 건설을 위한 파괴여야 한다. 이 점에서 복음 운동권은 세속 운동권과 구별된다. 세속 운동권은 그릇된 체제나 질서를 파괴하는 일 자체에 의미를 두는 경우가 있다. 그러나 복음 운동권은 창조를 위한 파괴에 헌신한다.

구약성서 창세기 1장에서 하나님은 자신의 형상을 따라 사람을 창조했다고 했다. 여기서 '하나님의 형상'이란 무엇을 뜻하는가? 두 가지 능력을 일컬어 '하나님의 형상'이라 일컫는다.

'사랑하는 힘'과 '창조하는 힘'이다. 그래서 복음인들은 어느 경우에나 사랑으로 창조하는 일에 자신을 투자한다. 그런 일꾼들을 길러내는 것이 두레 장학사업의 목표다.

넷째는 지속성이다. 한때 좋은 일을 하는 것은 누구나 가능하다. 그러나 그 일을 평생을 두고 일관되게 감당하는 마음가짐이 중요하다. 그래서 지속성은 하나님의 일꾼이 되는 일에 필수적이다.

다섯째는 헌신성이다. 하나님에게는 99퍼센트는 소용없고 100퍼센트만 소용된다는 말이 있다. 그리스도의 이름으로 겨레와 교회를 섬겨나가는 일에는 자신의 삶 전체를 투자할 필요가 있다.

구약성서 역대하 16장 9절에 '하나님은 온 땅을 샅샅이 뒤져서 전심으로 하나님을 향하는 자를 찾아내어 그에게 능력(카리스마)을 맡긴다'고 했다. 자신이 위로부터 받은 사명에 인생 전체를 투자하겠다는 결의와 실천력이 있는 사람이 일꾼으로 쓰임 받는다.

두레는 이 다섯 가지-탁월성 · 파괴력 · 창조성 · 지속성 · 헌신성을 기준으로 장학생을 선발하여 매달 두 번씩 모여 성경 공부를 하면서 바른 사상을 기르는 일에 몰두한다.

그리고 여름과 겨울에 각각 열흘씩 동맹 수련하며 심신을 닦고 또 동지적 결속력을 다져나간다. 일 년에 두 번 실시되는 동맹 수련에는 두레마을에서의 노동이 주가 된다. 노동 중에서도 가장 힘든 노동을 택한다. 땅 파는 일, 돼지 막사에서 똥치는 일, 시멘트를 비벼 넣는 일 등이다. 이런 막노동에서 게으름 피우거나 적응하지 못하는 경우 장학생에서 탈락된다. 왜냐하면 지도자가 되려는 사람은 밑바닥 서민들의 애환을 체험하고 능히 이해하고 자신을 바닥 사람들의 삶의 자리까지 낮출 수 있어야 한다고 생각하기 때문이다.

그런데 해마다 장학생들에게 노동훈련을 실시해보면 탁월한 일꾼들일수록 험한 일에 더 잘 적응한다. 그 사람의 됨됨이가 탁월하면 탁월할수록 더 열린 마음을 갖고 있고 또 겸손하기 때문일 것이다.

이런 취지와 내용으로 장학사업을 시작할 뜻을 밝혔더니 때를 맞추어 헌금하는 분들이 있었다. 첫 번째로 전도석 사장이 5천만 원을 장학금으로 기탁해 왔고, 이어서 진기정 교장선생님이 1억 원을 기탁했다. 진 교장선생님은 일평생 교육계에 종사하신 분으로 퇴직금 전액을 두레 장학금으로 기탁했다. 그리하여 전도석 사장과 진기정 교장이 헌금한 1억 5천만 원이 오늘날 두레 연구원의 종잣돈이 되어준 셈이다. 이렇게 해서 두레 연구원 1기 장학생으로 탁월한 젊은이들을 뽑았다.

김호열, 김회권, 이문장, 이성록, 정현구, 최동묵 등이 1기생으로 선발되었고, 이후 2년마다 새로운 젊은이들이 장학생으로 뽑히고 있다.

1999년 현재는 4기까지 배출하여 120여 명의 두레 장학생이 세계의 명문대학에서 학위과정을 밟고 있다. 이들은 미국의 하버드대, 예일대, 프린스턴대, 시카고대, 스탠퍼드대, 일본의 도쿄대, 독일의 하이델베르크대, 훔볼트대, 영국의 옥스퍼드대, 에든버러대 등에서 발군의 실력을 드러내고 있다.

두레 연구원 장학생들의 면면을 알고 있는 어느 분은 한국에서 10년이 지나면 두레 시대가 올 것이라고 예견하기도 했다. 세계의 명문대학에서 학문을 닦고 있는 두레인들이 학위 과정을 마치고 국내에 들어와 활약할 때를 생각하여 그렇게 말하는 것이다.

두레마을이 장학사업을 운영하는 방법은 매우 독특하다. 그야말로 세계에 하나 밖에 없는 장학재단이라 하겠다. 장학회 소속의 은행 계좌만 열어둔 채 다른 기금이 전혀 없다. 매월 20일 그 은행 계좌를 열어 학생들에게 장학금을 송금하고 나면 계좌가 비게 된다. 그러나 다음 달 20일에 계좌를 열면 또 그만큼의 예산이 들어와 있다. 그동안 나라 안팎의 두레가족들이 송금한 것이다. 적게는 기천 원에서 많게는 수백만 원을 매달 장학금으로 보내온다. 말 그대로 믿음으로 운영되는 장학재단이다.

이런 사정을 알고는 어느 분이 "다음 달에 예산이 확보되지 않을까 염려되지 않느냐"고 물었다. 전혀 그렇지 않다. 두레가족들 간에는 신뢰가 형성돼 있기 때문이다.

4기 장학생들을 선발할 때의 일이다. 애초에 20명을 선발할 계획이었으나 워낙에 탁월한 지원생이 많아 도저히 떨어뜨릴 수가 없었다.

그래서 48명을 선발했다. 그랬더니 사무부 일꾼들이 염려돼 말했다

"목사님, 매월 들어오는 예산은 한정돼 있는데 갑자기 두 배나 넘게 장학생을 뽑으면 뒷감당을 어떻게 하시려구요?"

"그건 그렇지만, 자네도 뽑아놓은 사람들의 면면을 살펴보게나. 그들 가운데 단 한 사람이라도 떨어뜨릴 사람이 있던가. 나로서는 아무리 살펴도 떨어뜨릴 사람이 없더구먼. 어차피 믿음으로 운영하는 사업이니 하나님께서 뒷받침해 주실 것을 믿고 나가야 하지 않겠는가?"

그래서 48명을 선발했다. 신기하게도 다음 달 20일에 은행 계좌를 열었더니 꼭 뽑은 만큼의 장학 헌금이 더 들어와 있었다. 이런 체험들이 증거가 돼 우리가 하는 일을 하나님께서 인정하시고 밀어주신다는 확신을 품고 있다.

두레는 미래의 지도자를 길러내는 사업을 국내에서만 진행하고 있는 것이 아니다. 현재 해외의 동포 사회에서도 그 사회의 미래를 이끌어나갈 지도자 육성 사업에 착수했다.

해외에는 한반도 주변의 4대 강대국을 중심으로 대략 550만 명의 동포가 흩어져 살고 있다. 중국에 220만의 조선족이 있고, 러시아에 40만의 고려인이, 일본에 80만 재일동포가, 미국에 150만 명이 살고 있다. 그밖에 남미, 호주, 뉴질랜드, 유럽 등지에도 동포들이 흩어져 살고 있다. 550만 명에 이르는 동포들이 무려 172개국에서 개척자로 살아가고 있다. 그들은 어느 대륙 어느 나라에 가든지 한국인의 끈질긴 생명력을 십분 발휘해 나가고 있다.

본국에서와 마찬가지로 이들이 살고 있는 곳에서 한인공동체를 이

끌어 나갈 지도력을 육성하는 것은 우리 민족의 미래를 위해 대단히 중요하다. 이에 두레마을은 본국에서의 장학사업이 정착되자 미국과 일본에 이어 중국에서도 미래의 지도력을 기르는 사업에 착수했다. 두레 연구원 부설로 한중장학회를 설립한 뒤 연변과 베이징 지역을 중심으로 젊은 일꾼들을 뽑아 장학금을 지원하면서 때에 따라 동맹 수련을 실시했다.

그런 노력이 중국 동포사회에서 인정을 받았던지, 중국 조선족의 영도(領導, 지도자)들이 북경에 조선 민족대학을 설립하는 사업에 두레마을도 동참해 달라고 요청해 왔다. 이에 나는 1999년 6월 초 중국 베이징을 방문하여 조선족 영도들과 모임을 가지고 대학을 설립할 부지를 답사한 후 중국 조선 민족대학을 설립하는 일에 공동 보조를 취하기로 합의한 바 있다.

중국 내에 살고 있는 220만 동포들은 한국이 중국 대륙으로 진출하는데 좋은 발판과 길잡이가 될 수 있고, 또한 통일 한국 사업에 큰 몫을 감당할 수 있다. 그래서 중국 내의 조선족 사회가 하나로 결속하는 일에 정신적 · 문화적인, 그리고 실질적인 중심 역할을 할 수 있는 대학설립은 매우 중요하지 않을 수 없다. 더욱이 이 일에 선교의 의미까지 곁들였으니, 금상첨화가 아니겠는가.

사실 21세기 통일 한국 시대를 전망해 보면 한반도를 중심으로 4대 강국인 미국, 일본, 중국, 러시아에 살고 있는 동포들의 역할이 대단히 중요하다. 두레가 전망하는 비전은 21세기에 들어 민족사와 교회사가 여하히 일치되는 시대를 열어나갈 것이냐에 방향을 정하고 있다.

그간에는 기독교가 전래된 역사가 짧기도 한데다 한국 교회 지도자들의 역사의식이 얕아 민족사와 교회사를 하나로 묶어 인식하는 일에 소홀했다. 이제는 달라져야 한다. 한국 교회는 한국 사람들 삶의 한가운데로 들어가 섬기며 발전시켜 21세기에 위대한 민족사를 창출해 나가는 일에 앞장서야 한다. 이런 생각과 운동을 일컬어 나는 민족사와 교회사의 일치운동이라 일컫는다.

그래서 이러한 운동을 효율적으로 부단히 일으켜 나가려면 역시 선행돼야 할 것이 지도력의 육성이다. 그러한 지도력을 육성해 나가려는 구체적인 작업이 두레마을의 '사람 기르는 일'로서의 장학사업이다. 두레에서 자란 지도자들이 다가오는 통일한국시대에 한민족을 이끌어나가게 하자는 것이다.

그런데 4대 강국에 살고있는 동포들의 현황을 살펴보건대 일본, 미국, 중국에서는 동포 사회가 각기 나름대로 틀을 잡아가고 있지만 러시아에서는 사정이 다르다. 러시아 동포들은 1930년대 스탈린의 통치시대에 연해주에서 중앙아시아로 강제 이주했던 쓰라린 역사가 있다. 숱한 희생을 치르고 중앙아시아 지역에서 뿌리를 내리는 듯했으나, 소비에트 연방이 해체된 이후 그들은 다시 삶의 보금자리를 잃어가고 있다. 그래서 그들은 모든 것을 버리고 다시 연해주로 모여들고 있다.

지금 연해주에서는 빈손으로 연해주로 모여든 고려인들의 정착 사업이 진행되고 있다. 이른바 '러시아 연해주 고려인 정착촌 건립 운동'이다. 지금 7개 지역에서 진행되고 있는 이 운동의 지도자는 김떼미르란사람이다.

두레마을로서는 지난날 서울 판자촌에서 지금의 남양만 간척지로 집단 귀농, 정착했던 경험이 있으니 러시아의 고려인 정착촌 건설을 지원하기에 안성맞춤인 셈이다. 그래서 두레마을은 그들에게 농업기술 지도, 농기계 지원, 농산물의 가공수출 지원 등을 비롯해 공동체의 설립 운영에 필요한 제반 사항을 지원하려 하고 있다.

그렇게 설립되는 공동체에 가장 긴요한 것이 정직하고 유능하고 헌신적인 지도력의 확립이다. 고려인 정착촌 안에서 그런 지도력을 어떻게 확립해 나갈 것인가가 지금 두레마을이 고민하는 문제다.

한인 사회는 나라 안에서나 밖에서나 분열과 다툼이 심한 것이 특징이다. 지금의 코리언들은 어느 곳에서나 다툼을 일삼는다. 지도자를 세웠어도 그 지도자의 지도력 아래 뭉치지 않는다. 한결같이 반목하고 분열하고 시비를 일삼는다. 지금의 이런 상태를 극복하지 못하고는 절대로 선진한국을 구축해 나갈 수 없다.

우리 민족성의 이런 취약점을 고쳐나갈 수 있을 대안은 무엇인가? 그 대안이 바로 예수 공동체다. 사랑과 진리를 바탕으로 하는 예수 공동체다. 코리언들이 나라 안에서든 밖에서든 예수 공동체를 이루어 오늘의 상황을 극복해 나가도록 하자는 것이 두레 공동체 운동이 품은 뜻이다.

두레 장학사업이 지도자를 기르는, 말하자면 엘리트를 위한 사업이긴 하지만 두레 운동의 기본 전통은 바닥 운동이다. 사회에서 어떤 형태로든 소외되고 탈락한 이웃들을 예수 그리스도의 이름으로 섬기겠다는 운동이다.

그래서 두레마을 안에 길 잃은 청소년들을 위한 학교를 세웠다. 두레자연고등학교란 이름으로 1999년 3월 5일 개교한 이 학교는 기존 학교 교육에 적응하지 못하는 학생들을 대상으로 하는 교육기관이다. 1997년의 경우 한 해 동안 퇴학당한 중고등학생이 무려 5만 6천 300명이다. 그리고 자퇴한 중고등학생도 6만 명을 넘어선다. 이 수를 합치면 모두 12만 명이 넘는다. 게다가 지난 한 해 동안에 자살한 중고등학생의 숫자도 800명이 넘는다. 이렇게 심각한 청소년문제를 해결하는 일에 일조할 목적으로 두레자연고등학교를 세운 것이다.

이런 학교를 세워야겠다고 처음 생각한 것은 1980년대 초반이었다. 한국의 학교 교육이 너무나 입시 위주이다 보니 상처받고 피해입은 청소년들이 너무나 많다는 사실은 굳이 설명할 필요가 없을 것이다.

영국의 닐스 박사 부부가 세운 '서머힐 학교'의 자료를 읽고 감명을 받았던 나는 활빈교회 부설 교육기관으로, 그런 유의 자유 학교를 운영하려는 뜻을 세우고 교육부를 찾아갔다. 관계 공무원을 만나 뜻을 설명하고 학교 설립 허가를 요청했더니 공무원의 대답은 매우 간단했다.

"목사님, 그런 학교는 법에 위반됩니다."

화가 난 나는 비슷한 어조로 말했다.

"법에 위반되면 법을 고치세요."

"법을 고치는 건 국회가 하는 일이지 여기서 하는 일이 아닙니다."

"당신은 그럼 여기서 뭘 하시오?"

"아니, 무슨 말을 그렇게 하세요? 여기서 뭘 하다니요? 내 업무가 있

는 거지요."

"당신 업무라는 기 뭐요? 안 된다는 소리만 하고 앉아 있으면서 무슨 업무란 거요?"

"아니, 목사가 여기 시비 걸러 온 거요?"

지금은 교육부가 된 문교부에 가서 이런 말다툼만 벌이다가 돌아온 때가 1983년이었다. 그런데 정권이 교체되고 문민정부가 시작되면서 세월이 확실히 좋아졌다고 여겨진 것이 바로 공무원들 태도가 달라졌다는 점이다. 1997년 가을엔가 교육부를 찾아가 1983년에 했던 말을 되풀이했더니 그 반응이 전혀 달랐다.

"목사님, 고맙습니다. 정부가 해야 할 일을 교회가 맡아 해주시겠다니 참 고맙습니다. 허가해 드려야지요."

이렇게 순순히 나오니 속으로 '세상이 정말로 달라지고 있구나' 하는 생각이 들었다. 담당관이 이어서 말했다.

"목사님, 학교설립 허가는 관할 도 교육청에서 취급합니다만, 우리도 적극 협조하겠습니다. 중고등학교 설립 허가를 받으시려면 먼저 재단설립 허가부터 받으셔야 하는데, 아마 상당한 기금이 준비돼 있어야 할 겁니다."

"대충 얼마나 마련해야 하는지요?"

"아마 삼사십억 원 돼야 하지 않을까요?"

"아이구, 머이 그래 많이 들어가요? 좀 싸게 해주셔야겠는데요."

"허허, 싸게 해드려야지요. 목사님이 세우시려는 학교는 특수 학교니까 일반 학교와는 기준을 달리 적용해서 밀어드리는 방법을 찾아보겠습니다."

이런 과정을 거쳐 학교를 설립하는 데 필요한 학교법인이 10억 원 정도로 승인되도록 결론이 났다. 나는 두레마을로 돌아와 식구들을 모아놓고 의논했다.

"우리가 오래도록 꿈꿔오던 대안학교(代案學校, Alternative School) 설립에 십억 원이 필요하다는데 어떻게 마련하면 될까요? 각자 좋은 의견들을 말해보세요."

"목사님, 학교란기 가르칠 선생이 있고, 배울학생이 있고, 방 몇 개 있음 되는 거지, 먼 돈이 그리 든다요?"

"응, 학교 설립 허가를 내려면 재단기금인가 뭔가 하여튼 십억이 든대. 그것도 깎고 깎아 싸게 한기 그렇구먼."

"목사님, 지금 마련할 수 있는 돈은 오억 정도까지는 되겠는데, 나머지 오억이 문제구먼요."

"그래? 오억이라. 큰돈은 아닌데…."

"남들에겐 큰돈이 아니지만 우리한텐 큰돈이지요. 지금 형편에 5억이면 보고 죽을라 해도 없는 액수입니다요."

"허긴 그래. 계란 팔고 배추 팔아서 오억을 모으려면 몇 년이 휘딱 가겠지."

"허는 수 없지요. 그렇게 모아나가야지요."

"아냐. 지난해 퇴학당한 중고등학생이 오만 육천 삼백 명이래. 그리고 자퇴한 중고등학생은 육만 삼천 명이야. 해마다 십이만 명의 중고등학생들이 학교를 떠나 길거리를 헤매는데, 언제 돈을 모아 학교를

세우겠나? 다른 방도를 찾아봐야지."

그래서 생각에 생각을 거듭한 끝에 1998년 설날을 맞아 일주일간 금식기도를 드리기로 했다. 대안학교 설립에 필요한 5억 원 마련을 위한 기도였다. 평소에는 일정이 빈틈없이 짜여 있어 따로 금식기도를 할 틈을 낼 수 없는지라 스케줄이 없는 명절을 활용하기로 했다. 나는 일주일 동안 물만 마시며 간절히 기도드렸다.

"하나님 아버지, 길 잃은 청소년들을 위해 학교를 세우는 일에 오억이 꼭 있어야 합니다. 어떤 길을 통하든지 꼭 허락하여 주시옵소서. 예수님 이름으로 기도드렸습니다. 아멘."

이런 내용으로 기도를 거듭 반복했다.

일주일이 지나 기도를 마칠 무렵 마음이 편안해지면서 꼭 응답될 거라는 느낌이 들었다. 나는 이번 기도는 하나님이 결재하신 것이라 결론짓고는 다시 일과를 시작했다.

그 후 한 달가량 지난 어느 비 오는 월요일이었다. 모처럼 집에서 쉬고 있는데 어느 할머니가 전화를 걸어왔다. 나는 여느 때처럼 갈 곳이 없어 두레마을에 의탁하려는 할머니 거니 생각하고는 전화에 대고 말했다.

"할머니, 두레마을에 들어오시려구요? 죄송스럽네요. 두레마을에 들어오려는 사람이 너무 많아서요. 지금 오륙백 명이 등록해 놓고 기다리고 있습니다. 우리 숙소가 모자라서 방이 비는 대로 한 사람씩 들어오곤 합니다. 그러니 할머니가 지금 등록하셔도 아마 돌아가신 후에나 방이 비고 차례가 올 겁니다."

"아네요, 목사님. 제가 두레마을에 들어가려는 게 아니에요. 평소에 좋은 일에 쓰려고 모아 놓은 돈이 조금 있는데 목사님 하시는 일에 헌금할까 해서 전화드렸습니다."

나는 그 말에 속으로 아이고 큰일 날뻔했구나 생각하며 할머니께 말했다.

"아, 그러세요. 할머니, 죄송합니다. 두레마을로 들어오려는 분들이 하도 많아 제가 실례를 했구먼요."

"괜찮습니다. 제가 이해하지요. 그런데 제가 늙어서 길눈이 어두워 목사님께 가기가 어려우니 목사님이 저 있는 데로 좀 와 주실래요?"

"그래야지요. 젊은 사람이 찾아가야지요."

나는 할머니가 일러준 곳으로 찾아갔다. 여든여섯이나 된 할머니였다. 우리 어머니 세대가 그러했듯이 평생 고생하시고 산 티가 완연한 할머니였다. 할머니가 내 손을 잡으며 말했다.

"하이고, 목사님. 죽기 전에 목사님 뵙고 내 정성을 드리려고 애썼는데, 이렇게 찾아와주셔서 고맙기 이를 데 없구만요."

그렇게 말하며 진작 만들어 둔 내 명의로 된 통장에 도장까지 곁들여주며 할머니는 말했다.

"목사님, 이 돈이 얼마 되지는 않습니다만 평생 푼푼이 모은 돈입니다. 이 돈을 목사님이 잘 알아서 써주시겠지만, 제가 기도할 때는 길 잃은 청소년들을 돕는 일에 쓰임 받게 해달라고 기도 했습니다. 그러나 제 기도는 신경 쓰지 마시고 목사님이 알아서 써주십시오. 저는 다만 목사님을 믿고 맡길 따름입니다."

나는 할머니로부터 통장을 받아 펴보았다. 정확히 5억 원이었다. 나는 잠시 눈을 감고 하나님, 감사합니다 하고 속으로 기도를 드리고는 할머니께 말했다.

"할머니, 참 신기하고 감사한 일이네요. 제가 청소년을 돕는 학교를 세우는 일에 5억 원이 필요해서 지난 설 때 일주일간 금식기도까지 드렸는데, 이렇게 할머니를 통하여 허락되는군요. 할머니, 참 감사합니다."

내 말에 할머니도 더욱 보람을 느끼시는지 즐거운 표정으로 수표 한 장을 건네주며 말했다.

"목사님, 북한 동포 돕는 일도 하고 계시다지요? 그 일을 위해서는 따로 백만 원을 준비했습니다."

나는 진심 어린 감사를 드리고 그때부터 학교법인 설립 허가신청 서류를 작성해 경기도 교육청에 제출했다. 때맞춰 군포시에 거주하는 유정열 장로가 수리산 기슭의 목이 좋은 곳에 2만 5천 평의 땅을 출연하여 더욱 큰 도움을 받았다. 학교법인의 이름은 유정열 장로의 호인 수곡(樹谷)을 따라 '학교법인 수곡두레학원'으로 정했다. 이어서 학교 설립 허가를 신청하여 '두레자연고등학교'란 교명으로 허가받았다.

드디어 1999년 3월 5일 첫 입학생 20명과 교사 13명, 축하객 500여 명이 모인 가운데 개교 예배를 드렸다.

개교식을 올리기 전에 가장 어려웠던 것이 학생을 선발하는 일이었다. 두레자연고등학교를 시작한다는 소식이 알려지자 너무나 많은 청소년이 입학하기를 원하는 바람에 20명을 선발하는 일이 여간 어렵지 않았다. 밀려드는 입학 지원을 감당하기 어려워 고심하던 한 교사가 말했다.

“목사님, 안 되겠습니다. 이렇게 많은 지원자 중에서 20명을 뽑아내기는 거의 불가능합니다. 도리 없으니 지원서를 공중에 던져 멀리 가는 서류 20통을 뽑는 수밖에 없겠습니다.”

이런 말을 나누기까지 하며 20명을 어렵사리 뽑아 개학식을 올렸다. 한 학급 학생 수를 20명으로 제한한 것은 학생 한 명 한 명에게 정성을 쏟기 위해서였다. 개학을 한 뒤 13명의 교사진이 20명의 학생과 함께 살며 그들을 지도하기 시작했다.

처음부터 수업은 적게 하고 놀고 일하며 더불어 사는 일을 중심으로 삼으려고 세운 학교이기에 공부는 일반 학교의 수업 시간에 매이지 말고 아침저녁에 조금씩 하자는 방침이었다. 학과 공부는 줄이는 대신 사람 되는 공부를 시킬 목적으로 세운 학교이기 때문이다. 그래서 교과 과정 중에는 농사짓기, 토담집 짓기, 길 만들기, 공동체 수련, 등산 등 다양한 프로그램이 짜여 있다.

첫 여름방학 때는 교사 전원과 전교생 모두가 중국 연변의 두레마을로 가서 한 달 과정인 이동 수업을 했다. 그 한 달 과정에는 백두산 등반과 함께 역사 탐방 시간으로 청산리 싸움터와 독립군 유적지 탐사 등이 포함되었다.

이런 과정을 거치면서 학생들의 흔들렸던 이큐(EQ)를 회복시키고, 길 잃고 방황하던 청소년을 건강하고 꿈 있는 청소년으로 바뀌게 하려는 것이 두레 학교의 목표다.

10

상한 갈대를 꺾지 아니하며

상한 갈대를 꺾지 아니하며

두레마을이 뜻을 모으고 힘을 기울여 운영하는 사업 가운데 하나가 치유원(healing center) 사업이다. 두레마을이 치유원을 시작하게 된 동기는 예수 그리스도가 이 땅에 존재하던 때에 행했던 사역에서 비롯되었다. 신약성서의 첫 번째 책인 마태복음에 예수님이 행하신 3대 사역이 기록되어 있다.

> 예수께서 모든 성과 촌에 두루 다니사 저희 회당에서 가르치시며 천국 복음을 전파하시며 모든 병과 모든 약한 것을 고치시니라. 무리를 보시고 민망히 여기시니 이는 저희가 목자 없는 양과 같이 고생하며 유리(流離)함이라.
>
> • 마태복음 9장 35~36절

예수는 땅에 있던 때에 힘없는 백성들을 돌아보는 마음이 각별했다.

그때나 지금이나 지도자가 없거나 아니면 지도자를 잘못 만나 고생하며 떠도는 백성들의 고통은 입으로 말하기 힘들다. 백성들의 그런 참상을 민망히 여긴 예수는 이 마을 저 마을을 부지런히 다니며 백성들을 가르치고 복음을 전파하고 치료했다. 그때부터 지금까지 예수가 머리인 교회는 어느 곳, 어느 때에나 이들 세 가지 사역을 이어가고 있다.

첫째는 가르치는 교육사역, 둘째는 천국 복음을 전파하는 전도사역, 셋째는 약한 자들과 병든 자들을 고치는 치유사역이다. 두레마을도 예수 그리스도의 교회의 한 부분이기에 당연히 이들 세 가지를 포함한다. 두레마을 치유원은 예수의 이 치유사역에 바탕을 두고 있다. 구약성서 이사야 42장은 예수가 이 땅에 오기 수백 년 전에 이미 예수가 와서 할 일을 예언하고 있다.

> 상한 갈대를 꺾지 아니하며 꺼져가는 등불을 끄지 아니하고 진리로 공의(公義)를 베풀 것이라.

이스라엘 사람들은 긴 세월에 자기들을 구원할 자인 메시아를 기다려왔다. 그들이 기다리는 메시아는 백만 대군을 거느리고 슈퍼스타처럼 임하여 세계를 통치할 그런 메시아였다. 그런데 예수는 그들이 기다리던 바와 전혀 다른 모습으로 왔다. 사랑을 실천하는 종으로 왔고 섬기는 자로 왔다. 마치 상한 갈대와도 같은 연약한 영혼들을 감싸주러 왔고, 꺼져가는 등불 같은 불쌍한 이들을 품어주러 왔다. 그리고

진리와 정의를 세우러 왔다. 예수는 친히 이런 말을했다.

> 건강한 자들에게는 의사가 필요 없고, 병든 자들에게라야 의사가 필요하다. 나는 건강한 자들을 위해 온 것이 아니라 병든 자들을 위해서 왔다.

이스라엘 백성들이 기다린 메시아는 이런 이가 아니었다. 그래서 그들은 예수를 거부하고 십자가 처형으로 끝냈다. 예수는 죽임을 당하고 묻힌 후 사흘 만에 다시 살아났다. 그렇게 다시 살아남으로써 자신은 생명의 주인임을 알렸다. 사랑의 힘이 위대함을 실증했다. 섬기는 자가 승리하는 자임을 보여주었다.

이 시대는 과학과 의학이 날로 발전한다면서도 몸과 마음이 병든 사람들은 더욱 늘어만 가고 있다. 돈이 있는 사람들은 병원에서 치료받으면 되겠지만 그럴 처지가 되지 못하는 사람이 너무나 많다. 또 돈이 있어도 치료할 수 없는 만성질환에 시달리는 사람도 많다. 이른바 성인병 시대다. 성인병의 대부분은 병원 치료로 해결되지 못하는 경우다. 이렇게 병든 이들을 돌보는 일은 교회가 마땅히 해야 한다. 병든 이웃들을 돌보는 일에 관심을 기울이지 않는다면 그런 교회는 이미 교회이기를 포기한 교회다.

그래서 예수 공동체로서의 두레마을은 치유원을 세우고 몸이 병들고 마음이 상한 이웃을 돌보는 일에 힘을 기울이고 있다.

물론 두레마을 치유원에 들어오는 환자가 모두 치유되는 것은 아니다. 실제로는 치유되는 환자보다 그렇지 못한 환자가 훨씬 더 많다. 그럼에도 불구하고 치유원이 중요한 것은, 이 사회가 내팽개치고 심지어 부모 · 형제들조차 관심을 기울이지 않는 환자들을 돌보려는 마음가짐 자체가 필요하기 때문이다.

1994년 어느 날, '장군의 아들'이 두레마을에 왔다. 서울 경기 고등학교에서 우등생이었다고 하는 그 젊은이는 3학년 때인 10월경 갑자기 바보처럼 변해버렸다. 장군인 아버지가 아들에게 '서울법대에 수석합격하라'고 어떻게나 윽박질렀던지 입학시험을 바로 코앞에 두고 갑자기 바보가 되어버렸다는 것이다

그 젊은이는 하루 종일 한자리에 가만히 앉아 허공을 노려보는 증상을 보였다. 어머니가 눈물로 호소해 보기도 하고 아버지가 윽박질러 보기도 했지만 백약이 무효였던지라 하는 수 없이 두레마을로 데리고 왔다.

누군가의 소개로 두레마을을 찾아온 장군님은 이곳에서도 장군 행세를 하려 들었다. 뻣뻣한 자세로 두레마을 같은 곳에서 내 아들을 당연히 받아주어야 하는 것 아니냐는 투로 말을 하니, 두레마을 가족들은 비위가 상했다. 화가 난 식구들이 투덜거렸다.

"아들을 저렇게 망쳐놓았으니, 저 따위 장군이 군대 사병들은 오죽이나 잡아놓았을까. 여기까지 와서 장군 행세하려는 게 도무지 꼴불견이네."

나는 식구들이 투덜거리는 소리를 듣고 장군 부부를 불러 병든 아들을 맡기러 왔다면 두레마을 가족들에게 좀 더 겸손하고 예절 바른 태

도를 취하라고 일러주었다. 그리고 아들은 마을에 두고 돌아가라고 말했다. 장군이 아들 곁에서 며칠을 지켜보며 함께 있으면 어떻겠느냐고 말하기에 이렇게 답변했다.

"보아하니 아드님이 저렇게 되기까지에는 아버지가 끼친 부정적인 영향도 있는듯해 아버지가 곁에 있으면 좋지 않을 것 같네요. 아예 떨어져 있는 것이 좋을 것 같구먼요. 아드님은 두레마을에 맡기고 가끔 찾아오시지요. 그게 피차 좋을 겁니다."

나는 장군의 아들을 양계장에 배치했다. 그리고 팀원들에게 관심과 정성을 기울여 돌봐주라고 일렀다. 그런데 열흘쯤 지나 양계장의 팀장이 나를 찾아와 항의했다.

"목사님, 지가 두레마을에 와서 뭘 잘못했기에 이런 골칫덩이를 맡깁니까?"

"이 사람아, 뭔 소릴 그렇게 하는가? 자네가 잘하니까 맡긴 건데 왜 그렇게 반대로 말하는가? 도대체 재가 어떻게 하기에 그러는가?"

"목사님, 말 마십쇼. 지가 안 미치게 할라믄 걔를 다른 부서로 옮겨주셔야 합니다."

"왜 어쩐데 그러냐?"

"말 마십쇼. 닭장 안에 데리고 들어가 계란을 주우라고 했더니 계란을 들고는 가만히 있어요. 그래서 '야, 뭘 하니? 계란을 바구니에 담아야지 그냥 들고 섰기만 하면 어떡하니' 하고 말했더니 이번엔 바구니에 손을 담고는 또 가만히 있어요. 그래서 다시 '계란을 주워 담으라니까' 했더니 또 하나를 주워서는 그냥 들고 있는 겁니다. 한번 시킬 때마다 한 동작씩만 하는 거예요. 제가 열받아서 '야, 아예 내 앞에서 사라져'라고 했더니, 사라진다는 것이 얼마나 가관인지 발을 한 발짝 떼고는 한참이나 있고 또 한 발짝 떼고는 한참이나 서 있어요. 그걸 보려니 제가 미쳐버릴 것만 같습디다요. 그러니 목사님, 절 안 미치게 하려면 저 친구를 다른 부서로 옮겨주시라요."

"걔가 그러니까 자네 부서에 맡긴 거여. 그래도 우리 마을에서는 자네가 이해심이 가장 깊고 포용력이 있어서 자네 부서로 보낸 건데 그렇게 말하면 안 되지. 걔가 그 유명한 경기고등학교에서 줄곧 우등생을 했대. 그런데 대학입시를 앞두고 그렇게 넘어져 버린 거야. 그런 친구 하나 제대로 붙들어 주는 게 나랏 일이고 교회 일인 게야. 자네는 다른 일은 안 해도 좋으니 걔 한 명만이라도 꽉 잡아주게. 그럼, 자넨 큰일 하는 거야."

"어메, 미치겄네. 혹 떼러 왔다가 하나 더 붙인 거 아녀."

장군의 아들은 처음에는 끼니마다 밥을 3, 4인분이나 담아다 먹었다. 웬 밥을 그렇게 많이 먹느냐고 물었더니 영양실조에 걸려서 그런다고 대답했다. 얼마 후에는 또 반 공기나 될까 말까 할 정도로 조금씩 담아 먹기에, 그렇게 적게 먹고 되겠느냐고 염려해 주었더니 도를 닦는 사람은 소식하는 것이라고 말했다. 그러기를 반년 가까이 되풀이하다가 식사량도 정상으로 조절되고 노동량도 정상인에 가까운 몫을 하기 시작했다.

이 밖에도 두레마을에는 진기한 환자가 적지 않다. 앞서 말한 초등학교 3학년 때 담임선생님에게 뺨을 맞은 일로 자폐증에 걸린 젊은이

가 있고, 다른 한 명은 서울대학교 미생물학과를 나온 아가씨다. 경북의 한 시골 고등학교를 나와 서울대에 들어갔으니 보통이 아닌 수재형 아가씨다. 그러나 졸업할 즈음 신경이 망가져 정신병원에서 치료를 받다가 두레마을로 들어왔다.

두레마을에는 그렇게 모인 젊은이들이 2, 30명에 이른다. 마을에서는 그들을 '외인부대'라고 부른다. 그런 이름이 붙게 된 데에는 이유가 있다. 그들 대부분이 외계인들처럼 엉뚱한 생각을 하는 데다 엉뚱한 버릇을 지니고 있기 때문이다.

외인부대의 지도자는 안국빈 박사다. 그는 의사로 미국에서 병원을 개업하고 있다가 내 설교를 듣고는 모든 것을 버리고 두레마을로 들어온 일꾼이다. 나이는 나와 동갑인 1941년생으로, 외인부대 가족들과 함께 살고 함께 노동하며 그들을 돌보고 있다.

두레마을에서는 그를 '총재'라고 부른다. 한 정당의 총재급에 준하는 막강한 영향력을 외인 부대원들에게 미치고 있기에 붙여진 이름이다. 오늘도 외인 부대원들은 안국빈 총재의 탁월한 영도(?) 아래 낮에는 노동하고 저녁에는 찬양하며 그들 나름대로 공동체를 이루어 나가고 있다. 쓰레기 치우기, 풀베기, 고추밭 김매기 등 두레마을의 온갖 허드렛일이 그들의 몫이다. 처음엔 두레마을이 그들을 돕겠다며 받아들였으나 이제는 오히려 그들이 두레마을을 돕고 있는 셈이다. 그래서 이제는 그들이 없는 두레마을은 상상도 할 수 없게 되었다.

그런데 두레마을의 고민은 너무나 많은 사람이 두레마을에 들어오기를 원하는데도 다 수용하지 못하고 있다는 점이다. 거의 날이면 날마다 이런저런 모습으로 상처받은 사람들이 두레마을에 들어오겠다고 직접 찾아오거나 전화한다.

그러나 두레마을은 시설도 역량도 너무나 한정돼 있다. 우선 방이 한정돼 있기에 어떤 일로 방이 빌 경우에만 그 자리에 다른 사람이 들어올 수 있다.

또 한 가지 문제는 도와야 할 사람들의 수가 많아지면 제대로 돌아볼 여유가 없어진다는 점이다. 자칫하면 수용소처럼 돼버리기 십상이다. 그러니 적은 숫자나마 서로 돕고 서로 치유하며 공동체를 이루어 나가는 것이 중요하다.

이런 문제를 해결할 수 있는 길이 한 가지 있긴 하다. 교회들이 두레마을 같은 공동체를 하나씩 세워 운영하는 길이다. 도시에는 힘 있는 교회들이 많다. 교회당을 건축하는데 5, 6백억 원씩 들이고, 산속에 기도원 하나 세우는 데에도 2, 3백억 원씩 쓰기도 한다. 그런 교회들이 복지공동체를 세워 예수 그리스도의 이름으로 병든 자들과 약한 자들을 돌보는 일을 하면 된다. 한국 교회들이 이런 쪽으로 방향을 돌려 제 몫을 감당한다면 나라가 달라질 것이다.

두레 치유원을 거친 가족 중에는 미국에서 건너온, 의사를 남편으로 둔 간호사가 한 분 있었다. 세상만사가 귀찮아 꼼짝하기도 싫어하는 전신무력증에 걸린 경우였다. 의사인 남편과 아이의 뒷바라지는 커녕 자신의 먹거리를 챙기는 것조차 귀찮아했다.

남편은 한국의 친정으로 가서 쉬면서 치료도 받으라고 그녀를 비행기에 태워 보냈다. 그런데 그녀가 한국에 나와 있는 동안 어떻게 된 일인지 이혼이 되어버렸고, 미국 영주권도 취소당해 미국에 들어갈 수도 없는 처지가 되고 말았다. 도리없이 친정에 얹혀 살아가고 있는데, 설상가상으로 그만 친정아버지의 사업이 부도가 났다. 그로 인해 집도 빚으로 넘어가고 말았다. 그래서 길거리에 나앉게 된 처지에 두레마을로 들어오게 되었다.

처음 마을에 들어왔을 때는 그녀는 말하자면 상전 중의 상전이었다. 세수는 커녕 밥도 먹기 싫어하는 그녀를 달래고 나무라며 상전 모시듯 해야만 했다. 날마다 그녀의 방으로 가서 찬송을 부르고 기도하고 격려했다. 세상은 넓고 할 일도 많으니 자기 속에 갇혀 있지 말고 밖으로 나오라고 권면했다.

그렇게 해서 서서히 변하기 시작한 그녀는 어느 날부터인가 자기보다 더 어려운 처지에 있는 동료를 위로하고 돕는데 이르게 되었다. 이제는 간병인으로 제 몫을 톡톡히 감당하고 있다.

두레마을엔 이런저런 사정으로 찾아온 사람이 대부분인지라 말도 많고 탈도 많을 수밖에 없다. 어떤 때는 웃지 못할 어처구니없는 일이 일어나기도 한다.

아내가 친정으로 가고 없을 때였다. 하루 일과를 마치고 잠을 자려고 침실로 들어갔더니 침대에서 아내가 자고 있었다. 나는 반가운 소리로 “여보, 언제 왔어? 며칠 있다 온다더니 왜 벌써 온 거요?” 하며 머리끝까지 뒤집어쓰고 있는 이불자락을 들췄다. 순간 숨이 막힐 만큼 놀라 한 걸음 뒤로 물러났다.

전혀 낯모르는 여자가 완전히 벗은 몸으로 누워 있었다. 당황한 나는 옆방에 계시는 어머니를 깨워 내 방으로 가서 일 처리를 해달라고 부탁드렸다. 영문도 모른 채 내 방으로 간 어머니는 침대 위의 여자를 보고 놀란 소리로 말씀하셨다.

"하이고, 이기 먼일이여. 여기 웬 마귀가 누워 있노. 얼른 일어나 옷 입고 나가라! 이 요물 같은 여자가 누굴 망치려고 이러고 있노. 얼른 안 나가나!"

어머니가 그렇게 소리 질러도 그녀는 이부자락을 움켜잡고는 꼼짝도 하지 않았다. 어머니는 빗자루를 휘두르며 나가라고 윽박질렀다. 그렇게 한참 실랑이를 벌인 후에야 그녀가 일어나 앉으며 말했다.

"알겠어요. 옷 입고 나갈 테니 좀 나가 있으세요."

한참 후에 옷을 입고 밖으로 나온 그녀를 보니 인물이 빼어나게 잘생긴 30대 후반의 여인이었다. 마을 식구들 몇이 "도대체 어쩌려고 그런 짓을 했느냐"고 물었더니 그녀는 천연덕스럽게 또박또박 차분한 목소리로 말했다.

"여러분이 몰라서 그렇지 날 이렇게 대접하면 안 돼요. 하나님이 내게 이르기를 김진홍 목사께 가서 그의 본처가 되라 하셨어요. 그래서 난 하나님의 명령에 순종하려고 오늘 온 거예요. 기도드리는 마음으로 신혼 첫날 밤을 지내려는데 영안(靈眼)이 열리지 않은 여러분이 몰라서 나에게 이러는 거예요."

이 말을 듣고 어이가 없어 서로 얼굴을 쳐다보며 "미쳐도 이상하게 미쳤구먼. 참말로 목사님은 본처가 많아 좋겠시다."라고 말했다.

다음 날 아침, 밤사이에 일어난 일을 들은 두레마을 청년들이 내게 물었다.

"목사님, 어제저녁에 좋은 일 있었다면서요? 그 여자 옷 벗은 거 다 보시고 한참 있다가 어머니 부르셨어요? 아니면 금방 부르셨어요?"

곁에 있던 다른 청년도 끼어들며 물었다.

"목사님, 몸매는 좋습디까? 잘 빠진 몸입디까? 얼굴은 끝내주더라던데요."

"예끼, 이 사람들아, 그 형편에 몸매 볼 짬이 어디 있었겠나?"

나는 웃을 수도 없어 퉁명스럽게 말하며 지나가 버렸다.

그녀는 자기 옷들을 내 침대 밑에 차곡차곡 개켜두고는 정말로 신방 차리는 마음으로 나를 기다리고 있었던 것 같았다. 얼굴로 보아서는 너무나 아까운 여인이었다.

그런가 하면 아내에게도 비슷한 일이 일어났다. 새벽 세 시경에 아내가 혼자 자고 있는데 서른여섯 살 먹은 마을 총각이 이불 속으로 파고들며 "엄니, 젖 좀 줘" 하고 다가들었다. 아내가 얼마나 놀랐을지 짐작하고도 남을 일이었다.

이런 일도 있다. 하룻저녁은 우리 부부가 자고 있는데 무언가 인기척이 느껴져 눈을 떠보았다. 두레마을에 들어온 지 얼마 안 된 녀석이 자고 있는 우리 부부를 물끄러미 내려다보고 있었다. 나는 아내의 옆구리를 쿡쿡 찌르며 말했다.

"여보, 일어나봐. 누가 왔어."

"예? 누가 왔다구요?"

"그래, 당신 쪽 침대 곁을 봐. 손님이 왔어."

"손님이라구요? 이 밤중에 웬 손님이 와요?"

주위를 두리번거리던 아내는 침대 곁에 서 있는 낯선 남자를 보고 소스라치게 놀라며 외마디 소리를 질렀다.

"에그머니, 이게 누구예요? 누군데 여기 서 있는 거예요?"

놀란 아내가 그렇게 소리 지르자 그는 슬그머니 돌아서서 방을 나가고 말았다. 마치 유령이 움직이듯 소리 없이 움직이며 나갔다.

그가 그렇게 사라진 뒤 아내가 투덜거렸다.

"세상에, 그런 일이 있으면 자기가 내보낼 거지. 나를 깨워서 어쩌자는 거예요?"

"당신을 깨우면 재미있을 거 같아서 그랬제. 혼자 보기 아까워서 같이 보자고 깨운 거지."

"세상에 신문에 날 일이지 어떻게 그런 생각을 해요?"

나는 그런 사람들을 대할 때마다 도움을 줄 수 없다는 한계를 느낀다. 정신과 의사나 탁월한 카운슬러 같은 전문 지식이 있어 그들을 도울 수 있는 것도 아니고, 살신성인하는 사랑이 있어 끝까지 그들을 품어 줄 수 있는 것도 아니다. 예수님 같은 능력이 있어서 "딸아, 네 믿음이 너를 구원하였느니라" 라든지 "아들아, 네 병에서 놓여 건강할지어다" 하면서 그들을 거뜬히 고쳐 줄 수 있으면 좋으련만, 내게는 그런 능력이 없다. 그래서 한스러움을 느낄 때가 한두 번이 아니다.

어느 때는 상한 심령들에 별 도움도 주지 못하는 이런 일을 그만둘 것인가 고민하다가도, 끝내는 더욱 열심히 할 수밖에 없다는 결론에

이르곤 한다. 별 성과가 없어도 이렇게 애쓰는 것 자체가 예수님이 보시기에 기특할 것이고, 나 자신도 이런 노력을 끊임없이 쌓아감으로써 예수의 제자로서 합당한 삶을 살아가는 것이라 여기기 때문이다.

1997년 5월 어느 날이었다. 밤 열두 시가 가까운 시간에 서울에서 어느 자매가 찾아왔다. 이미 잠자리에 들어 막 잠이 들려던 참에 깨어난 나는 도시 반갑잖은 마음으로 손님을 맞으러 나갔다.

서재로 갔더니 30대 중반쯤 되어 보이는 자매가 나를 기다리고 있었다. 얼굴 바탕은 예쁘장한 듯했으나 차림새가 심히 흐트러져 있었다. 머리칼이 헝클어지고 속치마가 쑥 빠진 모습이 정상에 미치지 못하는 여인인 것처럼 보였다.

그녀는 나를 본 순간 느닷없이 내 앞에 털썩 꿇어앉더니 두 팔로 내 무릎을 감싸안고는 이마를 내 무릎에 비비며 울음을 터뜨렸다. 나는 민망스러워 다리를 뺄 수도 없고 그냥 서 있기도 난처하여 어정쩡한 모습으로 있을 수밖에 없었다.

그 자매를 안내해 온 마을 청년이 무슨 일인가 궁금했던지 "목사님, 잘 아는 자매예요?" 하고 물었다. "아냐, 처음 보는 자매인데" 하고 답했으나 그는 납득이 되지 않는 얼굴이었다. 목사님이 어딘가에 '눈물의 씨앗'이라도 뿌려놓은 사연이 있었나 하고 생각하는 듯했다.

나는 속으로 이러고 있다간 마을 식구들에게 오해받기 십상이겠다 생각하고 있는데, 아내가 뒤따라 나와서는 그런 모습을 보고 역시 의아해하며 물었다.

"여보, 당신 잘 아는 여자예요?"

"아냐, 지금 처음보는 자맨데."

"처음 보는 사이에 그렇게 다정스러워요?"

나 참, 환장할 노릇이었다. 잠결에 불려 나와서 이게 무슨 일인가 생각하고 있는데, 그녀는 울음을 그치더니 뒤로 물러앉으며 말했다.

"목사님, 죄송합니다. 그리워하다가 뵙게 되니 친정아버지 같기도 하고 오라버니 같기도 해서 실례를 범했구먼요."

"아닌 게 아니라 실례는 쪼깨 하셨구먼요. 보아하니 무슨 사연이 있으신 거 같은데, 터놓고 얘기해 보세요."

"밤이 깊었는데 내일 아침에 말씀드리지요."

"아니지요. 내일 아침 되면 나는 바쁜 사람인데, 다시 울기 시작해서 이야기하려면 시간이 걸릴 텐데 그럴 시간이 있나요. 지금 길 난 김에 이야기하세요."

"아이고 목사님, 참 웃기시네요."

"웃기기는 자기가 웃기는구먼. 남의 서방 안고 울고불고 해놓고는 날 보고 웃긴다면 경우가 아니지요."

나는 그녀가 속에 있는 사정을 털어놓게 하려면 분위기를 바꿔줘야 할 것 같아 우스운 소리를 건넸다.

한결 마음이 가벼워진 그녀는 나를 찾아오게 된 사정을 차분히 털어놓았다. 결혼 생활 11년간 매 맞고 살았던 이야기부터 시작했다. 남편의 매질로 한쪽 눈은 시력을 잃고, 허리를 다쳐 디스크 증상으로 늘 통증을 느끼며 사노라고 했다. 11년의 긴 세월에 남편의 매질이 시작

될 때마다 그녀는 온몸에 힘을 빼고는 기도드리곤 했다 한다.

"예수님, 전 매를 맞아 머리가 터져도 몸이 찢어져도 좋습니다. 우리 남편 새 사람 되게만 해주십시오."

그렇게 기도하며 매를 맞았노라고 했다. 그러나 그런 인고의 세월도 보람 없이 남편의 성격은 더욱 난폭해지고 자기 몸도 마음도 지쳐만 갔노라고 했다.

그런데 두 달 전 어느 날 밤 남편이 여느 때처럼 자기를 때려 놓고 술에 취한 채 자고 있는데, 그 모습이 꼭 짐승이 자는 것으로 보였다. 그때 이런 생각이 들었다. 이렇게 남편을 미워하면 살아도 지옥이고 죽어도 지옥 아니냐. 살아도 지옥, 죽어도 지옥일 바에는 이런 생활을 끝장내자.

그래서 그녀는 부엌에 가서 칼을 들고 왔다. 부엌칼로 남편의 목덜미를 찔러 죽이고 자신도 죽을 각오를 하고는 어느 곳을 찌를까 망설였다. 그런 중에 눈에 밟히는 것이 있었다. 다름 아니라 남매였다. 에미, 애비가 이렇게 죽고 나면 불쌍한 남매는 어떻게 살아갈까 생각하니 서러움이 북받쳐 눈물이 앞을 가로막았다. 마지막으로 아이들 얼굴이나마 다시 보고 죽자는 마음으로 칼을 손에 쥔 채 아이들 방으로 가서 불을 켰다. 그러나 천사 같은 모습으로 잠들어 있는 아들딸의 모습을 보고는 도저히 아이들 아버지 목에 칼질할 수 없었다.

그래서 응접실에 앉아 날이 새도록 서럽게 울었노라고 했다. 그렇게 실컷 울고 나니 그나마 마음에 엉킨 매듭이 다소 풀려 잘 해보기로 다짐하고는 일상생활을 다시 시작했다.

그런데 그 뒤 문제가 생겼다. 요리하려고 부엌칼을 손에 잡기만 하면 온몸이 떨려오는 것이었다. 칼을 잡을 때마다 내면에서부터 이런 생각에 온몸이 떨렸다.

'내가 독한 년이지, 명색이 예수 믿는다면서 이 칼로 내 남편 목을 찌르려 했었지. 내가 참으로 악하고도 독한 년이로구나.'

가정주부가 요리하려면 부엌칼을 쓸 수밖에 없는데, 칼만 잡으면 그런 증상이 일어나 자기로서는 감당하기 어려웠노라고 했다. 그래서 두 아이를 친정에 데려다 놓고 두레마을을 찾아 나섰다. 라디오에서 가끔 내 설교를 들었는데, 그때 귀담아들었던 바대로 남양만 두레마을을 찾아온 것이었다.

"목사님, 새벽 여섯 시에 나섰는데 길을 잘못 들어 이제사 왔구먼요. 목사님, 저는 어쩌면 좋을까요? 죽지도 못하고 살지도 못하는 처지에 이른 저는 어쩌면 좋을까요? 김진홍 목사를 찾아가서 사정을 말씀드리고 목사님이 시키는 대로 해야겠다는 생각을 하고 여길 왔습니다. 목사님, 전 어쩌면 좋을까요?"

나는 그녀의 말을 다 듣고 난 후에도 할 말이 없었다. 남편에게 계속 매 맞고 살라고 할 수도 없고, 그렇다고 그까짓 남편 차버리고 두레마을에서 살자고 할 수도 없는 터였다.

마땅히 할 말이 없어 한동안 가만히 있다가 나는 그녀의 남편을 나무라는 말로 시작했다.

"참 몹쓸 사람이구먼요. 우째 그런 사람이 있을까? 내가 가서 만나 좀 따져야 쓰겠네요. 남편 전화번호 일러주세요. 내가 내일 만나서 따

져볼끼요."

"아이고 목사님, 우리 남편 만나면 안 됩니다. 다칩니다. 우리 남편 보통 사람이 아닙니다."

"그건 걱정 마세요. 나도 보통 목사 아니니까요."

다음 날 아침 그녀의 남편이 일터로 나가기 전인 일곱 시쯤 전화를 걸었다. 전화를 받은 남편이 말했다.

"누구신지요?"

"누구신지고 머이고 당신 전공이 사람 치는 거라면서요?"

"누-누-누군데 그러시오?"

"난 두레마을에 사는 김진홍이란 목사요. 당신 부인이 당신한테 매를 맞다 맞다 정신이 헤까닥해서 우리 두레마을에 와있시다. 당신이 사람을 그렇게 잘 치면 오늘저녁 내가 당신 집으로 갈테니 날 한번 쳐보시라요."

"아니, 마누라가 그리로 가있단기요? 자기 발로 간 겁니까?"

"그럼 자기 발로 오지, 매 맞아 병들어 있는 사람을 어디에 쓰려고 데려오겠소. 좌우지간 오늘 저녁 여덟 시쯤 내가 당신 집으로 갈 테니 만나서 이야길 해봅시다."

그날 저녁 여덟 시경 그의 집을 찾아갔다. 13평짜리 아파트였다. 그런데 낮 동안에 무슨 생각을 했던지 그는 나를 보자마자 시비조로 나왔다.

"모옥싸? 목싸가 유부녀 노상 납치한 기여, 아님 인신매매한 기여? 고소하겠수다."

그가 초장부터 그렇게 나오니 나도 부드럽게만 나갔다간 안 될 것 같기에 세게 나갔다.

"뭐라고, 고소? 싸내가 싸내 같지도 않은 주제에 먼 고소여? 야, 이 머저리 같은 사람아, 너같이 마누라나 후드려 패고 사는 사나이는 사나이들의 수치야. 인간 중에 쓰레기 인간이야. 당신 마누라 보니 바싹 말라서 때릴 데도 없겠드구만. 그런 마누랄 때리고 살아! 당신 같은 인간쓰레기는 북한으로 가버리든지 브라질로 가버림 어드를까? 당신 내 말에 할 말 있어? 할 말 있음 지금 혀봐."

내가 그렇게 세게 나갔더니 그는 갑자기 기가 꺾였던지 더듬대며 말했다.

"모-목싸가 깡패요?"

"그래, 본시 깡패가 아니라 당신 같은 쓰레기 인간들에게는 깡패여. 당신 지금 멀쩡하다고 살아있는 걸로 알면 안 돼. 두 달 전에 먼일이 있었는지 알아? 당신에게 매 맞던 마누라가 당신 자는 틈에 식칼로 당신 목을 찔러 죽이려다가 애들 얼굴 보고 못 찌른 거여. 그날 밤 당신은 이미 죽은 목숨이여. 여자라고 맨날 밑도 끝도 없이 매만 맞고 살 줄알아?"

그러자 그는 벌떡 일어나 무릎을 꿇더니 두 손바닥을 방바닥에 짚고 눈물을 글썽이며 말했다.

"맞심더 난 인간 씨레김니더. 모옥싸님, 나같은 인간씨레기를 때려 주시라요,"

"내가 당신을 때려? 왜 때려? 아무나 사람 치고 사는 줄 알아? 사람

치고 사는 인간은 종자가 다른기여."

"목사님, 지가 마누라를 때리고 싶어 때리는기 아닙니다요."

"먼 소리여. 당신 마누라 말로는 십일 년이나 매 맞으며 살았다던데, 때리고 싶지 않았다면 왜 때리며 산기여? 마누라 때려서 일당 나오는 것도 아닐낀데 왜 그렇게 때리며 산기여?"

"예, 우리 마누라 좋은 여자지요. 착하고 불쌍한 여자지요. 내가 마누라를 때릴 때마다 '이게 마지막 매질이다, 이제는 목숨 걸고 때리지 말아야지, 이번이 정말 마지막이다.' 하고 작심하면서 때렸지요. 그런데 어리석게도 그 다짐대로 되지 않는 겁니다."

그렇게 말문을 연 그는 손등으로 연방 눈물을 닦아가며 자신이 살아온 삶을 이야기했다. 여섯 살 때 어머니가 위암으로 죽은 후 그의 삶은 망가지기 시작했다. 두 달 후 새엄마가 들어왔는데, 그 새엄마가 자기를 미워하여 마치 고양이가 쥐잡듯 다루었다. 그런 데다 어찌된 영문인지 아버지마저 자기편을 들어주지 않고 새엄마 말만 듣고는 "이 녀석이 왜 이리 멍청하게 구느냐"고 소리 지르곤 했다.

겨우 초등학교를 마치고는 집을 나와 객지밥을 먹으며 자랐다. 그는 철들기 전부터 지금까지 사람 대접받고 살아오지를 못했다. 그래서 술을 먹게 되고, 술에 취하면 마누라를 때리게 됐다. 이렇게 자신이 살아온 세월을 이야기한 후 그가 말했다.

"목사님, 난 마누라를 사랑합니다. 마누라와 애들을 정말로 목숨처럼 사랑합니다. 난 마누라와 애들이 없으면 하루도 못살 사람입니다. 그런데 왜 자꾸 마누라를 때려야 되는지요. 안 때려야지 하면서도 때리게 되니 귀신에 씐 거라 하겠지요. 목사님 나한테서 그 귀신 좀 쫓아내 주시라요."

나는 그의 이야기를 들으며, 바로 이런 것이 인간고(人間苦)로구나 하고 생각했다. 세상에 태어나기를 원했던 것도 아닌데 타의로 태어나서는, 사랑받아야 할 나이에 사랑은 못 받고 미움만 받으며 자라 그의 인격이 밑바닥부터 뒤틀려 있었다. 그렇게 뒤틀린 자신을 감당치 못해 술에 빠져들고, 그런 술기운으로 자신을 극복해 보려 몸부림쳐 보지만 술이란 것이 애초에 자기를 도와줄 만큼 선한 그릇이 되어줄 수가 없다. 술 탓으로 더 뒤틀린 채 애꿎게 아내를 때려 망가뜨리는 것이다. 그래서 자신이 잃어버린 사랑을 되찾아 행복을 누릴 수 있을 유일한 보금자리인 가정을 스스로 허물어 버리는 것이었다.

나는 불쌍한 생각이 들어 어떻게 도울 수 있을까 고심했다. 한참이나 생각한 끝에 말했다.

"이야길 듣고 보니 이해가 가는군요. 그렇게 사는 것을 찬성은 못하지만 일단 이해는 갑니다. 스스로 원하지 않으면서도 그렇게 살아가는 것은 술 탓도 귀신 탓도 아니고, 마음에 병이 든 거지요. 사랑 결핍증이란 병이지요. 사람이 몸에 비타민이 부족하면 비타민 결핍증이 생기듯이 사랑받아야 할 나이에 사랑을 받지 못하면 사랑 결핍증이란 병이 생기지요. 사랑 결핍증에 걸리면 사랑을 주지도 못하게 되지요. 아내를 사랑하면서도 자꾸 때리게 되는 것도 그런 면으로 생각할 수 있겠지요. 문제는 그 병을 어떻게 고치느냐 하는 겁니다."

"예, 목사님. 목사님이 하라는 건 무엇이든 할 테니 저를 좀 도와주

시라요. 불쌍한 제 아내와 아들딸을 위해서라도 절 좀 도와주시라요."

"좋은 말이에요. 우리 힘을 합칩시다. 다른 길은 없습니다. 어린 시절부터 사랑받지 못하고 인정받지 못하여 생겨난 병이니까, 못 받은 사랑을 늦게나마 채워야지요. 내가 가서 부인을 설득하여 집으로 보내겠수다. 부인이 오면 또 때리겠지요?"

"아니에요. 목사님 목숨 걸고 때리지 않겠습니다."

"쓸데없는 소리 하지 마세요. 때릴 적마다 마지막 매질이라고 맹세해도 안 되었다면서요?"

"그건 그렇습니다."

"성경에 헛맹세는 하지 말라고 했어요. 지금 마음으로는 절대 때리지 않겠노라고 맹세하지만 병든 마음이라서 그 맹세대로 지켜지지 않는 거지요. 그러니 내가 부탁하고 싶은 건 앞으로 부인을 때리더라도 살살 때리라는 거예요. 그리고 두 번 때릴 것을 한 번 때리세요. 그렇게 때리는 강도와 횟수를 줄여나가노라면 언젠가 그만 때릴 날이 오겠지요. 그리고 나도 바쁜 몸이지만 한 달에 한 번 정도는 들를 테니 나를 형님이라 생각하고 가족처럼 지냅시다."

그렇게 일러주고 남양만 두레마을로 내려왔더니 부인이 기다리고 있었다. 나는 부인에게 남편을 만나고 온 자초지종을 찬찬히 일러주었다.

"자매님, 애기들 아버지를 만나고 왔습니다."

"고맙습니다. 무사히 돌아오셔서 다행입니다."

"그럼 무사하지요. 남자끼리 만나면 분위기가 또 다릅니다."

"애들 아빠가 목사님께 무례하게 대하지는 않았나요? 저는 애가 타고 불안하여 기도하고 있었습니다."

"예, 그렇지 않았습니다. 좋은 자리였습니다. 그런데요, 자매님, 한 가지 부탁이 있습니다. 지난 십일 년간 매 맞았다고 하셨지요? 제가 부탁하는 건 다름이 아니고 집으로 돌아가셔서 일 년만 더 맞아주시란 부탁입니다. 이젠 좀 덜할 겁니다. 남편의 병이 어제오늘에 생긴 병이 아니고, 여섯 살 때 어머니 죽고 나서부터 생긴 것이더군요. 어린 나이에 엄마가 죽고, 가장 사랑받아야 할 나이에 새엄마에게 미움만 받고 자라 생긴 병입니다. 요즘 말로 하자면 이큐(EQ)가 망가진 거지요.

남편의 병을 고치는 길은 단 한 가지뿐입니다. 못 받은 사랑을 늦게나마 받게 하여 그 인격을 치료하는 수밖에는 길이 없습니다. 어릴 때 못 받은 사랑을 받게 돼 망가진 인격이 치료되면 자기도 다른 사람을 사랑할 수 있게 되는 거지요. 그런데 그 사랑을 체험케 하려면 하나님의 사랑을 알게 하는 것이 가장 좋은 길이나, 남편의 마음이 망가져 있어 하나님의 사랑을 느끼고 받아들일 처지가 돼 있지 않습니다. 마치 깨진 거울로는 자신의 얼굴을 볼 수 없는 것과 같은 이치지요. 그러니 먼저 가까이에 있는 사람들이 그에게 사랑을 베풀어 그 인격과 정서를 치료한 후에 하나님의 사랑을 바로 깨닫도록 도와주어야 합니다. 그러니 집으로 돌아가셔서 일 년만 더 견디세요. 일 년 안에 달라지는 것이 없으면 그때는 내가 두레마을 짐차를 가지고 가서 부인과 애들을 데려오겠습니다."

나의 이런 제안에 부인은 눈물을 훔치며 말했다.

"예, 가고 말고요. 남편만 바로 된다면 일 년 아니라 십 년인들 못 견디겠습니까?"

그녀는 다음 날로 남편 곁으로 돌아갔다. 그 뒤 나는 틈나는 대로 13평짜리 아파트를 찾아갔다. 어떤 때는 보름에 한 번 가고, 또 어떤 땐 두 달에 한 번 가는 식으로 그 집을 방문하여 예배를 드리고 식사를 하고 대화를 나누다가 돌아오곤 했다.

고맙게도 갈 때마다 가정 분위기가 달라지는 게 보였다. 말하자면 훨씬 더 문화적인 분위기로 변해가는 것이었다. 먼저 눈에 띄게 달라지는 점은 아이들이 명랑해지고 부인의 얼굴이 밝아져 가는 변화였다. 그리고 남편의 모습과 행동도 의젓해지고 있었다. 그렇게 좋아져 가더니 지난 음력 설에는 부부가 정갈스레 한복을 차려입고 쇠고기 다섯 근을 사 들고 나를 찾아와 세배하며 말했다.

"목사님, 형님 같은 목사님. 동생 부부 절 받으십시오. 형님은 우리 집 은인입니다."

절하고 일어서는 부인의 눈에 또 눈물이 비치기에 내가 말했다.

"제수씨는 여전히 우는 게 전공이군요. 자네 나한테 형님이라 그랬으니 형으로서 분명히 말하는데, 처자식 눈에 눈물 흘리게 하는 사나이는 사나이가 아녀."

"당신 괜스레 형님 앞에서 눈물을 보여서 내가 또 꾸지람 듣게 하네."

"오늘은 눈물이 나왔어도 기뻐서 나온 눈물이니까 옛날의 눈물과는 달라요.”

나는 목회자의 한사람으로서 이런 때에 가장 행복을 느낀다. 나의 애씀이 밑거름이 되어 무너져 가던 가정이 되살아나고 탄식이 기쁨으로 변화되는 것을 볼 때 예수님의 말씀을 실감한다.

건강한 자에게는 의사가 필요 없고 병든 자에게 의사가 필요하다. 내가 건강한 자를 위해 온 것이 아니라 병든 자를 위하여 왔노라.

예수님이 병든 자를 위해 오셨듯이 목사도 병든 자를 위해 있어야 하고 교회도 어느 때나 병든 자들과 약한 자들 곁에 있어 그들에게 치료의 손길을 뻗치는 교회가 되어야 함을 느낀다. 그렇게 교회가 치료하는 공동체로서의 자기 몫을 능히 감당할 때 교회의 머리이신 예수님은 그런 교회를 통해 병든 세상을 변화시켜 새역사를 창출해 나갈 수 있게 될 것이다.

그런데 문제는 교회가 치료하는 공동체라고 할 때에 그 치료 하는 대상이 개인에게만 머물러서는 안 된다는 점이다. 어느 시대, 어느 현장에서나 교회가 치료해야 할 대상은 개인을 포함한 그 시대와 그 역사 전체여야 한다.

한국 교회는 그 왕성한 교세에도 불구하고 너무나 개인의 치유와 개인의 구원에만 머물러 있다. 백성들과 겨레 전체를 치유하고 구원하려는 역사의식이 부족하다. 그래서 그 왕성한 교세에 비해 사회와 시대에 미치는 영향력은 한정돼 있다. 이제 한국의 교회와 크리스천들

은 관심의 지평을 민족 전체로, 역사의 현장 전체로 넓혀나가야 한다.

그런 뜻에서 두레 공동체는 이미 앞에서 소개한 바처럼 네 가지 원으로 운동 방향을 그리고 있다.

예수 그리스도를 중심으로 하여 첫째 원은 우리 개개인이 예수를 개인의 구주로 믿어 구원받은 성도라는 확신을 지니는 복음 운동이다.

복음 운동에서 바깥으로 나가는 둘째 원은 구원받은 성도들이 더불어 살고 함께 나누고 함께 꿈과 비전을 이루어가는 공동체 운동이다.

공동체 운동에서 밖으로 나가는 셋째 원은 공동체가 교회를 섬기며 교회가 교회답게 하는 일에 헌신하는 교회갱신 운동이다.

그리고 교회갱신 운동에서 한 걸음 더 밖으로 나가는 넷째 원은 교회가 교회다운 교회가 되어 교회 안에만 머물지 않고 역사를 변혁시켜 정의롭고 복된 세상을 건설해 나가는 일에 앞장서는 사회 개혁운동이다.

따라서 두레마을을 중심으로 하는 두레 공동체 운동이 이 역사에서 얼마나 크게 쓰임 받을 것인가 하는 문제는 복음 운동 · 공동체 운동 · 교회갱신 운동 · 사회개혁 운동으로 뻗어나가는 운동의 전개 과정에 얼마나 복음의 본질에 충실하고, 그 본질을 역사의 현장에 어떻게 적용하여 탁월한 전략을 펼쳐나갈 것인가에 달려있다.

그래서 두레마을은 어느 한 곳에 터를 잡고 그 자리에만 머물러 있지 않는다. 시대의 흐름과 변화에 대한 예민한 통찰력을 지니고, 교회와 백성들에게 꼭 있어야 할 것을 언제나 한발 앞서서 제시하고 이끌어 가려 한다. 그래서 두레 일꾼들은 시대의 변화에 앞장서서 변화를 선도하겠다는 마음을 갖고 있다.

나는 어떤 일을 시작할 때 스스로에게 세 가지 물음을 묻고 그 답에 따라 결정한다. 첫 번째 물음은 그 일이 예수님 이름으로 교회를 받들며 백성을 섬기는데 꼭 필요한 일이냐는 질문이다.

첫 번째 물음에 "그렇다"는 답이 주어지면 두 번째 질문으로 그 일은 내가 해야 할 일이냐, 아니면 다른 사람이 해도 되는 일이냐를 묻는다.

이 두 번째 물음에도 내가 해야 할 일이라는 결론이 내려지면 세 번째 물음이 이어진다. 그 일이 해야 할 일이고 또 내가 해야 할 일이라면 그 일을 지금 해야 하느냐, 아니면 미뤄도 될 일이냐는 질문이다.

그래서 그 일이 꼭 해야 할 일이고, 내가 해야 할 일이고, 지금 해야 할 일이라는 결론에 이르면 나는 무조건 시작한다. 그 일을 감당해 나갈 일꾼들이 없어도, 뒷받침할 재정이 마련돼 있지 않아도, 그리고 그 일을 풀어나갈 노하우가 갖추어져 있지 않아도 그냥 시작한다. 그렇게 일을 진행해 나가는 동안에 팀워크도 짜이고 재정도 마련되며 노하우도 확보된다.

일이 되어가는 동안에는 숱한 우여곡절과 어려움을 겪게 마련이다. 그러나 나는 그런 어려움을 개의치 않는다. 왜냐하면 세상사 모든 일에는 값을 치르게 마련이고, 더욱이 그 시대에 백성과 교회에 유익을 주는 일이라면 의당 더 높은 값을 치러야 한다고 여기기 때문이다.

11

옥수수 한 포대

옥수수 한 포대

그런 생각으로 시작해서 지금 열심히 진행되고 있는 일들 가운데 북한 돕기 사업이 대표적이다. 북한 동포들이 식량부족으로 고통을 겪고 있다는 소식이 들려오기 시작한 것은 7, 8년 전이었다. 처음에는 일시적인 흉작이나 자연재해로 굶주리게 되었겠거니 하고만 생각했었다. 그러나 들려오는 소식은 점점 더 나빠지더니 급기야 북한 동포들이 굶주림으로 죽어가고 있다는 소문이었다.

이런 소식을 듣고 두레마을 가족들이 북녘 동포들을 위해 기도하기 시작한 것은 1995년 봄이었다. 처음에는 두레마을 가족들이 모여 '북한 동포들을 위한 기도회'를 여는 정도였으나 시간이 흐르면서 북한 동포를 도울 수 있는 길이 없을까 토론하기 시작했다. 토론이 진행되면서 마을 젊은이들이 내게 말했다.

"목사님, 우리 두레마을의 경험이 식량난으로 고생하는 북한 주민들에게 도움이 될 텐데요"

"무슨 소린가?"

"우리가 서울 빈민촌에서 집단으로 이곳 갯벌로 내려와 개간 사업을 하고, 쓸모없는 야산을 개척해 이백여 명의 가족이 자립하고 살 수 있게 된 경험이 북한 주민들에게 도움이 될 만한 경험 아니겠습니까?"

"좋은 생각이구먼. 그런데 북한이 우리 경험을 받아들이려고 해야 하는 것이지 우리만 그렇게 생각하는 것으로는 별 볼 일 없잖은가?"

"목사님, 북한 쪽에서 받아들일지 않을지는 부딪쳐봐야지요. 그런 말씀은 평소의 목사님하고는 다른데요?"

"아냐. 나도 생각이야 간절하지만 상대가 상대니만큼 우리가 원한다고 될 일이 아니잖은가?"

"목사님, 무슨 길이 없을까요? 한번 부딪쳐 봅시다."

두레마을에서 열린 기도 모임에서 이런 대화와 토론이 오간 후 우리는 북한에 접근할 수 있는 길을 찾기 시작했다. 1995년 초 겨울, 나는 중국을 거쳐 중국과 북한의 국경이 돼 흐르는 두만강으로 갔다. 두만강의 중국 쪽 어느 산 능선에서 강 건너편 북한 산하를 보며 하나님께 기도했다.

"역사를 주관하시는 하나님, 북녘땅 동포들의 굶주림을 기억하여 주시옵소서. 죄 없는 백성들이 굶주리고 있다 합니다. 저들에게 은총을 베풀어 주시옵소서. 우리 두레마을이 저들을 도울 길을 열어주시옵소서."

이렇게 간절히 기도하고는 지프를 타고 강변을 따라 달렸다. 마침, 한 중국 마을을 지나는데 누군가 우리 차를 세웠다. 차를 멈추고 창문

을 열었더니 그가 차창으로 다가와 말했다.

"실례합니다만 선생님들은 남조선에서 오신 분들입네까?"

"예, 그렇습니다만?"

"아, 그렇군요. 저는 이 마을에 사는 조선족입네다."

"아, 그러세요. 반갑습니다. 이런 곳에서 동포를 만나게 되어 기쁘구먼요."

"그런데요, 제가 이렇게 실례하는 이유는 다름이 아니라 오늘 새벽에 북조선에서 넘어온 처녀 아이 한 명이 우리 집에 있는데, 선생님들께서 그 처녀 아이를 좀 도와주실 수 있을까 해서요."

"아, 그렇습니까. 그렇지 않아도 그런 일을 하고 싶어서 이렇게 다니고 있던 참인데 잘됐습니다. 저희가 할 수 있는 일이라면 무슨 일이든 돕지요. 어떻게 도우면 될까요?"

"고맙습네다. 그럼, 제가 집에 가서 그 처녀 아일 이리로 데려오겠습네다. 차를 저 나무숲 잘 안 보이는 곳에 세워주시겠습네까? 중국 사람들이 보면 재미가 적수다래."

그는 한 시간 가까이 지나서 한 아가씨를 데리고 왔다. 그녀를 보는 순간 가슴이 철렁했다. 나이가 열아홉이라는 그녀는 이미 얼굴에 부황기가 깊었고, 옷차림은 남루하기 이를 데 없었다. 나는 그녀를 옆자리에 앉히고 물었다.

"아가씨, 북조선에서 왔다면서요? 우리가 아가씨를 돕고 싶어서 그러니 아가씨 사정을 차근차근 설명해 보세요."

그녀는 겨우 들릴 만큼 낮은 음성으로 말했다. 숨을 죽인 채 귀를 기울이고 간신히 알아들은 이야기 줄거리는 다음과 같았다.

그녀의 아버지와 어머니는 달포 전에 굶어 죽었다. 아버지보다 한발 앞서 죽은 어머니가 마지막 남긴 말이 “아가야, 중국으로 건너가 양식을 구해다가 동생들을 살려라”였다. 부모를 집 가까이에 묻은 그녀는 처음에는 동생 셋과 함께 방안에서 마냥 굶고 있었다. 그냥 그런 채로 사그라들판이었다. 그런데 중국에 가서 양식을 구해다가 동생들을 살리라던 어머니의 마지막 부탁이 자꾸만 귓가에 맴돌아 그런 몸으로 200리 길을 걸어 두만강을 건넜다. 국경에 닿아 소나무 숲에 몸을 숨기고 있다가 새벽안개가 자욱이 덮였을 때 두만강을 건넜노라고 했다. 강을 건너는 길로 중국 마을에 들어서서 요행히 마음씨 좋은 조선족 아저씨를 만나 아침밥을 얻어먹고 자고 있는데, 깨워서 이리로 왔노라는 이야기였다.

나는 그녀가 너무나 딱하고 애처로워서 마음을 열고 물었다.

“아가씨, 우리가 무얼 도와주면 될까요? 마음 놓고 말해보세요.”

그녀는 얼른 대답을 못 하고 한참 머뭇거리더니 말했다.

“옥수수 한 포대만 구해주시라요.”

“머시라고? 옥수수 한 포대를 도와달라고? 동생이 셋이나 굶고 있다면서 옥수수 한 포대로 별 도움이 되겠는가? 이왕이면 좀 더 많이 도와달라고 하지 그래?”

“아녜요, 많이 주셔도 못 가져가요.”

하기는 옳은 말이었다. 굶주리고 병든 몸으로 가져가면 얼마나 가져가겠는가? 한 가마니를 가져가겠는가, 반 가마니를 가져가겠는가? 지

금 그녀의 체력으로는 옥수수 한 포대가 가져갈 수 있는 최대한의 양일 것이었다. 나는 그녀를 돕고 싶은 마음이 간절해져서 말했다.

"아가씨, 어렵사리 국경을 넘어 여기까지 왔으니 그만 여기서 살게나. 아가씨만 원하면 내가 중국 땅에서 안전하게 살만한 곳을 마련해 줄 테니 여기서 살게. 옥수수 한 포대 가지고 집으로 돌아간들 며칠이나 살겠는가?"

"아녜요, 집으로 가야 돼요. 동생들이 기다리고 있어요."

"글쎄, 동생들을 생각하면 돌아가야겠지만, 그 몸으로 양식을 얼마나 가져가겠는가? 어차피 동생들 살리기는 어려울 것 같은데 그만 잊어버리고 아가씨만이라도 여기서 살아남는 것이 좋지 않겠는가? 저승에 가신 부모님도 그걸 기뻐하실 것 같은데."

"아녜요, 옥수수 한 포대만 구해주시라요. 죽어도 동생들 곁에 가서 죽을래요."

나는 그녀의 마음씨에 가슴이 찡해졌다. 참으로 착한 백성들이다. 중국 땅에서 살길을 마련해 주겠노라고 해도 동생들 곁으로 가서 같이 죽겠다고 옥수수 한 포대만 도와달라고 한다. 이런 마음씨가 바로 우리 조선인의 심성이다. 그야말로 정이 많아 슬픈 백성이다. 그렇게 착한 백성들이 시절을 잘 못 만나고 지도자들을 잘 못 만나 떼죽음을 당하고 있다는 것이 얼마나 한스럽고 원통한 일인가!

남북을 막론하고 우리 겨레는 절대로 이런 처지에서 벗어나야 한다. 이런 슬픈 운명을 벗어던질 권리가 있다. 행복을 누리며 사람답게 살아갈 권리가 있는 백성이다. 이렇게 착한 심성은 중국 사람들과도 다르고 일본 사람들과도 다르다. 나는 그녀의 눈동자를 물끄러미 보며 생각했다.

하늘 아래 어떤 길, 어떤 방법을 찾든지 우리는 통일이 되어야 한다. 하루속히 남북한이 하나 되어 통일 한국을 이루어, 이렇게 착하디 착한 백성들이 하나로 뭉치게 해야 한다. 그래서 위대한 21세기의 통일 한국을 이룩해야 한다.

나는 지니고 있던 달러와 중국 위안화를 털어 그녀의 손에 쥐여주며 말했다.

"아가씨 말이 맞다. 죽어도 동생들 곁에 가서 죽어야지. 어찌 중국 땅에 혼자 살아남겠는가. 이 돈 가져가서 동생들과 견딜 만큼 견디다가 돈이 떨어지면 왔던 길로 다시 나와 연락하게나. 중국에 우리 연락처를 알려줄 테니 언제든 연락하게. 아가씨 혼자 나와도 좋고 동생들을 데리고 나와도 좋으니 꼭 연락하게."

그녀는 고맙다는 말도 없이 고개를 숙이고 갔다. 나는 그녀의 등을 보며 하늘에 기도했다. 하늘님, 부디 저 아가씨와 그 동생들 살아남게 해주세요. 살아남아 통일 한국을 세워나가는 일꾼들이 되게 해주세요.

그녀는 20여 발짝을 가더니 되돌아왔다. 그녀의 마음이 바뀌었나 하여 차창을 열며 맞으려 하자 처녀 아이는 차창 곁에 선 채 물었다.

"아저씨들은 남조선 분들이십네까?"

"그래요, 우리는 서울에서 온 사람들이에요. 그러나 하나님 믿는 사람들이에요. 하나님 믿는 사람들은 남쪽 북쪽 구별 없이 어려운 이웃

은 언제나 도우려는 사람들이니 염려하지 마세요. 그리고 국경을 넘다가 혹시 누군가를 만나 웬 돈이냐 묻거든 중국에 사는 조선족 동포가 주었다고 하세요.

"예, 아저씨들, 편안히들 가시라요. 고맙습네다."

이런 경험이 있고 난 후 나는 날마다 간절히 기도했다.

"하나님, 저희 두레마을이 재난에 빠져 있는 북한 동포들을 도울 수 있는 길을 열어주십시오."

어떤 때는 금식하며 기도했고, 어떤 때는 밤을 새워 기도했다. 중국 방문에서 돌아와 두레마을 가족들에게 두만강 강변 마을에서 만났던 북녘 아가씨 이야기를 해주었더니 가족 모두가 눈시울을 적시며 어떻게든 북한 동포들을 도울 길을 찾자고 다짐했다.

그때부터 우리는 북한 땅 어딘가에 두레마을과 같은 개척농장을 세울 꿈을 꾸기 시작했다. 두레마을이 지난 20년 세월에 황무지를 개척해서 농지로 바꾸고 마을을 이루어 자립하는 공동체를 이루어온 역사를 북한 땅에서도 이루어 굶주리는 북한 동포들을 돕고자 하는 열망이 두레가족 마음에 간절해졌다. 1997년 5월 26일 중앙일보에 썼던 내 칼럼이 북한에 두레마을 농장을 세우고자 하는 두레가족의 꿈을 잘 드러내고 있다.

〈개마고원 두레마을의 꿈〉

나에게는 한 가지 꿈이 있다. 북녘땅 개마고원에 두레마을을 세우는 것이다.

두레마을은 더불어 사는 공동체 마을이다. 그래서 개마고원 질펀한 곳에 북녘 동포들과 남녘 일꾼들이 함께 보금자리를 이뤄 오순도순 살아가는 마을을 이루자는 꿈이다.

내 꿈 이야기를 들은 어느 분은 나를 나무라듯 말했다.

“이왕 꿈꾸려면 될성부른 꿈을 꾸어야지 그런 꿈을 꿉니까? 개마고원이 어떤 곳인지 모르고 하는 소립니다. 그곳은 산세가 험하고 날씨가 춥고 거기에다 땅이 척박합니다. 그런 곳에서 무얼 이루겠다고 하는 겁니까? 그런 꿈을 꾸려면 기름 지고 목이 좋은 땅을 골라야지 그런 메마른 땅을 골라서야 되겠습니까?”

그러나 내 생각은 다르다. 그곳이 적합하다고 생각한다. 제주도 한라산 꼭대기에서 백두산 산골짜기까지 모두가 조상이 물려준 귀한 땅이다. 어느 곳 한 자락인들 버릴 땅이 있겠는가? 척박한 땅일수록 땀과 정성을 쏟아 기름지게 가꿔 나가는 일이 우리의 의무이자 축복이 아니겠는가?

이왕지사 뜻을 세워 도전하려면 좋은 조건을 갖춘 땅에 도전하기보다 나쁜조건, 척박한 땅에 도전해 승부를 거는 것이 더 보람된 일 아니겠는가! 사나이 한평생 그런 일을 만나 신명을 바치는 것은 또 얼마나 영광스럽겠는가!

듣건대 북녘땅은 피폐해진 정도가 매우 심하다고 한다. 주체 농업이 실패한 까닭이라 한다. 인민의 식량을 자급자족하겠다고 산마다 나무를 잘라내고 다락밭을 만든 데에서 북한의 비극이 비롯됐다는 소식이다.

세상만사가 상식에 입각, 백성들과 의논해 일을 이루어냄이 하늘이 정한 이치거늘, 북녘 지도자들은 이를 거스르고 상부의 지시대로만 그들을 움직이게 했던 데에서 오늘의 불행을 초래한 것이다.

그렇게 개간해 놓은 다락밭이 이듬해 홍수가 나서 모조리 허물어져 버렸다. 그 여파로 휩쓸려 내려간 흙더미가 강바닥을 메우니 강바닥이 높아졌다. 그래서 물이 넘치게 되고 강가의 논과 밭들을 덮어 버렸다. 이러기를 몇 해 되풀이하며 오늘에 이르렀다. 그 결과 백성들의 양식도, 땔감도, 옷감도 모조리 없어지게 된 것이 오늘의 북한이다.

그래서 전문가들은 진단한다. 북한을 살리려면 1, 2년 식량을 지원해서 될 일이 아니고 10, 20년 단위로 국토 전체를 되살리는 일을 해야 하는데, 그렇게 하려면 막대한 예산과 인력과 장비가 투입돼야 한다고 지적한다.

그래서 우리 정부도 요즘 뛰어난 생각을 실천하려 하고 있는 것 같다. 북한의 전력난을 해결하려는 한반도 에너지 개발 기구(KEDO)같이 북한 땅 전체를 살리고 북한의 무너진 농업 기반을 체계적으로 살려내는 국제 협력 기구를 구성하여 남한 측이 과감한 투자를 하자는 계획이다.

참으로 시의적절하고 탁월한 발상이라 여겨진다. 이런 접근 없이 강냉잇가루, 밀가루만 들쭉날쭉 보내는 것은 언 발에 오줌 누는 격이 될 것이다.

일본 시코쿠(四國) 지방에 후쿠오차 마사노부(福岡正信)란 농사꾼이 있다. 자연농업의 대가로 세계 도처에서 사막화한 땅을 농토로 바꾸고 황폐한 땅을 옥토로 일궈낸 인물이다. 그의 말에 따르면, 북한 땅을 살리는 데는 5년이면 족하다고 한다. 물론 자신이 창안한 방법을 따를 경우에 그렇다는 말이다.

나는 농업공동체 두레마을을 이루어오며 쌓아온 경험이 있다. 갯벌을 농토로 만들고 황무지를 개간했던 경험이 있다. 우리 경험에 후쿠오카 할아버지의 방법을 더해 북한 땅을 살리는 일에 투자하고 싶다.

그래서 생각한 것이 개마고원 두레마을이다. 그곳에 마을을 건설하고 땅을 일구어 옥수수 심고, 감자 심고, 돼지며 닭을 길러 북한 형제들과 나눠 먹는 거다. 그것이 나의 꿈이요, 기도 제목이요, 화두(話頭)다. 오늘도 나는 이 꿈이 이루어지게 해달라고 하늘을 우러러 기도한다.

이와 같이 북한에 두레마을을 세워 북한 동포들의 식량난을 해결해 나가는 일에 보탬이 되고자 하는 계획을 세우게 된 우리 두레마을은 이를 실천하기 위해 여러 가지 방안을 모색해 나갔다. 그중 하나가 미국 쪽에서 접근하는 방법이었다.

미국 뉴욕의 컬럼비아 대학에 스티브 린튼 교수가 있다. 그는 북한 주민을 돕는 일에 어떤 한국인보다 더 열심인 분이다. 그는 '유진벨'이란 재단을 세워 북한 돕기에 정성을 쏟고 있었다. 나는 그를 만나 두레마을이 북한 땅에 농장을 세울 수 있도록 다리를 놓아달라고 부탁

했다. 린튼 교수는 얼마 후 북한 정무원 소속의 참사 한 분을 소개해 주었다.

리00이란 이름의 그는 뉴욕에 나와 일했던 분이다. 내가 그를 만난 곳은 베이징의 캠핀스키 호텔이었다. 리00 참사는 광명성 경제인연합회 베이징 대표로 있다는 한 사람을 대동하고 나왔다. 나는 그들에게 두레마을의 의도를 진솔하게 설명했다.

"만나뵈어 반갑습니다. 뉴욕에 있는 린튼 교수를 통해 귀한 분들을 뵙게 되어 정말 기쁩니다. 제가 뵙고자 한 이유는 다름 아니라 저는 한국에 두레마을이란 농업공동체에 속한 일꾼입니다. 우리 마을은 황무지와 야산을 개간하여 농토로 만들고 마을을 세워 더불어 함께 살아가고 있는 공동체 마을입니다. 우리 두레마을은 그간에 쌓은 경험과 기술을 발판으로 삼아 북한 땅에 같은 모습의 마을을 건설하자는 뜻을 세웠습니다. 저는 목사입니다만 북한에 들어가 예수 믿으라고 하거나 정치나 사상에 대한 이야기는 절대로 하지 않고 순수하게 농업에만 전념하여 동포 대 동포로서, 농민 대 농민으로서 순수하게 돕고 싶으니 여러분이 그 길을 좀 열어주시기를 바랍니다."

"화끈해 좋시다. 우리도 김 목사님과 두레마을에 대해서는 미리 알아보고 왔시다. 신문에 칼럼 쓰신 것도 잘 읽었습네다. 좋은 생각, 좋은 일을 많이 하시드만요. 우리 조국에서도 김 목사님 정도라면 같이 손잡고 일해볼 만하다고 생각하고 있습네다."

"그래요? 우리가 하는 일을 알아보셨다니 반갑고, 안심입니다. 린튼 교수님을 통해서도 우리가 하고 싶은 일의 내용을 전달했습니다만 우리 안을 어떻게 생각하시는지요?"

"예, 두레마을 안이 조국의 현실에 꼭 필요하고 또 적합하다고 생각하고 있디요. 앞으로 빠른 시일 안에 조국 땅에 두레마을 농장이 세워져 북조선과 남조선의 농민들이 함께 교류하게 되기를 바랍네다. 그러나 그 안이 실현되기까지에는 상당한 기간이 걸릴 것으고 생각됩니다. 그래서 한 가지 제안하고 싶은 것은 조국 땅에 두레마을 농장이 세워지기 전에 우선 쉽게 시작할 수 있는 사업부터 시작하고, 농장 설립안은 단계적으로 실현해 나가는 거이 어더럴까요?"

"그거 좋은 안입니다. 그렇다면 그런 손쉬운 사업으로는 어떤 것이 있을까요?"

"예를 들어 아동학원에 대한 지원사업 같은 일은 어더럴까요?"

"아동학원이란 어떤 학원입니까?"

"아, 남조선에서 말하는 고아원을 조국에서는 아동학원이라 부릅네다."

"아, 그러세요. 고아원! 아동학원이라면 두레마을의 정신에도 맞는 적합한 사업이네요. 아동학원을 어떤 방법으로 도우면 좋을까요? 현재 아동학원들이 처한 실정을 소개해 주시면 참고가 되겠습니다만."

북한 아동학원의 실정이 어떠하며 우리가 어떻게 지원하면 좋겠느냐는 물음에 광명성 경제인연합회 대표가 대답했다.

"아동학원은 도청 소재지에 하나씩 설립돼 있습네다. 한 곳에 평균 1천2백 명의 아동이 소속돼 있습네다."

"한 곳에 1천2백 명이라고요?"

"예, 규모가 다소 크다고 하갔디요."

"그건 그렇구요. 그렇다면 도청 소재지마다 한 곳씩 있는 아동학원 중에서 두레마을은 어디를 지원하면 좋을까요?"

"예, 제가 추천하고 싶은 곳은 평양에 있는 혁명가 유자녀들을 위한 학원입네다만, 어더럴는지요?"

"혁명가 유자녀들이라면 정부에서도 관심이 많을 테고, 또 평양에 있다면 다른 곳보다는 조건이 좋지 않겠습니까? 저희 두레마을은 전통적으로 사회에서 낙오되고 소외된 계층에 대한 사업이 강하니까 변두리 지역에 있고 사정이 어려운 아동학원을 지원하는 것이 좋겠습니다만."

"그렇다면 원산 아동학원이 어더럴는지요? 금강산에서 가까우니 나중에 김 목사님이 금강산 방문하실 때 들러보기도 쉬울 테구요."

"좋습니다. 원산 아동학원을 지원하는 것으로 합시다. 그러면 어느 규모로 어떻게 지원하면 좋을까요?"

"그건 김 목사님 쪽에서 알아서 지원하셔야지 우리 쪽에서 얼마를 어더렇게 밀어달라 할 수는 없디요."

"예, 이해가 갑니다. 그 문제는 별도로 의논키로 하고 오늘은 이 정도에서 마칩시다. 모처럼 어렵사리 만났으니, 식사라도 하며 좋은 시간을 가집시다."

이렇게 첫 만남을 가지고 서울로 귀국한 후 곧이어 팩스로 다음과 같은 연락이 왔다.

To. 두레마을 회장 김진홍 선생

From. 베이징 광명성 대표부 리00

안녕하십니까. 귀사의 9월 30일자 확시(팩스)를 잘 받았습니다. 그런데 어린이 1명당 1개월에 소요되는 비용은 나라마다 생활 수준이 다른 조건에서 우리로서는 산출해 내기 힘들며 또 우리가 산출해 낸 금액이 절대적일 수 없습니다.

그러므로 선생님들이 현지에서 월 1명당 소요되는 금액을 산출하시어 그것을 토대로 우리 실정에 맞게 비용을 정하시는 것이 가장 합리적일 것으로 보입니다.

비용이 결정되는 데 따라 선생님들이 구매 작업을 하실 수 있으면 하시고, 만약 불편하실 경우 우리의 방조가 필요하시다면 우리가 지정한 중국 상사 앞으로 송금하신 뒤 우리의 지시에 따라 중국 상사가 현지에서 구매하여 철도편으로 발송하고, 해당 문건은 선생님들께 보내드릴 수 있습니다. 전번에 초보적으로 토론된 대로 지원하는 학원은 일차적으로 산악지대이면서 랭해와 수해를 많이 받은 강원도의 원산 아동학원으로 정하는 것이 좋을 듯합니다. 검토해 보시고 답을 주시면 고맙겠습니다.

경의 1997년 10월 1일

곧이어 다음과 같은 내용의 팩스가 왔다.

To. 두레마을운동본부 김호열 선생

From. 베이징 광명성 대표부 리 00

안녕하십니까?

1997년 10월 3일자 선생의 확시를 받고 인차 회답을 드리지 못해 미안합니다.

확시로 문의한 자료를 확인한 결과는 다음과 같습니다.

명칭 :원산아동학원

력사: 1954년 10월 설립

소재지 : 강원도 원산시 봉춘동(시내 중심)

규모: 본청사 1동, 보조 건물 2동

어린이 수: 1.100명(남자 620명, 여자 480명)

※ 사진이나 록화물 자료는 사업이 번창하게 진행되었을 때

현지에 들어가서 직접 만드는 것이 좋을 것이라 봅니다.

경의 1997년 10월 8일

이런 문서가 오고 간 후에 우리는 고아원 아동 1명당 월 10달러를 기준으로 1천 1백 명을위해 1만 1천 달러와 운영비 6천 달러를 더하여 매월 1만 7천 달러를 보내기로 했다. 그러고는 이왕지사 도우려고 시작한 일이니 하루라도 속히 도와주자는 뜻에서 신속히 돈을 부쳤다.

그랬더니 송금한 지 보름이 못 되어 북한 쪽에서 연락이 왔다. 모월 모일 모시에 베이징 캠핀스키 호텔에서 만나 뵙고 싶다는 내용이었

다. 무슨 일인가 싶어 베이징으로 갔더니 리00 참사는 자기가 속한 부서의 책임자라는 사람을 소개했다. 그는 000이라고 자기소개를 하고 내게 말했다.

"오늘 갑자기 뵙자고 한 것은 어더렇게 그렇게 빨리 송금하셨는지 궁금했기 때문입네다."

"무슨 말씀인지요?"

"보통 남조선 사람들이나 해외동포들의 경우 처음 만나기 시작해서 열대여섯 차례는 만나야 송금이 시작되는데, 두레마을은 첫 만남 후 바로 송금을 해주셔서 어드런 일인가 궁금해서 뵙고자 했습네다."

"아, 그래요? 그 문제라면 간단합니다. 이왕 도우려고 시작한 일이니, 북쪽이 어려울 때 도움이 되도록 하루 속히 송금하는 것이 좋겠다고 생각했기 때문이지요."

"하지만 그렇게 보내면 우리한테 속는다고 주위에서 말들 하지 않던가요?"

"왜 아니에요. 모두 속는다고 했지요. 그렇게 송금하면 고아원 아이들에게로 가지 않고 공산당에서 먹어버린다고들 하더군요."

"그런데도 어더렇게 그렇게 즉각 송금하셨는디요?"

"속으면 어떻습니까? 속아 본들 그 돈이 중국 사람들에게 가는 것도 아니고, 일본 사람들한테 가는 것도 아니고, 조국 땅으로 가는 건데요. 난 남쪽도 조국이고 북쪽도 조국이라 생각하고 있습니다. 어차피 조국 땅으로 보내지는 돈이니 속아도 괜찮다 생각하고 보낸 거지요."

"바로 그겁네다. 그런 마음을 확인하고 싶어 저도 평양에서 일부러

왔습네다. 그런 마음에 대한 보답으로 앞으로 두레마을과의 모든 거래는 한치의 차질도 없이 정확히 하겠다고 약속합네다."

"고맙습니다. 우리도 안심하고 우리 몫을 감당하겠습니다."

우리는 이렇게 의기가 투합해 무려 다섯 시간이나 대화를 나누었다. 만나서 이야기를 나누어 보면 같은 얼굴, 같은 언어, 같은 핏줄이어서 금방 가슴과 가슴이 통하는데, 왜 그렇게 어렵고 복잡하게 얽혀왔는지 의아스러웠다.

그날 밤늦은 시각에 서로 작별 인사를 나누고 헤어졌는데, 다음 날 아침 여덟 시쯤 다시 숙소로 연락이 왔다. 오늘 열차 편으로 귀국하는데, 귀국하기 전에 다시 한번 만나 뵙고 싶다는 전갈이었다. 다시 만나 대화를 나누는 중에 그가 물었다.

"김 목사님 생각에 통일은 언제나 될 거 같습네까?"

"글쎄요. 전 전문가가 아니라서…. 통일이 언제 될지 저처럼 평범한 위치에 있는 사람은 알 수 없는 일이지만, 남과 북이 이렇게 자주 만나 흉허물없이 대화를 나누다 보면 통일로 가는 길이 열리지 않겠습니까? 어제 오늘 이렇게 만나 이야길 나누고 있노라니 우리 사이는 이미 통일이 된 것처럼 느껴지는데요."

"그거참, 좋은 말씀입네다. 그럼, 우리끼리는 통일이 된 걸로 합시다래. 허허."

이렇게 시작된 두레마을의 북한 고아원 돕기는 그 후 세 곳으로 늘어나 지금은 3천 500명의 어린이를 돕고 있다. 한 달에 1만 원, 10달러면 북한 어린이 한 명을 살릴 수 있는데, 그 돈이 없어 어린이들이 굶주리며 죽어가고 있다. 얼마나 안타깝고 한스러운 일인가.

우리는 이렇게 북한의 고아원을 돕는 한편으로 북한 땅에 두레마을 농장을 세우는 사업을 계속 진행해 나갔다.

북한에 진출하는 전 단계로 두만강 국경에서 1백 킬로미터 떨어진 중국 연변 지역의 연길시에 두레마을을 설립했다. 이 사업은 연변과학기술대학 김진경 총장의 적극적인 주선으로 이루어졌다.

김 총장은 재미동포 신분으로 이미 20여 년 전 어느 누구도 중국과 북한 진출에 관심조차 두지 못하던 때에 홀로 중국으로 들어가 조선족 자녀들을 위한 대학을 세우고, 나아가 북한을 지원하는 일에 뛰어난 공적을 쌓은 분이다.

두레마을은 연길시 변두리의 150만 평 골짜기를 50년간 빌렸다. 연화촌이라 불리는 그 골짜기는 골이 깊고 넓어 일제시대에는 독립군의 근거지였다. 독립군 중에서도 김일성 부대가 한때 진을 쳤던 곳이어서 북한에서도 성지로 손꼽는다. 150만 평 농지는 광대하기 이를 나위 없는 면적이다.

두레마을은 한국에서 열 가정을 이곳에 파견하여 현지 조선족 40여 세대와 힘을 합해 벼, 콩 옥수수 등을 재배하고 있다. 여기에서 수확된 농산물은 북한으로 들여보낸다. 연화촌 골짜기에 농장을 세우고 개간작업에 공을 들인 지 6개월 만에 북한의 차관급 인사가 이곳을 찾았다. 송아지 한 마리를 잡아 후하게 대접했더니 그가 말했다.

"조국 땅에도 이런 농장 하나 세워주시라요."

"예, 그렇지 않아도 우리가 이곳에 농장을 세운 건 북한에 들어가고

싶어 먼저 세운 겁니다."

"그렇구만요. 조국에 이런 농장이 꼭 필요한 때입네다."

"그런데 우리는 언제든지 들어갈 준비가 되어 있지만 북한 정부에서 허락을 할까요?"

"무슨 말을 그렇게 합네까? 공화국 정부야 당연히 허락하겠지만서두 남조선 안기부에서 허락을 하갔시요?"

"그 점은 염려 없습니다. 남조선 정부의 허락은 우리가 받아올 테니 북한 쪽 문이 열리도록 주선해 주십시오. 우리 생각으로는 신의주에서 평양 사이에 기차역이 가까운 어느 골짜기를 지정해 주시면 그곳에 들어가 순전히 농사만 짓겠습니다. 종교 활동도 정치 활동도 완전히 떠나서 그냥 농사만 짓겠습니다. 남한에서 종자와 비료를 들여오고 농기구, 가공시설 등을 들여와 북한 농민들을 지원하는 일만 하겠습니다."

"좋은 생각이십네다. 우리 공화국에 주체 농업이 잘 진행되고 있습네다만, 남반부에서 종자나 장비들을 들여와 합하면 더 좋은 일이디요."

이런 대화가 있은 지 두 달 후 북쪽에서 반응이 왔다. 두레마을이 공화국 내에 농장을 건설할 장소로 신의주와 평양 사이의 한 곳을 원했지만 내지는 여러 가지 조건이 미비하여 어려우니 우선 개방 지구인 나진 · 선봉지역에 농장을 설립하고, 거기에서 성공한 결과를 가지고 내지로 들어가는 것이 어떠하냐는 제안이었다. 우리는 그렇게 단계적으로 접근해 가는 것도 좋을듯해서 그렇게 하겠노라고 답을 보냈다.

이렇게 길이 열리기 시작하더니 드디어 1998년 2월 말에 북한으로 들어가 농장 설립에 관한 계약을 체결했다. 이번에도 연변과학기술대학 김진경 총장이 앞장서서 주선해 주었다.

다음은 1998년 2월 28일자로 작성된 계약서 내용이다.

〈계약서〉

라진 · 선봉시 행정경제위원회(이하 '갑'이라 함)와 두레마을 영농조합(이하 '을'이라 함)은 다음과 같이 계약서를 작성한다.

1. 사업 목적

과학적인 농업경영 방법으로 종합농업지구를 조성하여 생산과 가공, 유통, 수출, 관광농업, 목축의 복합영농으로 리윤을 증대하며 농업의 과학적 경영 기술 보급을 통하여 지대농업과 목축업 발전에 기여하려는 데 있다.

2. 사업 내용

- 종자보급: 세계 여러 지역에서 육종된 최고 수준의 육종 보급
- 선진 농업과학기술 이전
- 주곡종 생산단지 조성 :벼, 보리, 밀, 콩, 감자, 옥수수
- 특용작물 단지 조성 : 원예, 과수, 약용, 유류, 섬유작물
- 농산물 가공단지 : 농축산물 일체 가공처리
- 축산단지 조성 : 소, 염소, 양, 돼지, 닭, 오리
- 농업기술 연구소 및 실습농장
- 농업기계, 비료 등 농기구와 자재 도입에 관한 제반 업무

- 농축산물 수출 업무
- 기타 농업과 관련된 부대사업 일체

3. 투자규모: 800만 달러(미국 달러)를 년차적으로 투자한다.
4. 사업 장소: 라진 · 선봉지대
5. 지정된 협동농장의 기술관리 및 생산분배는 계약 쌍방이 협의하되 해외 수출은 '을'이 담당 한다.
6. 본 협동농장에서 발생하는 수익은 지대농업 발전을 위하여 재투자한다.
7. 본 협동농장을 위하여 라진 · 선봉지대에 방문할 행정, 기술인원의 자유로운 입국과 체류에 대하여는 '갑'이 책임진다.
8. 본 협동농장의 경영을 위하여 해외에서 반입되는 모든 물자와 종자 및 가축의 무관세 통과는 '갑'이 책임진다.
9. 본 사업은 계약일자로부터 30일 내에 시작한다.
10. 쌍방의 분쟁시에는 지대당국의 법에 의하여 해결하는 것을 원칙으로 하되 지대당국의 법에 의하여 해결되지 못할 시에는 국제법에 따른다.
11. 상기 내용에 포함되지 않은 문제에 대하여는 쌍방이 합의하여 보충한다.

주체 87(1998)년 2월 28일

라진-선봉시 행정경제위원회 위원장 김00

두레마을 영농조합법인 대표 김진홍

립회인 국제평화그룹 회장 김진경

이렇게 계약한 후 두레마을에서는 세 명을 북한으로 보내 첫해 영농을 시작했다. 신품종 씨감자 40만 개와 비료 300톤을 싣고 장민기, 한응수, 황천수 세 사람이 두레마을을 대표하여 북한 두레마을농장의 현지 일꾼으로 파견됐다.

그해 7월 내가 북한을 세 번째 방문했을 때는 마침 감자를 캐는 시기였다. 협동 농장 주민들이 감자를 캐고 있는 자리에 나도 동참했다. 우리가 공급한 신품종 씨감자가 북한에서 큰 환영을 받았다. 줄기마다 주렁주렁 열린 감자를 캐면서 주민들이 감탄하여 말했다.

"히야, 스물네 알이나 열렸시다."

"그러게, 많이도 열렸구만."

"썩은 알은 없구만요."

"그러네요. 감자알이 말짱하구만."

북한에서 심어왔던 재래종 감자는 아마 바이러스 감염이 심해 수확할 때 상한 알이 많았던 모양이다. 우리가 가져간 씨는 바이러스에 감염되지 않은 데다 다수확 품종이기에 감자 캐던 사람들이 연방 감탄하는 것이었다. 어려움에 빠진 북한을 돕는 일에는 우선 식량 지원도 필요하겠지만 동시에 종자, 영농 기술, 농업 장비 등의 지원이 더욱 중요하다.

지금 식량이 부족하다고 해서 외부로부터 식량 지원만 계속 받으면 북한은 식량 자급 능력을 확보하지 못할 것 아닌가? 세상만사가 다 그러하듯 자립은 스스로 일어서려는 의욕과 능력이 길러질 때만 가능한 것이다.

내가 북한의 농업 현장을 살펴봤을 때 가장 가슴 아프게 느꼈던 점은 세 가지였다.

첫 번째는 토양이 너무나 메말라 있다는 점이었다.

두레농장을 세울 장소를 처음 답사했을 때였다. 나진 · 선봉 지구 농축 국장이란 분의 안내를 받아 농장 후보지에 들어섰을 때는 가을걷이가 끝난 직후였다. 나는 그 밭이 수수밭인 줄 알았다. 추수하고 남겨진 작물의 그루터기가 수숫대 정도로 가늘었기 때문이다.

“수수밭이였구먼요. 금년 수수작황이 좋았습니까?”

“아닙네다, 옥수수밭이에요.”

“옥수수밭이라고요? 옥수수 그루터기가 이렇게 가늘다면 수확한 알갱이가 보잘것없었겠는데요.”

“형편없는 흉작이었디요.”

“금년에는 남한에도 풍년이 들었고 중국 연변 땅에도 풍년이 들었는데, 왜 여기만 이렇게 나빴을까요?”

“하늘이 하는 일을 어떡하갔습네까. 가뭄이 들었다가는 큰 물난리가 나고, 거기다 해일까지 겹치니 당해낼 재간이 있어야디요.”

나는 흙을 한주먹 손으로 움켜쥐고 바람에 날려보았다. 그렇게 흉작이 된 원인은 하늘 탓이 아니라 사람 탓이었음을 알 수 있었다. 흙이 너무나 메말라 있었기 때문이다.

농사의 기본은 무엇보다 흙이 살아있어야 한다. 그래서 지혜로운 농사꾼은 씨를 뿌리기 전에 먼저 흙을 가꾼다. 비옥하게 가꾸어진 흙을 일컬어 산흙, 생토(生土)라 한다. 작물은 그런 흙에서 넉넉히 자라 풍

성한 열매를 맺는 법이다.

그런데 북한 땅은 흙이 죽어 있었다. 10년, 20년을 거름을 넣지 않고 가꾸지 못한 태가 확연했다. 그런 흙에서는 흉작이 될 수밖에 없다. 거기에다 옥수수는 지력을 빼어가는 대표적인 작물이다. 옥수수 같은 작물은 땅심을 빨아들이고 콩 같은 작물은 땅심을 길러준다. 따라서 북한 같은 조건에서는 옥수수를 많이 심을 것이 아니라 콩과류를 많이 심어 지력(地力)을 높여나가야 한다. 그러나 실상은 해마다 옥수수를 심고 땅을 가꿔주지 못했으니, 흉작이 계속될 수밖에 없었다. 게다가 지난 몇 년간 홍수, 태풍, 해일 등이 겹쳤으니 농업 생산 기반이 무너질 수밖에 없었다.

나는 그런 밭 흙의 상태를 살펴보고 동행한 분들에게 말했다.

"제가 볼 땐 하늘 탓이 아니구먼요. 사람 탓인데요. 밭에 거름 기운이 너무 없습니다. 이런 흙에다 옥수수를 심는 것은 마치 먹이지 않은 여인에게 아기를 낳으라고 하는 거와 같습니다. 밭에 유기질 거름을 넣어줘야 합니다. 지금 남한 쪽과 비료 지원 협상이 계속되고 있는 줄 아는 데 문제가 있습니다. 이런 흙에 화학비료만 넣어주면 흙이 더 망가집니다. 이런 조건에서는 먼저 유기질 거름을 넣어줘야 합니다. 이런 상태에 화학비료만 4, 5년 넣으면 토양이 산성화되어 생산력이 점점 떨어지게 됩니다."

"그렇긴 하지만서도 쉬운 일이 아니디요."

"쉬운 일은 아니지만 해야 할 일이지요."

북한 농업을 보며 두 번째로 가슴 아팠던 점은 산에는 나무가 없고,

농가에는 가축이 없고, 농민에게는 마땅한 장비가 없는 점이었다. 곡식은 논과 밭에서 생산되지만, 산과도 밀접한 관계가 있다. 산에 나무가 우거져 있어야 가뭄과 홍수에 잘 견딜 수 있다. 그리고 낙엽이 쌓인 곳에서 미생물이 자라고, 농작물이 자라는 데 필요한 온갖 효소가 생성된다. 그런데 불행히도 북한 산들은 민둥산이다. 나무 한 포기 없이 벗겨진 산들을 보노라면 가슴이 아프다. 마치 추운 날씨에 옷을 벗고 있는 사람을 보는 듯한 느낌이 든다. 게다가 북한의 농가에는 가축이 별로 없다. 가축이 있어야 거름이 생산되는데 가축이 없으니 거름을 장만할 수단이 없다. 산에 나무와 풀이 없고 마을에 가축이 없으면 농업은 피폐해지게 마련이다.

안타깝게도 북한은 이런 나쁜 조건을 동시에 갖추고 있었다. 그나마 농민들이 의욕을 품고 일하려면 적절한 장비를 갖추어야 하는데 북한 농가의 장비는 너무나 초라하여 보는 사람으로 하여금 애처로운 느낌이 들게 한다. 그러니 북한을 돕는 일 중 당장 급한 것은 괭이, 삽, 낫, 수동식 탈곡기 등 극히 초보적인 장비들을 지원함이 가장 효율적이 아닐까 싶다.

그런 중에도 내가 만났던 농민들은 의욕이 살아 있었다. 그들에게 물었더니 그들은 한결같이 답했다.

"여러분들은 외부에서 무엇을 지원하면 가장 좋겠습니까?"

"종자와 비료만 좀 대주시라요. 우리가 일해서 일어서보겠시다. 헌 옷가지 같은 것들을 보내오는데, 그런 건 없어도 됩네다. 옷은 벗고 일해도 되니깐두르 종자와 비료만 있으면 우리가 일해서 일어설 수 있습네다."

그런 악조건에서도 이런 의욕을 지니고 종자와 비료를 밀어달라는 북한 농민들의 말을 들으면서 나는 우리 민족의 저력을 느꼈다. 남도 북도 백성들은 참 좋은 사람들인데 시대를 잘못 만났다 할까, 지도자를 잘못 만났다 할까, 그들이 타고난 자질을 맘껏 펼쳐보지 못하고 바닥을 헤매고 있다는 생각이 들곤 한다. 그러나 그런 중에도 남한이 이만큼이나마 발전한 것이 얼마나 고마운 일인지, 앞으로 남한의 지도자들과 국민들이 더욱 분발하고 합심하여 국부(國富)를 쌓아 북한을 돕고, 통일 한국을 이룩하는 일에 전력을 기울여야 할 것이다.

북한에 머무는 동안 가슴 아팠던 세 번째 일은 너무나 비효율적인 체제 운영이었다.

예를 들어보자. 어느 때인가 북한에 도착하여 숙소에 짐을 풀고 있는데 연락이 왔다. 저녁 식사를 위원장 동무(시장 격)와 같이 할 터이니 연락할 때까지 방에서 기다리라는 것이었다. 정장을 하고 기다렸다. 그러나 아홉 시가 넘도록 감감무소식이었다. 갑갑하여 식당으로 내려가 보았더니 상은 차려져 있는데 기다리라는 것이었다. 도리없이 방으로 돌아와 기다렸다. 결국은 밤 열 시 가까이 돼서야 식사할 수 있게 되었다.

후에 알고 보니 평양의 상부 기관에서 식사해도 좋다는 허락을 받아내느라고 그렇게 시간이 걸렸다는 것이다. 사실 여부를 확인한 것은 아니지만 좌우지간 하부기관들에 재량권이 없는 것은 분명했다.

우리 민족은 본래 진취적 기상과 창의력이 뛰어난 민족성을 갖고 있

다. 그러나 윗자리에서 틀어쥐고 하부기관이나 국민들에게 자율권과 재량권을 주지 않으면 모든 분야에서 정체되고 낙후될 수밖에 없는 것은 당연한 일이다. 그래서 어떤 분들은 북한의 미래에 대해 극히 부정적인 시각으로 말한다. 체제가 바뀌지 않는 한 외부에서 도와줘 봐야 아무 도움도 안 된다는 것이다. 일리 있는 생각이라고 여겨진다. 그렇다고 북한을 돕겠다고 나선 마당에 북한 지도자들에게 체제를 바꾸라고 말할 처지도 아니어서 참으로 난처하고 곤혹스러운 일이 아닐 수 없다.

체제 이야기가 나온 김에 내 경험 한 가지를 더 아야기해 보자. 북한을 몇 번째인가 방문했을 때였다. 저녁 여넓시 쯤 식사를 끝내고 방으로 올라가 텔레비전을 켰다. 물론 북한의 텔레비전은 고정된 채널 하나에 흑백이다. 그때가 김정일 생일이 지난 지 며칠 후였다. 텔레비전에서 마침 어느 시인이 '김정일 장군님 생신을 축하합니다'라는 제목의 시를 낭독하고 있었다. 그런데 시의 내용을 듣던 나는 당혹스럽기가 이만저만이 아니었다. 그때 들었던 구절을 그대로 옮겨보겠다.

석가모니도 인류 구원을 위하여 히말라야 설산에서 7년 간이나 고행하였으나 실패하였도다.

예수 그리스도도 인류 구원을 위하여 십자가에 못 박혀 죽기까지 하였으나 실패하였도다.

그러나 우리 김정일 장군님께서는 인류 구원의 역사를 가장 효율적으로 성취하고 계시도다.

나는 기가 막혀 숨이 멎을 지경이었다. 어떻게 국가가 경영하는 유일한 텔레비전 채널에서 이런 내용을 방영할 수 있을까? 이런 부분이 바로 외부인들이 이해하기 힘든 대목이다.

나진 · 선봉시 한가운데에는 '21세기의 태양 김정일 장군 만세'란 입간판이 크게 걸려 있다. 내가 갔을 때 산 언덕 위에 세워진 IBM 소니 등의 광고판을 철거하는 중이었다. 그런데 철거하는 이유가 터무니없었다. 김정일 장군님의 간판보다 높게 세워졌기 때문이라는 것이었다. 내가 가기 사흘 전에 그곳을 방문한 김정일 장군님께서 외국 회사들의 간판을 보고는 "저 자본주의 새끼들이 날 내려다보고 있어? 당장 때려 부숴"라고 했다는 것이다. 장군님의 이 한마디에 외국 회사 광고판을 철거하는데 군인들이 동원되어 삽과 괭이로 철거 작업을 하느라 애쓰고 있었다.

북한 땅 어느 곳을 가도 눈에 띄는 구호 두 가지가 있다. '김일성 어버이는 우리와 영원히 같이 계신다'는 구호와 '대를 이어 충성하자'는 구호다. 온 나라가 김일성 어버이, 김정일 장군님을 위해 존재하는 것만 같았다.

내가 함경도 산을 넘을 때였다. 아직 2월이라 길에는 눈이 쌓여 있고 빙판이라 길이 미끄러워 몹시 위험했다. 그런 길을 지프를 타고 넘어가고 있는데 눈앞에 열두세 살 됨직한 소년이 걷고 있었다. 살펴보니 신발도 신지 못한 것 같아 앞자리에 앉은 경호원에게 말했다.

"저 애가 신발도 못 신은 것 같은데요. 이런 눈길에 동상 걸리겠습니다. 우리 차에 태우면 안 되는 줄은 알지만 좀 태워줍시다. 너무 딱

하구먼요."

내 말에 경호원은 못 들은 척하고 고개를 다른 쪽으로 돌렸다. 나는 그것을 묵인하겠다는 의미로 받아들이고 차를 세우게 하고는 그 아이를 태웠다. 아이를 옆자리에 앉히고 말을 걸었다.

"애야, 이런 눈길에 어딜 가니? 넌 몇 살이냐?"

"예, 열두 살이구요, 어머니 마중 갔다 오는 길이야요."

"엄마 마중 갔다 오는 길이라고? 어딜 가셨는데?"

"양식 구하러 가셨는데요, 두 달 전에 가서 아직 안 오셨디요."

"그래? 두 달 전에 가셨다고? 그럼, 오늘이 오시기로 한 날이니?"

"아냐요."

"아니, 그럼 두 달 전에 나간 엄마가 오시기로 한 날도 아닌데 마중을 나갔었단 말이냐?"

"예, 동생이 아파서 죽어가기 때문이야요. 동생이 죽기 전에 엄니가 와야 하기 땜에 어제도 마중나갔었구요, 오늘도 갔었디요."

아마 산 너머 어딘가에 기차역이 있는 듯했다. 병든 동생이 죽기 전에 엄마가 와야 한다고, 약속한 것도 아닌데 날마다 산을 넘어 엄마 마중을 다니고 있다는 말에 나는 눈시울이 시큰해 다시 물었다.

"그래, 너 힘들겠구나. 동생은 어디가 아픈데?"

"예, 동생이 피똥을 싸고 있어요."

"뭐? 피똥을 싼다고? 왜 피똥을 싸는데?"

"모르갔시요. 엄마가 간 뒤 먹을거이 없어서요. 옥수수 속을 끓여 멕였는데 얼마 전부터 그래요."

거친 옥수수 속 때문에 장이 상했을까? 여하튼 동생이 죽기 전에 엄마가 와야 한다고 산 너머 기차역으로 마중을 다닌다는 이야기다. 나는 소년에게 지프 뒤편에 실려 있던 빵과 과자를 한아름 안겨주며 말했다.

"고생하는구나. 그렇게 힘들어서 어떡허니?"

"괜찮습네다! 장군님이 계셔서 괜찮습네다."

나는 때아닌 자리에서 나온 장군님 소리에 섬뜩함을 느꼈다. 그런 경황 중에도 김정일 장군님이 계시니 괜찮다는 얘기다. 어떻게 교육하면 이렇게까지 될까? 아이는 아이다운 편이 좋을 터인데.

이쯤 와서는 북한에 관한 이야기를 더 쓰고 싶지 않다는 생각이 들지만 한 가지 더 써야겠다. 북한에는 몇 년 전부터 시장경제가 도입되기 시작했다. 아직 규모는 미약하지만, 그 자체가 큰 변화라면 변화라 하겠다. 나진 · 선봉도 마찬가지다. 골목골목에 조그마한 구멍가게가 서 있다. 서울에서 보는 신문 가판대처럼 생긴 가게마다 일련번호가 붙어 있는데, 허가 번호인 듯하다.

그리고 시가지 한가운데에서는 공동시장이 열린다. 웬만한 초등학교 운동장 넓이의 공간에 수백 명이 모여 북적거린다. 마치 6 · 25 직후 남대문 시장의 분위기와 흡사하다. 깡마른 체격의 남녀 동포들이 살아남기 위해서 내뿜는 열기가 대단하다.

감동하기를 잘하는 나는 그런 시장 분위기에 가슴이 찡해왔다. 체제가 열리고 각자의 창의력을 마음껏 발휘할 수 있는 시대를 만난다면

이들 중에서도 이병철, 정주영, 김우중 같은 기업가들이 배출될 수 있을 터인데 하는 생각이 들어 나는 시장 한가운데 서서 기도를 드렸다.

"하나님 아버지, 하루속히 휴전선이 무너져 공산주의도 자본주의도 필요 없이 한민족 공동체만 남을 수 있게 해주시옵소서. 대포를 녹여 경운기를 만들게 하옵시고 엠 식스틴 총도 에이케이 자동소총도 녹여 호미와 삽을 만들 날을 허락해 주시옵소서."

시장 한가운데 서서 잠시나마 눈을 감고 기도하다 걸으며 살피다가를 계속하는 중에 이상한 느낌이 들었다. 마흔이 조금 못되었음 직한 부인이 내 뒤를 밟는 것 같았다. 내가 서면 그녀도 서고, 내가 빨리 걸으면 그녀의 걸음도 빨라졌다.

저 부인이 나에게 할 말이 있는 게 아닐까 하여 눈치를 살폈더니, 그녀는 내 눈치를 살피는 것이 아니라 내 곁을 따라다니는 안내인의 눈치를 살피는 듯했다. 나는 무슨 연유가 있을 듯하여 슬그머니 시험 삼아 안내원 곁을 떠나 다른 편으로 돌았다. 안내원이 나를 놓치곤 찾느라 발돋움하며 이리저리 살피는 모습이 보였다.

그때 그녀가 쏜살같이 내 곁을 지나가며 내 귓가에 딱 한 마디 하고는 가버렸다. 나는 그 한마디에 후끈 가슴이 달아오르고 눈물이 쏟아지려고 했다. 감동에 휩싸인 나는 그녀를 찾을 엄두도 내지 못하고 그 자리에 그냥 우뚝 서 있을 따름이었다. 그때 그녀가 내 귓부리에 닿을 듯한 입으로 해준 한마디는 평생 잊을 수 없는 말이 되어 지금까지 감동으로 남아 있다.

"할렐루우야!"

어떻게 북한 땅의 시장 한가운데에서 이 말을 듣게 되었을까! 그녀가 그 나이에 여호와 하나님을 찬양하는 '할렐루야'를 말할 수 있게 된 내력은 무엇일까? 할아버지 할머니 때로부터 물려받은 신앙일까? 아니면 해외주재원으로 나갔을 때 만난 하나님일까? 아니면 혼자서 성경을 읽으며 깨우친 믿음일까? 나는 그녀로부터 그 말 한마디를 들은 것만으로도 그간 북한으로 들어오기 위해 중국에서 북한까지 투자한 노력과 예산의 값어치를 건지고도 남았다는 생각이 들었다.

그래서 시장바닥에서 고개를 숙인 채 기도했다. 곁에는 나의 어머니처럼 보이는 할머니 한 분이 팥죽 서너 그릇을 담아 팔고 있었고, 할머니 곁에는 40대 남자가 강아지 한 마리를 달랑 들고는 사라고 권하고 있었다. 그의 곁에는 한 부인이 흰옷을 양팔에 걸고 팔고 있었다.

그들 곁에 서서 나는 기도했다.

"여호와 하나님 아버지, 저는 여호와께서 역사를 이끄시는 주인이심을 믿습니다. 남한의 역사도 북한의 역사도 하나님의 손안에서 이루어져 나가는 섭리를 저는 믿습니다. 저의 믿음대로 이루어지는 역사를 눈으로 볼 수 있게 해주시옵소서. 속한 시일 안에 하나님께서 역사를 이끌고 계시는 증거를 볼 수 있게 하여 주시옵소서. 남한, 북한 동포들이 함께 평양 대동강 강변에 서서 '할렐루야!'를 마음껏 외칠 수 있는 날을 허락하시옵소서. 남한의 기독교인들과 북한의 기독교인들이 누구의 제재도, 누구의 구속도 받지 않고 백두산꼭대기에서 '할렐루야!'를 찬양할 수 있는 날을 허락하여 주시옵소서. 그런 날을 앞당겨 이루어나가기 위하여 이 몸을 헌신할 수 있게 하시옵소서! 아멘."

12

무너진 데를 다시 쌓는 사람들

무너진 데를 다시 쌓는 사람들

1999년에 들어서면서 두레 공동체 운동은 제자리를 잡아가는 단계에 들어섰다. 여러 분야로 산만하게 전개되어 가던 운동이 점차 통일성 있게 모양을 갖추기 시작했다.

그런 계기를 이루게 된 것은 스코틀랜드에서 열렸던 두레 신학 세미나에서였다. 영국의 스코틀랜드라면 개혁교회 운동이 일어난 곳 가운데 하나다. 1999년 7월 6일부터 9일 사이에, 그곳에서 세계 각 지역 두레 공동체 운동을 이끌고 있는 일꾼 20여 명이 모였다. 이 세미나에서 진지한 논의를 거쳐 다음의 사항들이 결론으로 마무리되었다.

1. 두레 공동체 운동(Doorae Community Movement : DCM)의 비전은 '성서 한국' '통일 한국' '선교 한국'을 이룩해 나감에 있다.
2. 두레 공동체 운동은 운동 전개의 신학적 · 사상적 기초를 목민신학(牧民神學)에 두고 이를 현장에서 펼쳐나가는 목회를 목민

목회(牧民牧會)라 이름 짓는다. 그리고 앞으로 2년 동안에 목민 신학과 목민목회를 이론적으로 체계화하여 책으로 펴낸다.

3. 두레 공동체 운동이 그간에는 한국 교회의 주변 운동으로 자리매김해 왔으나, 이제는 한국 교회의 주류운동(主流運動, Mainstream)으로 한국 교회의 중심부로서 교회를 섬기고 영향을 미쳐 교회 개혁운동의 흐름을 선도해 나가게 한다.
4. 두레 공동체 운동은 한국 기독교가 한반도에서 향후 1천 년 간의 정신세계를 이끌어가는 중심 세력이 되게 하는 일에 앞장선다.
5. 두레 공동체 운동은 이상의 과제를 효율적으로 감당해 나가기 위해 자체 내의 구조조정과 조직기능을 재편하여 활력 있고 창조적인 운동단체로 발전시켜 나간다.

두레 공동체 운동이 '성서 한국'을 추구한다고 할 때의 '성서 한국'은 무엇을 뜻하는가? 한마디로 말해 성서의 가치관 위에 나라를 세워 나가자는 뜻이다. 어느 시대에나 그 시대를 이끌어나가는 시대정신이 있게 마련이다.

헤겔은 그런 정신을 세계정신(Weltgeist)이라고 불렀다. 신라 · 고려 시대에는 불교가 그 시대의 시대정신이었고 조선 500년간에는 유학이 시대정신이었다. 그렇다면 제2차 세계대전 이후에 건설한 신생 대한민국 시대에는 무슨 사상, 무슨 종교가 시대정신이 될 것인가? 바로 '예수의 도(道)'가 그 시대정신이 될 것이다. 이제 다가오고 있는 통일 한국시대에는 7천만 동포들의 정신세계를 성경의 가르침이 이끌어가

게 될 것이고, 또 그렇게 되도록 만들어 나가야 한다. 이 비전에 대해 구약성서는 이렇게 말하고 있다.

> 그때에 이리가 어린 양과 함께 거하며 표범이 어린 염소와 함께 누우며 송아지와 어린 사자와 살찐 짐승이 함께 있어 어린아이에게 끌리며… 나의 거룩한 산 모든 곳에서 해 됨도 없고 상함도 없을 것이니 이는 물이 바다를 덮음같이 여호와를 아는 지식이 세상에 충만할 것임이니라. 그날에 이새의 뿌리에서 한 싹이 나서 만민의 기호(旗號)로 설 것이요 열방이 그에게로 돌아오리니 그 거한 곳이 영화로우리라.
>
> • 이사야 1장 610절

참으로 멋있고 가슴 뛰게 하는 비전이 아닌가! 한반도에 참된 화해와 평화의 시대가 도래할 것임을 말해준다. '이리'와 '어린 양'이, '표범'과 '어린 염소'가 우리에게 거한다는 말은 공산주의와 자본주의가 공동체를 이루어 한 집안이 되고 인민군과 국군이 한 동아리가 되는 시대를 말해준다. 그리고 한반도의 도시마다 마을마다 서로가 해치거나 상함이 없이 물이 바다를 덮음같이 여호와를 아는 지식이 한반도에 차고 넘치게 될 미래를 말하고 있다. 그리고 그 시대에는 '이새의 뿌리에서 난 한 싹', 즉 예수 그리스도가 7천만 동포들이 함께 바라보고 따르는 깃발이 되는 시대를 말해준다. 그래서 그로 인하여 한민족이 세계에서 높임 받는 시대가 될 것까지 말하고 있다.

다시 말하자면 '성서 한국 운동'은 여호와를 아는 지식으로서의 성서의 지식이 한반도에 넘치게 하자는 운동이다. 제주도 한라산에서 백두산 골짜기에 이르기까지 마을마다 골목마다 여호와를 아는 지식인 성경의 지식이 차고 넘치게 하자는 운동이다. 그리고 신약성서 고린도후서 3장 17절에서는 '여호와를 아는 지식'이 충만케 되었을 때 백성들이 누리게 될 자유함에 대해 말한다.

주는 영이시니 주의 영이 계신 곳에는 자유함이 있느니라.

여호와를 아는 지식에 거하는 백성들은 여호와의 영인 성령의 인도함을 받게 된다. 그리고 성령은 자유함을 누리게 하는 영이기에 성령의 인도함을 받는 백성들은 마땅히 '자유함'을 누리는 백성들이 된다. '성서 한국 운동'은 '여호와를 아는 지식'으로서의 성경의 지식이 한반도에 차고 넘치게 하여 여호와의 영인 성령이 7천만 백성들로 자유함을 누리는 시대를 창출해 나가자는 운동이다.

그렇다면 왜 '통일한국'이냐?

우리 겨레가 세계에서 마지막 남은 분단국으로 남아 있기 때문이다. 제2차 세계대전이 끝난 지도 이미 반백 년이 지난 때에 그간 분단국이었던 독일, 베트남, 예멘 같은 나라들은 모두 통일을 성취했다. 그런데 우리만 통일 과업을 이룩하지 못한 채 분단국으로 남아있다.

얼마나 부끄럽고 원통한 일인가! 우리 겨레가 세계사에 무슨 죄를 지었기에 이런 억울한 일을 당해야 하는가?

이제 우리는 민족의 모든 역량을 하나로 모아 통일 조국을 이루어 나감에 전력을 기울여야 할 때다. 한반도에 기독교가 들어온 지 1백년 남짓한 동안에 기독교는 괄목할 만한 성장을 이루어왔다. 그러나 이 땅의 기독교인들이 그간에 범한 과오가 있다. 개교회의 부흥을 위하여는 밤낮으로 부르짖었으면서도 분단된 조국의 통일을 위해서는 뜨겁게 기도하지 못했다.

신약성서 마태복음 18장 18절에서는 땅에서 마음을 합해 기도할 때 하늘에서 응답하심에 대하여 말한다.

> 진실로 다시 너희에게 이르노니 너희 중에 두 사람이 땅에서 합심하여 무엇이든지 구하면 하늘에 계신 내 아버지께서 저희를 위하여 이루게 하시리라.

겨레는 병들고 수치를 당하고 있는 때에 교회만 호황을 누릴 수는 없다. 교회가 아무리 좋은 건물을 지니고 숫자가 몇만으로 늘어날지라도 그 교회가 속해 있는 나라가 부끄러운 처지에 있다면 그 좋은 건물과 많은 숫자가 무슨 소용이 있겠는가? 그간에 한국 교회는 겨레의 수난과 아픔에는 동참하지 못한 채 교회 안의 문제에만 매달려온 감이 있다. 백성들이 교회를 섬기라고 요구했지, 교회가 백성들을 섬기는 교회가 되지를 못했다. 일찍이 신채호 선생은 이렇게 말씀하셨다.

> 우리 조선 땅에 석가가 들어와서는 석가의 조선이 되고 공자가

들어와서는 공자의 조선이 되고 예수가 들어와서는 예수의 조선이 되었다. 왜 조선의 석가가 되고 조선의 공자가 되고 조선의 예수가 되지를 못하는가?

열 번, 백 번 지당한 말이다. 1천 년 신라 불교도, 500년 조선 유학도 백성들의 혼을 뜨겁게 하여 세계사의 중심 무대에 솟아오르게 하는 데까지는 이르지 못했다. 이제 기독교가 다시 그런 역사를 되풀이해서는 안 된다. 기독교는 이 땅의 7천만 동포들을 거듭나게 하고 깨우치게 하고 뭉치게 하고 위대하게 하여 세계사의 흐름에 앞장서게 하는 기독교가 되게 해야 한다. '조선을 변화시키는 예수'가 되어야 하고 '한국을 위대한 나라로 만들어 나가게 하는 그리스도'가 되어야 한다.

이 큰 뜻을 감당해 나가기 위하여 한국 교회는 먼저 하늘에 부르짖어 '통일 한국'에의 염원이 성취되게 하고 통일 한국이 성경의 진리 위에 세워지는 '성서 한국'을 일구어나가야 한다. 그리고 '통일 한국' '성서 한국'이 세계사에 우뚝솟는 '선진 한국'으로 발돋움해 나가는 일에 전심전력을 다해야 한다.

돌이켜 생각해보면 통일 한국의 성취는 한국만의 문제가 아니다. 통일 한국시대의 도래는 새로운 세계가 열려 나가는 길목이 될 것이다. 그간의 상쟁(相爭)의 시대가 상생(相生)의 시대로 전환되는 새벽이 될 것이다.

그렇다면 왜 '선교 한국' 인가?

어느 신학자가 이르기를 '불이 탐으로 존재하듯이 교회는 선교함으

로 존재한다'고 했다. 선교하기를 멈추는 교회는 이미 교회이기를 그만둔 교회다. 통일 한국 이후에 우리 겨레가 성서 한국으로 나아가게 되고 그 성서 한국이 백성들의 역량을 한 길로 모아 선진 한국을 이룩하게 된다면 그다음은 무엇일까? 우리 겨레만 잘살고 우리들만 누리게 되는 나라로 멈출 것인가? 그럴 수는 없다. 일찍이 단군 시조는 태백산 기슭에 신시(神市)를 열고 나라를 시작할 때 세계 만민을 포용할 수 있는 이상을 내걸었었다.

널리 인간을 유익하게 하고
그 도리로 세계를 변화시킨다
弘益人間
理化世界

높은 휴머니즘의 이상이다. 기독교 경전인 성경이 위대한 점은 66권 책마다 장마다 인간을 복되게, 이롭게 하시려는 하나님의 뜻이 드러나 있기 때문이다.

한국을 대표할 만한 지성인 가운데 한 사람인 시인 김지하가 말하기를 21세기에는 단군 사상이 세계를 이끌어가게 될 것이라고 했다. 나는 그런 주장에는 공감할 수 없다. 단군의 홍익인간의 이상이 훌륭한 사상임은 두말할 나위 없는 사실이로되, 그로써 세계를 이끌어가는 지도 이념으로 삼겠다는 것은 지나친 비약이다.

나는 성경의 진리가 다가오는 1천 년에 세계인들을 이끌어가는 도리가 되어야 한다고 주장한다. 확신으로 그렇게 주장한다. 그래서 '통일 한국' '성서 한국' 의 시대에는 오대양 육대주에 예수의 도(道)가 펼쳐지는 시대를 이루어나가기 위해 쓰임 받는 겨레와 교회가 되어야 한다. 그래서 '선교 한국'이나 두레 공동체 운동은 이런 비전과 꿈을 성취해 나가는 운동을 펼쳐오면서 우리들의 운동을 뒷받침할 신학을 세워왔다.

두레 운동이 내세우는 신학은 목민 신학이라 이름한다. 목민 신학은 지난 30년간 온몸으로 쌓아온 체험에서 배어난 신학이다. 목민 신학은 도서실에서 이루어진 신학이 아니다. 민초들의 삶의 현장에서 우러난 신학이다. 목민 신학은 머리에서 구상하여 손으로 쓴 신학이 아니다. 몸으로 체득하여 발바닥으로 쓴 신학이다. 목민 신학은 200년 전에 통한의 삶을 살다 간 선각자 다산 정약용에서 그 틀을 찾는다. 다산은 자신의 탁월한 경륜을 펼칠 길을 찾지 못한 채 18년간의 유배생활에서 목민 사상을 발전시켰다. 그 사상을 담은 책이 목민심서다.

두레는 목민심서를 중심으로 하는 다산의 저서들에 담긴 목민 사상을 그릇으로 삼고 그 그릇에 '성경의 진리'를 담아 목민 신학을 이루어나가려 한다. 그리고 목민 신학을 백성들 속에 펼쳐나가는 목회를 목민 목회라 한다. 두레 공동체 운동이 한반도에서 펼쳐 나가는 모든 운동과 사업들은 목민 신학을 역사의 현장 속에서 펼쳐나가는 목민 목회의 구현이다. 그리고 목민 목회는 네 가지를 중심 내용으로 한다. 그 네 가지는 신약성서에 나타나는 예수님의 사역에 뿌리를 두고 있다.

예수께서 모든 성과 촌에 두루다니사 저희 회당에서 가르치시며 천국 복음을 전파하시며 모든 병과 모든 약한 것을 고치시니라. 무리를 보시고 민망히 여기시니 이는 저희가 목자 없는 양과 같이 고생하며 유리함이라.

• 마태복음 9장 35~36절

이 땅에 오신 하나님인 예수는 땅에 계셨던 때에 마을과 도시를 다니시며 백성들을 가르치셨다. 곧 교육 목회다. 백성들에게 천국 복음을 전파하셨다. 곧 복음 전파다. 그리고 백성들의 병과 약한 것을 고치셨다. 곧 치유 목회다. 예수는 목자 없는 양들과 같이 지도자를 제대로 만나지 못해 고생하고 떠도는 백성들을 불쌍히 여겨 그들을 품으셨다.

예수는 떠도는 백성 전체를 품으셨는데 우리 목사들은 예배당 안에 있는 교인들만을 상대하려 든다. 예수처럼 예배당 안팎의 백성 전체를 품은 목회가 되어야한다. 그래서 교인 목회가 아니라 국민 목회가 되어야 한다.

여기에 나타난 예수의 목회를 따라 두레의 목민 목회는 교육 목회, 복음 전파, 치유 목회, 국민 목회를 중심 내용으로 한다. 이들 네 가지 목회를 한반도에서 실현해 나가려는 것이 두레 공동체 운동의 내용이자 방향이다.

이제 글을 마치려 한다. 두레 운동에 삶을 바치고 있는 두레인 들에게 한결같은 영감을 주고 있는 성경 한 절을 다시 한번 인용하며 이

글을 마치고자 한다.

> 네게서 날 자들이 오래 황폐된 곳들을 다시 세울 것이며 너는 역대의 파괴된 기초를 쌓으리니 너를 일컬어 무너진 데를 수보하는 자라 할 것이며 길을 수축하여 거할 곳이 되게 하는 자라 하리라.
>
> • 이사야 58장 12절

두레에서 길러져서 예수의 이름으로 교회를 만들고 백성들을 섬기겠다는 뜻을 품은 일꾼들이 오랜 세월 동안 황폐해진 조국을 다시 일으켜 세울 것이다. 세대에서 세대를 거쳐오며 무너져온 백성들의 삶의 보금자리를 다시 일으키게 할 것이다. 이 땅에 황폐해지고 무너진 역사의 기초를 다시 쌓아나갈 것이다. 그리하여 세월이 흐른 후 사람들이 두레인들에 대해 다음과 같이 일컬을 것이다

"두레인들이 한반도에서 무너진 역사의 기초를 다시 쌓았다. 두레가족들이 한반도에서 백성들로 복되게 바르게 살아갈 보금자리를 일구었다."

「황무지가 장미꽃같이」 김진홍 목사 자·전·에·세·이

3 낮은 데로 깊은 데로

지 은 이 김진홍
발 행 인 방경석
편 집 장 방지예
디 자 인 방지예
교 정 임미경
제 작 SD SOFT
등 록 제 301-2009-172호(2009.9.11)
주 소 경기도 동두천시 정장로 43
전 화 010-3009-5738
발 행 처 미문커뮤니케이션

Printed in Korea
979-11-983072-9-3(04230)
979-11-983072-6-2 (세트)

1세트(3권) 가 격 63,000원